P9-BIW-701

Stephanie von Dobbeler

Das Gericht und das Erbarmen Gottes

athenäum^s monografien
Theologie
Bonner Biblische Beiträge

Herausgegeben von Frank-Lothar Hossfeld
und Helmut Merklein
Professoren der Katholisch-Theologischen Fakultät
der Universität Bonn

Band 70

Die Faszination, die Johannes der Täufer auslöst, liegt in der Kompromißlosigkeit seiner Verkündigung. In der Auseinandersetzung mit ihr geht diese Untersuchung einen neuen Weg: Ihr Ziel ist die Einordnung Johannes des Täufers in die Theologiegeschichte des Frühjudentums. Eine Analyse der einschlägigen neutestamentlichen und frühjüdischen Texte legt nicht nur die Wurzeln johanneischen Denkens frei, sondern erweist Johannes als apokalyptisch modifizierten Umkehrprediger.
War in der Verkündigung des Johannes durch die Verbindung zur Wassertaufe das Moment der Erlösung schon angedeutet, so greifen seine Jünger dies nach seinem Tod auf: In ihrer Rezeption seiner Botschaft wird aus Johannes, dem Künder des Gerichts und Wegbereiter Gottes, der eschatologische Prophet und Mittler des göttlichen Erbarmens.

Stephanie von Dobbeler, Jahrgang 1957, studierte Katholische Theologie, Philosophie und Kunstgeschichte in Bonn. Promotion in Theologie 1987. Z. Zt. ist sie in der theologischen Erwachsenenbildung tätig.

Stephanie von Dobbeler

Das Gericht und das Erbarmen Gottes

Die Botschaft Johannes des Täufers und ihre Rezeption bei den Johannesjüngern im Rahmen der Theologiegeschichte des Frühjudentums

athenäum

CIP-Titelaufnahme der Deutschen Bibliothek

Dobbeler, Stephanie von:
Das Gericht und das Erbarmen Gottes : d. Botschaft
Johannes d. Täufers u. ihre Rezeption bei d.
Johannesjüngern im Rahmen d. Theologiegeschichte d.
Frühjudentums / Stephanie von Dobbeler. – Frankfurt
am Main : Athenäum, 1988.
(Athenäum[s] Monografien : Theologie ; Bd. 70)
ISBN 3-610-09119-3
NE: Athenäums Monografien/Theologie

Reproduktion, Druck und Bindung: Offsetdrukkerij Kanters B.V.,
NL-2953 CL Alblasserdam
Printed in Holland
ISBN 3-610-09119-3

Meinen Eltern

Maria Verhoff
Dr. Eugen Verhoff

Vorwort

Die vorliegende Untersuchung wurde von der Katholisch-Theologischen Fakultät der Rheinischen Friedrich-Wilhelms-Universität Bonn im Sommersemester 1987 als Dissertation angenommen. Für die Drucklegung wurde sie geringfügig überarbeitet.

Den Werdegang der Dissertation hat mein Doktorvater, Prof. Dr. Helmut Merklein, mit Interesse und kritischem Blick begleitet; ihm gilt mein besonderer Dank.

Prof. Dr. Hubert Ritt übernahm freundlicherweise das Korreferat. Sein Gutachten gab mir manche Hinweise zum Weiterdenken.

Ohne die fachlichen Gespräche mit meinem Mann, Dr. Axel von Dobbeler, und ohne seine dauerhafte Ermutigung wäre die Arbeit neben meinem Beruf nicht zum Abschluß gekommen; dafür möchte ich ihm ganz herzlich danken.

Frau Gisela Corsten hat mit großer Sorgfalt das Typoskript erstellt. Dem Erzbistum Köln danke ich für den großzügigen Druckkostenzuschuß. Ferner gilt mein Dank den Herausgebern der Bonner Biblischen Beiträge, meinem Doktorvater sowie Prof. Dr. Frank-Lothar Hossfeld, für die Aufnahme der Arbeit in die Reihe.

Gewidmet ist das Buch meinen Eltern, die mit liebevoller Fürsorge meinen Weg begleitet haben.

Düsseldorf, im Dezember 1987 — Stephanie von Dobbeler

[illegible]

[illegible]

[illegible]

[illegible] Fassung [illegible]

[illegible]

[illegible]

Inhaltsverzeichnis

Einleitung

Wer einmal die Kreuzigungsszene auf dem Isenheimer Altar des Matthias Grünewald gesehen hat, wird sie so schnell nicht wieder vergessen.

Im Zentrum der Darstellung der übermächtige, von Todeskrämpfen durchzuckte Leib des Gekreuzigten. Sein Körper, übersät mit violettblutigen Schwären, trägt bereits die grau-grüne Farbe der Verwesung und hebt sich provokativ vor dem blauschwarzen Hintergrund des Wüstenhimmels ab - ein Bild der mißbrauchten, geschändeten Kreatur.

Links vom Kreuz, gestützt auf den Lieblingsjünger Jesu, die klagende Maria; zu Füßen des Kreuzesstammes kauert die in völliger Trauer aufgelöste Maria Magdalena.

Feierlich steil und ein wenig distanziert nimmt sich auf der rechten Seite des Kreuzes im Gegensatz zu den übrigen Gestalten Johannes der Täufer aus. Er schaut zu dem Gekreuzigten herüber und weist mit seinem überdimensional langen rechten Zeigefinger auf ihn. Über dem Täufer die Inschrift: "Illum oportet crescere, me autem minui". (Joh 3,30)

Johannes der Täufer zugegen bei der Kreuzigung Jesu - eine sehr außergewöhnliche Plazierung. Grünewald jedoch gelingt es dadurch, die allen Evangelienberichten über Johannes zugrundeliegende Intention kraft einer einzigen Darstellung zum Ausdruck zu bringen: Indem Johannes auf den Gekreuzigten hinweist, erfüllt er seine ureigentliche Aufgabe; er ist der Vorläufer des nach ihm kommenden, gekreuzigten Erlösers Jesus Christus.

Die Sichtweise des Täufers in seiner Funktion als Vorläufer Jesu bleibt für lange Zeit auch die maßgebliche Beurteilung des Johannes in der neutestamentlichen Forschung. Daß der Erforschung des Täufers breiter Raum gewidmet wird, ist bedingt durch die besondere Stellung, die ihm die Evangelien gerade auch im Hinblick auf sein Verhältnis zu Jesus einräumen. Dabei lassen sich drei verschiedene Forschungsrichtungen ausmachen: Ein Komplex befaßt sich mit der Frage nach Johannes unter besonderer Berücksichtigung seiner Wirkungsgeschichte im Christentum, ein weiterer beurteilt die Funktion des Täufers in den Evangelien anhand redaktionsgeschichtlicher Kriterien, ein dritter Bereich umfaßt als Schwerpunkt die Versuche einer religions- bzw. traditionsgeschichtlichen Einordnung des Johannes in sein jüdisches Umfeld.

Im Folgenden wollen wir uns die einzelnen Vertreter der jeweiligen Forschungsrichtungen sowie ihre Positionen vor Augen führen. Dabei werden nur die umfassenden Monographien und Aufsätze berücksichtigt; die Spezialliteratur kommt bei den jeweils behandelten Problemen zur Sprache.

FORSCHUNGSGESCHICHTLICHER ÜBERBLICK

Johannes der Täufer und seine Wirkungsgeschichte im Christentum

Unser forschungsgeschichtlicher Überblick beginnt mit der bereits 1880 verfaßten Dissertation A. SCHLATTERS über Johannes den Täufer, die erstmalig von W. MICHAELIS 1956 herausgegeben wurde. Der Rückgriff auf diese noch relativ alte Untersuchung scheint von der Fragestellung SCHLATTERS her gerechtfertigt: Ausgehend von den Täuferüberlieferungen der Evangelien versucht er, "kritisch festzustellen, was uns von dem Inhalt der Taufbewegung erkennbar sei" (1); auf der Basis des neutestamentlichen Textmaterials wird also die Frage nach dem historischen Johannes gestellt, eine Frage, die die nachfolgende Forschung für lange Zeit beschäftigen wird.

SCHLATTER stützt sich dabei vor allem auf die Aussagen des Johannesevangeliums, ohne allerdings die drei ersten Evangelien aus dem Blick zu verlieren. Die Zweiquellentheorie wird von ihm noch nicht berücksichtigt, doch erörtert er bereits eingehend Abhängigkeit und Selbständigkeit der synoptischen Evangelien untereinander (2).

SCHLATTER entwirft ein Bild des Täufers, welches ihn als ethischen Prediger ausweist. Bereits die Eliahoffnung, die er mit dem Täufer in Verbindung bringt, wird auf ihren "ethischen Effekt" hin befragt (3). Im Gegenüber zu einer starren Gesetzespraxis läge ihr Wert darin, innerhalb des Frühjudentums das Verlangen nach einer neuen prophetischen Zeit aufrechtzuerhalten und den Boden für ein neues Gotteswort zu bereiten. Genau hierin sieht SCHLATTER die Funktion des Täufers. Indem die von Johannes gespendete Taufe beim Täufling bewirke, ihn dazu zu rüsten, "in sittlicher Arbeit das Reich Gottes zuzubereiten" (4) und somit die in der Standespredigt entwickelten Verhaltensregeln erfüllbar mache, bereite sie den Getauften auf das Kommen des Gottesreiches vor. Durch den Taufempfang trat die Hoffnung auf das Gottesreich "aus dem Bereich unkräftigen Verlangens, Dichtens, Dogmatisierens heraus und ward zu sittlich tätiger Energie gespannt" (5). Der Weg für Jesus

---

1 SCHLATTER, Johannes, 164.

2 Vgl. bei SCHLATTER, ebd., die Anmerkungen auf den Seiten 76-81 u.a.

3 Ebd. 53.

4 Ebd. 151.

5 Ebd. 150.

ist bereitet, Johannes erweise sich somit im wirklichen Sinn als Wegbereiter Jesu (6).

Die Bemühungen SCHLATTERS, anhand der Evangelientexte die inhaltliche Eigenart der Tätigkeit des Johannes zu erfassen, führte letztendlich zu einem Ergebnis, welches uns bereits aus den Täuferdarstellungen der Evangelien selbst geläufig ist. Taufe und Verkündigung des Johannes haben eine vorbereitende Funktion im Hinblick auf die Gottesreichverkündigung Jesu. Sie stehen somit ganz im Dienste der Anfänge des Christentums.

Ganz bewußt verzichtet M. DIBELIUS auf eine religionsgeschichtliche Einordnung des Täufers (7), vielmehr beschränkt er sich auf eine rein literarhistorische Vorgehensweise. Ausgehend von den Quellen, Evangelien und Apostelgeschichte, versucht er anhand literarischer Untersuchungen eine Geschichte des Täufers nachzuzeichnen (8). Ausgangspunkt literarischer Art sind dabei die Worte Jesu über den Täufer (9), die nach DIBELIUS die ältesten Zeugnisse über Johannes darstellen (10). Die synoptischen Berichte über den Täufer ständen in ihrem geschichtlichen Wert hinter den Worten Jesu zurück, da sie hauptsächlich die Meinung der Gemeinde über Johannes wiederspiegelten (11).

Die Ergebnisse, die DIBELIUS mit Hilfe seiner Textanalysen für die Frage nach dem historischen Johannes erzielt, sind für ihn im Hinblick auf dessen Wirkungsgeschichte von Interesse. Die Bewegung des Volkes, die Johannes durch seine Tätigkeit entfacht hat und deren Charakteristika Taufe und messianische Bußgedanken seien (12), wurde bald von der Jesusbewegung aufgesogen. Doch übernähmen Jesus und seine Jünger die grundlegenden Gedanken der Johannesgemeinschaft. Wie bei Johannes seien auch ihre Adressaten der Am-haarez, weder die hellenisierten Juden noch die am Gesetz orientierten Pharisäer (13). Den Am-haarez gegenüber trete Johannes als eschatologischer Bußprediger auf, der nicht das Heil, sondern das Gericht ankündigt. Als Wirkung seiner Predigt erreiche er bei den Hörern die "Erweckung sittlichen Ernstes" (14). Neben denselben Adressaten übernehme die Jesusbewegung zudem die eschatologische Ausrichtung der Täuferbotschaft, ihre Wirkung sowie den Umkehrruf. Insgesamt jedoch gebe sie ihrer Verkündigung eine andere Richtung. Beherrschender Gedanke ist nicht mehr wie bei Johannes das Gericht, sondern das Heil.

Anders als DIBELIUS ist M. GOGUEL stärker daran interessiert, ein eigenes Profil des Täufers gegenüber den Evangeliendarstellungen zu entwickeln: Die Vorläuferfunktion des Johannes und seine Unterordnung unter Jesus müßten nicht der historischen Realität entsprechen, zumal

---

6 Ebd. 151.

7 Vgl. DIBELIUS, Überlieferung, Vorwort.

8 Ebd.

9 Mt 17,1ff par Lk 7,18ff; Mk 2,18ff; Lk 11,1ff.

10 Vgl. DIBELIUS, aaO, 2.

11 Ebd. 46.

12 Wie der Zusammenhang von Taufe und Buße aussieht, läßt sich laut DIBELIUS anhand der Texte nicht klären, ebd. 136.

13 Ebd. 130f.

14 Ebd. 135.

sich hinter den neutestamentlichen Texten Täufertradition verberge, die einen differenzierteren Blick auf Johannes gestatte (15).

GOGUEL kommt zu dem Ergebnis, daß Johannes zwar schon als Vorläufer der Jesusbewegung anzusehen sei, jedoch nicht in dem Sinn, wie ihn die christlichen Autoren stilisierten. Vielmehr ergebe sich die Vorläuferrolle aus der ihm anhangenden Eigentümlichkeit: Johannes sehe sich selbst als Prophet, dessen Aufgabe es sei, das auf die Katastrophe zusteuernde Israel auf das Gericht vorzubereiten. Dies geschähe vermittels Umkehr und Taufe, wobei die Taufe selbst nicht nur Initiationsakt in eine Gemeinschaft sei, die sich für das kommende Gericht präpariere, sondern vermutlich sündenvergebende Wirkung habe und somit vor dem göttlichen Gericht retten könne (16). Die Besonderheit des Täufers liege vor allem darin, daß er in einer Zeit, in der die Prophetie in Israel erloschen war, das prophetische Element in der Religion wieder neu belebt habe; er brachte das religiöse Problem seiner Zeit, wie nämlich der Mensch am Tage des Gerichts bestehen könne, auf einen Nenner. Ein Problem, das später auch Jesus und die urchristlichen Missionare beschäftigte. Sein besonderer Verdienst sei darin zu sehen, daß Johannes durch seine Predigt und seine Taufe die Menschen aufgeweckt habe, so daß sie dann für Jesu Botschaft empfänglich seien. Von daher sei Johannes also der Vorläufer des Christentums, ohne aber dessen Initiator zu sein (17).

Eine gänzlich außergewöhnliche Analyse der Frage nach dem historischen Johannes findet sich bei R. EISLER (18), der zur Beantwortung dieser Frage im Gegensatz zu den bisherigen Untersuchungen als primäre Quelle nicht das NT benutzt, sondern den griechischen Josephus und die Fragmente des slavischen, hebräischen und arabischen Josephus. EISLER schreibt dem Werk des Johannes einen politischen Charakter zu. Demnach richteten sich seine Appelle auf die Ablehnung der Fremdherrschaft und die nationale Restauration im Sinne von Dtn 17, 14f. Die größte Sünde des Volkes bestände darin, daß es die Regierung des Herodes und damit der Römer akzeptiert habe. Dies komme einem Abfall zum Heidentum und somit dem Untergang Israels gleich. Die Taufe reinige von dieser Sünde und konstituiere ein neues Israel, welches auf den angekündigten nationalen Messias warte, der Freiheit von der Fremdherrschaft und Wiedererrichtung des Staates Israel erwirken werde (19). Die Funktion des Johannes sei dabei nicht nur eine prophetische - Aufruf zur Umkehr und Ankündigung des Messias -, sondern zugleich eine hohepriesterliche. Ihm komme die Aufgabe zu, "den Befreierkönig Israels zur Weltherrschaft (zu) salben" (20).

Obwohl EISLER im Unterschied zur bisherigen Forschung Johannes nicht im Hinblick auf seine Stellung zum Christentum untersucht, sondern ihn eher im Kontext zeitgenössischer jüdisch-nationaler Hoffnungen sieht, bietet seine Vorgehensweise Anlaß zur Kritik. Nicht diejenigen Texte, die am ehesten von ihrem Alter her authentische Täufertradition enthalten könnten, nämlich die Evangelien, sind Ausgangspunkt der Ana-

15 Vgl. GOGUEL, Au seuil, 12.

16 Ebd. 290f.

17 Ebd. 294f.

18 Vgl. EISLER, ΙΗΣΟΥΣ ..., 81ff.

19 Ebd. 81-97.

20 Ebd. 83.

lyse, sondern wesentlich jüngere Texte, die zweifellos eher Zeugnisse der Legendarisierung und Mythisierung des Täufers darstellen, als daß sie historisch zuverlässige Nachrichten über den Täufer vermitteln. So fand auch die Methode EISLERS in der folgenden Forschung keinen Anklang; die Fragmente des slavischen Josephus sowie auch die mandäische Literatur wurden als Quellen für die Frage nach dem historischen Johannes ausgeschlossen (21).

Ähnlich wie DIBELIUS und GOGUEL stellt auch E. LOHMEYER (22) die Frage nach dem historischen Johannes aus dem Blickwinkel seiner Wirkungsgeschichte innerhalb des Christentums. Bezeichnenderweise eröffnet seine Abhandlung über den Täufer eine Reihe von Bänden zur Geschichte des Urchristentums. Dies erscheint für LOHMEYER deshalb gerechtfertigt, weil seiner Meinung nach Johannes den Beginn des Christentums markiert. Drei sachliche Gründe führt er dafür ins Feld: So setzte Johannes durch seinen Bruch mit der jüdischen Überlieferung innerhalb des Judentums einen neuen Anfang. Dadurch, daß Jesus Schüler des Johannes gewesen sei, stelle die Geschichte des Auftretens des Täufers den Anfang des Evangeliums Jesu Christi dar. Und als dritten Grund nennt LOHMEYER, daß Johannes, Jesus und die urchristlichen Apostel durch den Gedanken vom nahen "Gottesende" miteinander verbunden seien (23).

Methodischer Ausgangspunkt seiner Untersuchung ist die Wirkungsgeschichte des Täufers, wie sie sich in den Evangelien niederschlägt, denn trotz der Verschiedenheit der dort vorhandenen Täuferdarstellungen ließen die Texte jeweils Blicke auf die historische Gestalt zu. Jede Interpretation des Täufers beinhalte einen historischen Kern (24). Dabei stützt sich LOHMEYER hauptsächlich auf Mk 1,1-8 und die Umkehrpredigt in Q, da dort Johannes selbst zu Wort komme (25). Die sich aus den Texten ergebenden Charakteristika der Person des Johannes und seines Werkes bedürften einer geschichtlichen Festlegung, die LOHMEYER im Vergleich mit der jüdischen Umwelt zu erreichen versucht (26).

Die Textanalyse ergab, daß Leben und Werk des Täufers von dem zentralen Gedanken des nahenden "Gottesendes" beherrscht seien. Als "asketischer Eremit, Prophet und (politischer) Reformator seines Volkes" (27) lehne er sich gegen die jüdische Überlieferung auf. Er wende sich gegen jedes heilsgeschichtliche Denken, welches seinen Grund in der in Abraham gewährten Erwählung hat. Statt dessen lenke er den Blick auf das freie und mächtige Handeln Gottes. So wurde auch der Gedanke der Erwählung losgelöst aus seinen heilsgeschichtlichen Bedingungen und allein Gottes souveränem Handeln anheim gestellt. Die "Entgeschichtlichung" des Verhältnisses Mensch - Gott, die Johannes durch seinen Protest gegen die jüdische Überlieferung erreiche, bedinge, das Ende der Geschichte in den Blick zu nehmen, welches als ein von Gott herbeigeführtes Ende dazu diene, endgültig die gesamte Herrlichkeit Gottes zu

---

21 Vgl. VIELHAUER, Johannes, Sp. 804; KRAELING, John, 4f.

22 Vgl. LOHMEYER, Johannes, 3ff.

23 Ebd. 3.

24 Ebd. 10f.

25 Ebd. 42f.

26 Ebd. 10.

27 Ebd. 186.

offenbaren. Johannes "wahre Tat" liegt nach LOHMEYER in der Aktualisierung des eschatologischen Gedankens, der ganz sein Verkünden und Handeln beherrsche. Teilhabe an der göttlichen Herrlichkeit werde denen gewährt, die die Bußtaufe empfangen haben. Die Taufe sei der "reine gottgegebene Übergang von dieser zu jener Welt" (28); sie bewirke eine neue Abrahamskindschaft und ermögliche reines sittliches Handeln. Heil sei demnach nur durch die in der Taufe vollzogene Abkehr von Geschichte und Welt möglich. Als eschatologisches Zeichen sei die Taufe allerdings noch nicht die endgültige Erfüllung. Diese werde erst mit der Geisttaufe gewährt.

Eine Wirkungsgeschichte des Täufers im Sinne einer sich aus der Taufe entwickelnden "Täuferreligion" habe es nicht gegeben. Dafür sei die Eschatologie des Johannes zu abstrakt geblieben. Allein im Kontext der Entwicklung des Urchristentums könne man von einer Wirkungsgeschichte des Täufers sprechen. Diese ergebe sich aus der besonderen Relation zwischen Johannes und Jesus (29).

Die Besonderheit der Untersuchung LOHMEYERS liegt darin, daß hier erstmalig inhaltlich Bezug genommen wird auf die Stellung des Täufers zur jüdischen Überlieferung. Entscheidend ist dabei die Beobachtung, daß Johannes mit dem heilsgeschichtlichen Denken des Judentums gebrochen hat. Den Gründen, die Anlaß für diesen Bruch gewesen sein könnten, geht LOHMEYER allerdings nicht nach. Dafür bleibt er zu sehr von seinem eigenen Konzept gefangen. So dienen seine Ergebnisse nicht dazu, eine Wertung des Täufers innerhalb des Frühjudentums zu versuchen; vielmehr wertet er sie als Indikatoren für einen mit Johannes einsetzenden Neuanfang, der seine endgültige Ausprägung im entstehenden Christentum erhält.

Fast zwanzig Jahre dauerte die Pause, die sich seit der Monographie LOHMEYERS bis zum Erscheinen der Abhandlung C.H. KRAELINGS über Johannes den Täufer im Jahre 1951 erstreckte (30). Die Fragestellung jedoch ist auch hier dieselbe geblieben. Die Erforschung der historischen Johannesgestalt steht weiterhin im Zentrum des Interesses. Schwerpunkte der Untersuchung KRAELINGS bilden dabei vor allem die Umkehrpredigt sowie die Bedeutung der johanneischen Taufe.

KRAELING unterteilt die Täuferpredigt in "Proclamation" und "Exhortation" (31), er spricht ihr also zwei Absichten zu, eine kerygmatische und eine paränetische. Der Inhalt der Verkündigung sei das göttliche Gericht und das Kommen des Messias, dessen Aufgabe es ist, die Menschen von der Sünde zu reinigen und das Böse zu zerstören (32). Das Zentrum der Paränese hingegen bilde der Umkehrruf. Hier bewege Johannes sich ganz auf dem Boden jüdischen Denkens, indem er Umkehr verstände als Abkehr von der Sünde und Hinkehr zu Gott. Neu sei jedoch die Dringlichkeit der Umkehr aufgrund der Nähe des Gerichts und die Verbindung mit der Taufe. Die Umkehr müsse sich in konkreten Taten äußern, eine davon sei die Taufe, andere Gebet und Fasten (33). Die Taufe selbst stelle einen symbolischen Akt der Selbsterniedrigung

---

28 Ebd. 180.

29 Ebd. 174-189.

30 Vgl. KRAELING, John, 4f.

31 Ebd. 38.

32 Ebd. 63.

33 Ebd. 71.80.

dar, in dem die Rechtmäßigkeit des göttlichen Gerichts anerkannt wird. Als Ausdruck wahrer Umkehrbereitschaft bewirke sie Sündenvergebung. Ihre besondere Bedeutung läge in dem Stellenwert, der ihr innerhalb der religiösen Entwicklung der ersten zwei nachchristlichen Jahrhunderte zukomme. Demnach sei die Taufe der Ritus, in dem die grundlegenden Ängste und Hoffnungen des Menschen im Angesicht des kommenden Gerichts zum Ausdruck gebracht werden könnten und der die Befreiung von der Sündenschuld ermögliche (34).

Während bei KRAELING vor allem die Wirkungsgeschichte des Täufers und seiner Taufe innerhalb des Urchristentums im Blick ist, läßt sich bereits bei C.H.H. SCOBIE (35) beobachten, daß die Entdeckung der Qumranfunde und die dadurch angefachte Diskussion um eine religionsgeschichtliche Einordnung des Täufers (36) nicht spurlos an der Frage nach dem historischen Johannes vorübergegangen ist. Die Aufgabe, die sich SCOBIE gestellt hat, "to investigate the life of John for it's own sake" (37) führt seiner Meinung nach nur dann zu einem Ergebnis, welches Aussagen mit großer historischer Wahrscheinlichkeit aufweist, wenn die Schlußfolgerungen, die die Bearbeitung der neutestamentlichen Quellen und des Josephus ergeben haben, mit dem jüdischen Hintergrund, vor dem Johannes zu sehen ist, verglichen werden (38).

Im Rahmen des religionsgeschichtlichen Umfeldes sei Johannes den vielfältigen jüdischen Taufbewegungen, die zwischen 150 vor Christus und 300-400 nach Christus existierten, einzuordnen (39), wobei am deutlichsten eine Ähnlichkeit seiner Gedanken mit denen der Qumrangemeinde festzustellen sei: beide erwarten eine Bestrafung der Sünder durch Feuer, sowie eine eschatologische (Geist)-Taufe, die durch die Umkehr bedingt sei. Allerdings bewahre Johannes trotz der Übereinstimmungen ein eigenes Profil; diese individuell originalen Züge ließen es nicht zu, Johannes einfach aus Qumran herzuleiten. So sei Johannes weder daran gelegen gewesen, eine mönchsähnliche Gemeinschaft wie in Qumran zu gründen, noch habe er sich einer solchen untergeordnet, sondern trat eindeutig als Einzelperson auf (40).

Auf dem allgemeinen Hintergrund der jüdischen Taufbewegungen versucht SCOBIE, die Besonderheiten des Johannes aufzuzeigen: In einer Zeit, die die Prophetie in Israel als seit langem erloschen ansah, sei Johannes als Prophet erschienen. Mit seiner rigorosen Forderung nach Umkehr im Angesicht des kommenden Gerichts entdecke Johannes das Zentrum alttestamentlicher Prophetie wieder. Demnach bestünde die Aufgabe des Täufers primär darin, Umkehr zu verkünden. Die Taufe sei, als prophetische Zeichenhandlung, dieser Aufgabe eindeutig unterzuordnen. Die Einfachheit seiner Botschaft, die in metaphorischer Sprache zum Ausdruck kam, ermöglichte vielen den Zugang zum Anliegen des Täufers (41).

---

34 Ebd. 121f.

35 Vgl. SCOBIE, John, 11ff.

36 Vgl. dazu den dritten Komplex der Forschungsgeschichte zur religions- und traditionsgeschichtlichen Einordnung des Täufers.

37 SCOBIE, aaO, 10.

38 Ebd. 12.

39 Ebd. 33.

40 Ebd. 207.

41 Ebd. 208-210.

Kraft dieser Beobachtungen erscheint es SCOBIE möglich, eine Einschätzung des Täufers als religiöse Gestalt gerade auch im Hinblick auf die christliche Bewegung zu wagen. Zwar ließen die Evangelien ohne weiteres die Tendenz erkennen, Johannes gegenüber Jesus herabzusetzen, doch haben sie gleichzeitig dazu beigetragen, die Wirksamkeit des Täufers zu tradieren. Aufgrund ihrer Besonderheiten gerade auch gegenüber dem jüdischen Umfeld könne die Täuferbewegung als Nährboden und Starthilfe für die Botschaft und Mission Jesu angesehen werden. Von daher komme Johannes seine eigentliche Größe in der Geschichte der Religion zu. In Absetzung von seiner ihn umgegebenden Tradition und in der Neuartigkeit seiner Botschaft und seines Auftretens sei er die Brücke zwischen Judentum und Christentum (42).

Obwohl auch R. SCHÜTZ (43) sich mit der Frage auseinandersetzt, inwieweit Johannes essenischen Kreisen zuzordnen sei (44), stellt sie nicht sein primäres Anliegen dar. Vielmehr hat er sich zur Aufgabe gestellt nachzuweisen, daß sich Johannes als Elia redivivus mit dem Pharisäismus auseinandersetzte, sich den unteren Schichten des Volkes zuwandte und somit eindeutig Wegbereiter Jesu war (45).

Daß Johannes als Elia redivivus zu verstehen sei, ergibt sich für SCHÜTZ nicht aufgrund der Ähnlichkeit in der äußeren Erscheinung, sondern anhand der identischen Wesensart. Wie Elia so träte auch Johannes kurz vor dem Gericht auf, rufe zur Umkehr und künde das kommende Heil an (46).

Die Hörer der johanneischen Botschaft entstammten unterschiedlichen Gruppierungen des jüdischen Volkes, Pharisäer und Schriftgelehrte einerseits (Mt 3,7), bußfertige ὄχλοι (Lk 3,10), zu denen die Zöllner zählten (Lk 3,12) andererseits. Die Pharisäer lehnen Johannes ab, da sie keine Umkehrbereitschaft zeigten und sich auf ihren Status als Kinder Abrahams beriefen. Sie wiedersetzen sich somit dem Kern seiner Botschaft, die gegenüber der bisherigen Tradition etwas gänzlich Neues darstelle: Die Gotteskindschaft reiche über die Abrahamskindschaft hinaus und habe eindeutig universale Ausrichtung. Die vom Täufer geforderte Metanoia sei die Bedingung zur Rettung vor dem Gericht und garantiere die Teilhabe am Reich Gottes. Konstitutiva der Umkehr seien Sündenbekenntnis und Sündenvergebung (47).

Allgemeines Ziel der von Johannes verkündeten Buße sei nicht die Umkehr zu Gott oder zur Tora, wie dies auch Forderung der Propheten war. "Vielmehr galt dem Täufer, daß jedermann, auch Heiden, mit sich selber ins Gericht gehe, bußfertig vor Gott hintrete, um aus der schicksalhaft versklavten Gottwidrigkeit endgültig herauszukommen. Er wollte aus den unredlichen Zöllnern und aus den Huren neue Menschen machen" (48). In dieser Sichtweise des Täufers als ethischen Prediger greift SCHÜTZ zweifellos die These SCHLATTERS wieder auf.

Der universale Anspruch sowie die Auseinandersetzung des Johannes mit den Pharisäern und seine Hinwendung zu den Minderprivilegierten

---

42 Ebd. 212-213.

43 Vgl. SCHÜTZ, Johannes.

44 AaO, 57-63.

45 Vgl. das Vorwort bei SCHÜTZ, Johannes.

46 Ebd. 29.

47 Ebd. 30-32.

48 Ebd. 46.

bereitete den Boden für das Auftreten Jesu. Johannes sei im wirklichen Sinn Wegbereiter Jesu (49).

Die Schwierigkeit aller bisherigen Abhandlungen, die sich mit der Frage nach dem historischen Johannes und seiner Wirkungsgeschichte befaßten, liegt nicht im methodischen Vorgehen und letztendlich auch nicht in den erbrachten Einzelergebnissen. Vielmehr liegt sie in den jeweils gefaßten hermeneutischen Vorentscheidungen. So steht im Mittelpunkt des Interesses nicht der historische Johannes als herausragende Persönlichkeit innerhalb des Frühjudentums. Die besondere Stellung, die dem Täufer in den Evangelien zukommt, bedingte, die Fragestellung in eine ganz bestimmte Richtung festzulegen. Leben und Werk des Täufers haben nur eine Relevanz im Rahmen ihrer Wirkungsgeschichte im Christentum. Die Besonderheiten seiner Verkündigung und Taufe, die sich auf dem Hintergrund seines jüdischen Umfeldes deutlich abzeichnen, dienen nicht dazu, Johannes eine eigenständige Größe zuzuerkennen, sondern werden kraft ihres innovatorischen Charakters nur in ihrer Funktion als Grundlage und Anfangspunkt der Geschichte des Urchristentums wahrgenommen. Johannes wird somit nicht so sehr als Jude seiner Zeit ernstgenommen, vielmehr wird ihm die Rolle des (unbewußten) Initiators des Christentums aufgebürdet.

Johannes der Täufer im Lichte der Redaktionsgeschichte

Nachdem in der Mitte der fünfziger Jahre durch die Arbeit H. Conzelmanns (50) die redaktionsgeschichtliche Methode Einzug in die Erforschung der neutestamentlichen Schriften gehalten hatte, wandte sich das Interesse an Johannes dem Täufer nicht mehr allein seiner historischen Gestalt zu, sondern im Mittelpunkt stand hier die Analyse der Funktion des Täufers innerhalb der theologischen Konzeptionen der Evangelisten.

So versucht bereits H. CONZELMANN in seiner Darstellung der Theologie des Lukas den theologischen Ort des Täufers innerhalb des dreigestuften heilsgeschichtlichen Schemas, welches Lk und Apg zugrundeliegt, ausfindig zu machen (51). Den Schlüssel dazu bietet Lk 16,16. Nach CONZEL-

---

49 Ebd. 80.

50 Vgl. CONZELMANN, Mitte, 1. Auflage 1954.

51 Ebd., 6. Auflage 1977, 16-21.

MANN läßt sich hier eine deutliche Unterscheidung zweier Heilsepochen feststellen, wobei Johannes der alten Heilsepoche, der Zeit Israels, zuzurechnen sei, nicht aber der Zeit Jesu; demnach sei der Täufer "nicht der 'Vorläufer', denn das gibt es nicht; er ist der letzte der Propheten" (52).

Wenige Jahre nach Erscheinen der Monographie CONZELMANNS wendet sich W. TRILLING der redaktionsgeschichtlichen Beurteilung der Täufertradition im Mt zu (53). Die Verchristlichung dieser Tradition und die Parallelisierung von Johannes und Jesus sei, so TRILLING, ganz vom apologetischen Interesse des Evangelisten her zu verstehen. Matthäus ließ bereits Johannes das Kommen des Gottesreiches verkünden und zähle ihn somit in die Zeit der Verwirklichung des Reiches hinein. Schon in der Ablehnung und Tötung des Johannes, durch die das Schicksal Jesu - sein Kreuzestod - vorbereitet wird, habe Israel seinen Anspruch verspielt, Volk Gottes zu sein. Damit habe es sich bereits selbst das Gericht gesprochen und sei seiner Heilschance, Zugang zum Reich Gottes zu erlangen, verlustig gegangen, so daß jetzt das "wahre Israel" einzig die Kirche des Matthäus sei (54).

Noch in jüngster Zeit findet die These TRILLINGS Anklang. Auf dem Boden seiner Ergebnisse versucht J.P. MEIER klarer herauszustellen, warum Matthäus Johannes und Jesus parallelisieren konnte, ohne dabei Gefahr zu laufen, daß die untergeordnete Stellung des Täufers nicht deutlich genug zum Vorschein kam (55). Als Erklärungshintergrund zieht MEIER das heilsgeschichtliche Konzept des Matthäus, welches drei Stufen, AT, die Zeit Jesu und die Zeit der Kirche, umfaßt, hinzu. Dabei lassen sich nach MEIER zwei Gründe dafür angeben, daß Johannes in die zweite Periode, die Zeit Jesu hineingehöre. Mit der Kindheitsgeschichte in Mt 1-2 setze im Matthäusevangelium die zentrale Periode der Heilsgeschichte ein. Der Bericht über das Auftreten des Johannes in Kapitel 3 falle somit bereits in diese Periode hinein. "And the Baptist necessarily stands within it by the inner logic of Matthew's schema" (56). Zudem trennten die Verkündigung des Johannes, seine Gerichtsandrohung, sein Schicksal und sein Tod ihn von der Zeit des AT ab und stellten ihn unmißverständlich in die Zeit Jesu. So ermögliche gerade die Besonderheit des Täufers, ihn mit Jesus zu parallelisieren. Gleichzeitig aber vermöge die geschickte Konzeption des Matthäus in den ersten drei Kapiteln seines Evangeliums, Jesus von vornherein als den gegenüber Johannes Größeren herauszustellen. Indem in Mt 1f die Geburt Jesu als die eines davidischen Königs und Gottessohnes dargestellt wird, werde Jesus von seiner Geburt an als der erwartete Messias ausgewiesen. Das Auftreten des Täufers in Kapitel 3 geschähe schon unter dem Vorzeichen, daß der

---

52 Ebd. 19; vgl. auch 17f. Der Entwurf CONZELMANNs, soviel Zustimmung er auch gefunden hat, ließ gerade im Hinblick auf die heilsgeschichtliche Einordnung des Täufers Kritik aufkommen. Vgl. dazu KÜMMEL, Gesetz, 398-415; BRAUMANN, Mittel, 117-145 sowie die neueste ausführliche Auseinandersetzung mit der CONZELMANN'schen These bei BACHMANN, Johannes, 123-155.

53 Vgl. TRILLING, Täufertradition, 271-289.

54 Ebd. 288f.

55 Vgl. MEIER, John, 383-405.

56 Ebd. 404.

Messias bereits auf Erden ist. Die Subordination des Johannes brauche so nicht mehr ausdrücklich betont zu werden (57).

In seiner redaktionsgeschichtlichen Studie zum Evangelisten Markus widmet W. MARXSEN dem Täufer das erste Kapitel seiner Analyse (58). Er kommt dort zu dem Ergebnis: "Die Täuferaussagen (sind) christologische Aussagen. Als solche interpretieren sie dann in gewisser Weise das Jesusgeschehen. Aber sie tun es, indem sie es qualifizieren. Der zum Vorläufer gewordene Täufer weist den nach ihm Kommenden als den Erwählten aus" (59). Dieses Resultat macht Ch. WOLFF zur Grundlage seiner redaktionsgeschichtlichen Untersuchung (60), versucht aber, die Mängel der Analyse MARXSENS zu beseitigen, indem er zum einen den christologischen Bezug konkretisieren und zum anderen die Textbasis über Mk 1 hinaus auf Mk 6,14ff; 8,28; 9,11-13 und 11,27ff erweitern möchte (61). Dabei kommt WOLFF zu dem Schluß, daß die christologischen Aussagen, die Markus über Johannes macht, von der zentralen Stellung der Passion Jesu innerhalb des Mk her zu beurteilen seien. Johannes ist der Vorläufer des Messias. An dieser Vorläuferfunktion sei aber für Markus vor allem der Tod des Täufers von Interesse. Somit weise der gewaltsame Tod des Johannes bereits auf das Schicksal Jesu hin. Die Betonung des Täufertodes diene dem Interesse des Markus, die Bedeutung der Passion Jesu im Mk zusätzlich hervorzuheben (62).

Eine die vier Evangelisten insgesamt umfassende redaktionsgeschichtliche Beurteilung der Darstellung des Täufers finden wir erstmalig bei W. WINK (63). Dabei läßt sich WINK von der Frage leiten, welches der Grund für das Interesse der frühen Kirche an Johannes dem Täufer gewesen sei. Während einige Forscher behaupten, er läge darin, daß die frühe Kirche in Konkurrenz zu den Johannesjüngern gestanden und aus apologetischem und polemischem Interesse heraus den Täufer rezipiert habe, überlegt WINK, ob nicht die Bedeutung des Johannes erst dann richtig zu ermessen sei, wenn die Frage beantwortet sei, welche Rolle Johannes im göttlichen Heilsplan zukomme, konkret also, welche Rolle er in den Evangelien und in der Apostelgeschichte als Künder des Evangeliums Jesu Christi habe. Dazu ist es notwendig, seine Bedeutung in jedem Evangelium gesondert zu untersuchen, um das jeweilige theologische Interesse der Evangelisten an Johannes erfassen zu können (64).

Eine Untersuchung der vier Evangelien und der Apostelgeschichte erbrachte das Resultat, daß die Rezeption des Täufers aus apologetischem und polemischem Anlaß heraus eine sekundäre Rolle spiele. Vielmehr seien zwei andere Gründe für die Bedeutung des Johannes anzunehmen: Die Sichtweise der Evangelisten, Johannes als den Beginn des Evangeliums Jesu Christi zu werten, sei ein theologischer Ausdruck für die historische Tatsache, "that through John's mediation Jesus percieved the near-

57 Ebd. 402-405.

58 Vgl. MARXSEN, Evangelist Markus, 10ff.

59 Ebd. 19.

60 Vgl. WOLFF, Bedeutung, 857-865.

61 Ebd. 857.

62 Ebd. 863.

63 Vgl. WINK, John, 1ff.

64 Ebd. Einleitung.

ness of the kingdom and his own relation to its coming" (65). Doch seien die Autoren dabei nicht stehengeblieben. Gerade weil Johannes Wegbereiter Jesu sei, könne er typologisch als Verkörperung des kirchlichen Lebens im Zeugnis für Jesus ausgedeutet werden (66).

Unter diesen Voraussetzungen habe jeder Evangelist seine individuelle Sichtweise des Täufers entwickelt:

- Markus zeige Johannes als Elia redivivus, dessen Tod den Weg Jesu vorbereite. Johannes werde dadurch als Beispiel den verfolgten Christen in Rom vor Augen geführt (67).
- Matthäus stelle Johannes als einen Verbündeten Jesu gegen die jüdische Opposition dar (68).
- Die lukanische Kindheitsgeschichte repräsentiere zwei Sichtweisen des Täufers. Eine frühere, in der er als priesterlicher Messias in Parallelität zu Jesus, dem davidischen Messias, dargestellt werde, und eine spätere, die Johannes als prophetischen Vorläufer Jesu verstehe. Die Sichtweise vertrete auch das Lukasevangelium und die Apostelgeschichte (69). Das Johannesevangelium schließlich stilisiere Johannes zum Typus des idealen Christen, dessen Aufgabe es sei, Jesus als den Christus zu bezeugen (70).

Die Darstellung Johannes des Täufers unter redaktionsgeschichtlichem Gesichtspunkt vermochte zweierlei zu erreichen: Zum einen ist aufgrund der methodischen Vorentscheidung das Feld abgesteckt. Die erzielten Ergebnisse decken sich mit der redaktionsgeschichtlichen Fragestellung. Schwierigkeiten, wie wir sie für den Bereich der Erforschung des historischen Johannes feststellen konnten, die sich aus einer Inkongruenz von Fragestellung und (möglicherweise unbewußten) hermeneutischen Voraussetzungen ergaben, können wir hier nicht verzeichnen. Zum anderen ist es möglich, die Ergebnisse der redaktionsgeschichtlichen Analyse in den Dienst der weiteren Erforschung Johannes des Täufers zu stellen. Sowohl für die allgemeine Frage nach der historischen Gestalt als auch für die speziellere einer religions- bzw. traditionsgeschichtlichen Einordnung des Täufers sind ihre Resultate von Bedeutung. Indem sie das jeweilige theologische Interesse der Evangelisten an Johannes offenbart, öffnet sie den Zugang zur dahinterliegenden Täufertradition.

---

65 Ebd. 113.

66 Ebd. 107-114.

67 Ebd. 1-17.

68 Ebd. 27-41.

69 Ebd. 42-86.

70 Ebd. 87-106.

Johannes der Täufer im Rahmen seines religions- bzw. traditionsgeschichtlichen Umfeldes

Die Entdeckung der Qumranschriften im Jahre 1947 löste nicht nur eine neue Welle der Erforschung des historischen Jesus aus (71), sondern sie gab auch der Frage nach Johannes dem Täufer neuen Aufwind. Das Interesse blieb auch weiterhin auf die historische Gestalt des Täufers gerichtet, doch ging es jetzt nicht mehr so sehr um eine Wirkungsgeschichte als vielmehr um eine religionsgeschichtliche bzw. traditionsgeschichtliche Einordnung des Johannes. Der Tatsache, daß Johannes auch Repräsentant seiner jüdischen Umwelt war, wurde Rechnung getragen.

1955 erschien ein Aufsatz von W.H. BROWNLEE (72), in dem die Qumrantexte, insbesondere die Sektenregel, auf Johannes ausgewertet wurden. BROWNLEE vertritt aufgrund seiner Untersuchung die These, Johannes sei aus dem Kreis der Qumranessener hervorgegangen. Bereits als Kind sei er zu dieser Gruppe gekommen und dort erzogen worden, habe sich aber später mit einem eigenen Programm von Qumran getrennt (73). Anhaltspunkt für diese Behauptung sei nicht nur die Feststellung, daß der Täufer ganz in der Nähe der Qumransiedlung gewirkt habe, sondern sein Wirken gleichfalls im Licht von Jes 40,3 interpretiere (vgl. 1QS 8,18). Doch habe gerade diese Interpretation zum Bruch mit der Gemeinschaft geführt. Während in Qumran die Wegbereitung ganz an die Zugehörigkeit zur Gemeinschaft gebunden sei und aufgrund der straffen und reglementierten Organisation deutlich statischen Charakter besaß, verkörpere Johannes die Funktion des Wegbereiters im dynamischen Sinn, indem er sich aus der Gemeinschaft löse und in seiner Verkündigung sich an ganz Israel wende (74).

Anhand von Joh 1,19ff versucht BROWNLEE nachzuweisen, daß der Täufer die Messianologie der Qumrangemeinde nicht abgelehnt habe. Wenn Johannes also leugnet, der Prophet oder Elia zu sein, so liege das daran, daß in seinen - und in den Augen Qumrans - der Prophet bereits in der Gestalt des Lehrers der Gerechtigkeit gekommen sei, Elia aber, als eine gegenüber dem Propheten unterschiedene Person, der kommende Messias sei. Hinter dieser vom Täufer im Johannesevangelium so dezidiert ausgesprochenen Zurückweisung einer möglichen Identifizierung stehe

---

71 Vgl. BECKER, Johannes, 9f.

72 Vgl. BROWNLEE, John, 33-53.

73 Ebd. 35f.

74 Ebd. 46f.

eine Selbsteinschätzung des Johannes, die auf der Messianologie der Qumrangemeinde fuße (75).

Der Widerspruch gegen die These BROWNLEE's ließ nicht lange auf sich warten. Bereits Ph. VIELHAUER wendet sich in seinem RGG-Artikel zu Johannes dem Täufer (76) gegen eine Herkunftsbestimmung des Täufers aus Qumran, da trotz einiger Übereinstimmungen die Unterschiede weitaus größer seien (77).

Taufe und Verkündigung des Johannes müßten, so VIELHAUER, ganz vor dem Hintergrund seiner hochgespannten Naherwartung verstanden werden. Dabei sei der Zweck der johanneischen Verkündigung, die sich an ganz Israel wende, das Volk zur Umkehr im Sinne einer Änderung des sittlichen Verhaltens zu bewegen, um so dem kommenden Gericht entgehen zu können. Die Taufe selbst erhielte ihre eigentliche Bestimmung von der Bußpredigt her: als Ausdruck der Umkehr gewähre sie Rettung vor dem Gericht. "Sie ist ein eschatologisches Bußsakrament" (78). Auf der Basis dieser Ereignisse versucht Vielhauer eine religionsgeschichtliche Einordnung des Täufers, gibt aber zu, daß bisher eine "überzeugende 'Ableitung'" (79) der Botschaft und der Taufe des Johannes nicht erbracht wurde. So gelingt es ihm auch nur, die Einflüsse des jüdischen Umfeldes auf Johannes ungefähr zu bestimmen. Demnach spiegele die Verkündigung des Täufers diejenige der alttestamentlichen Prophetie wieder, seine Naherwartung sei ganz im Horizont der jüdischen Eschatologie zu verstehen, seine Taufe im Rahmen der syrisch-palästinensischen Taufbewegungen (80). Insgesamt sei aber Johannes im Umfeld von "Baptismus, Eschatologie und prophetischem Erbe" (81) zu verstehen, bewahre aber aufgrund seiner spezifischen Tauftätigkeit eine Eigenständigkeit.

---

75 Ebd. 46ff. Ebenfalls für ein ehemaliges Mitglied der Qumrangemeinde halten Johannes auch DANIELOU, Qumran, 16-28; STEINMANN, Johannes, 51-77 und BETZ, Proselytentaufe, 222, der im Hinblick auf die Johannestaufe sogar soweit geht, sie unmittelbar aus Qumran abzuleiten. Vgl. dagegen die differenziertere Darstellung bei BADIA, Qumran Baptism, 9-40, der anhand eines Vergleichs der Johannestaufe mit der Qumrantaufe klar die Gemeinsamkeiten und die Unterschiede herausstellen konnte (49-51) und sich letztendlich für eine Unabhängigkeit beider Taufen ausspricht (39).

76 Vgl. VIELHAUER, aaO, 804-808.

77 Ebd. 806. Auch SCHÜTZ, aaO, 57-63 und BRAUN, Qumran I, 77f. 83; II, 1-21 haben sich deutlich gegen die Annahme ausgesprochen, Johannes sei essenischen Kreisen zuzuordnen. Weder ließe sich seine Taufe von den qumranischen Waschungen ableiten, noch übernähme Johannes die esoterischen Lehren der Qumrangemeinde.

78 Vgl. VIELHAUER, aaO, 805.

79 Ebd.

80 Ebd. 806f.

81 Ebd. 807.

Ähnlich wie VIELHAUER versucht auch J. BECKER auf der Grundlage einer Analyse der relevanten Täufertexte eine Einordnung des Täufers (82). Dabei ist jedoch das zentrale Anliegen BECKERS, die Verkündigung und das Verhalten Jesu von Nazareth durch einen intensiven Vergleich mit Johannes dem Täufer zu präzisieren. Dieses Anliegen erscheint gerade dann gerechtfertigt, wenn man von der Annahme ausgeht, Jesus sei Schüler des Johannes gewesen. Das Auftreten Jesu ließe sich demzufolge unter den Aspekten der sachlichen Anknüpfung wie auch des deutlichen Widerspruchs zum Täufer fassen (83). BECKER verfällt hier nicht dem Fehler, Leben und Werk des Johannes von dem "eigentlichen" Zentrum, der Verkündigung Jesu, her zu deuten; vielmehr geht er den Weg andersherum. Erst wenn der Täufer als eigenständige Größe seiner Zeit ernstgenommen wird, läßt sich das Besondere der jesuanischen Verkündigung deutlich aufzuzeigen.

Für einen Vergleich der Wirksamkeit Jesu mit der des Johannes erscheint es BECKER methodisch sinnvoll, diejenigen Täufertexte zugrunde zu legen, in denen am ehesten Johannes selbst zu Wort kommt. Die in Q überlieferte Umkehrpredigt bildet den Ausgangspunkt seiner Untersuchung. Mk 1 und die Josephusnotiz, Ant 18,117-119, werden zusätzlich hinzugezogen (84).

Auf der Basis der Texte erscheine Johannes als prophetischer Bußprediger, dessen Verkündigung und Verhalten "exklusiv an der unmittelbaren Zukunft orientiert" sei (85). Indem die Zukunft, das unabwendbare Hereinbrechen des göttlichen Gerichts, zentrales Thema der täuferischen Verkündigung sei, verblasse sowohl Gegenwart als auch Vergangenheit. Ein Rekurs auf die heilsgeschichtliche Vergangenheit Israels sei vor diesem Hintergrund nicht mehr möglich, und auch der Gegenwart selber komme im Hinblick auf die Zukunft nur noch ein Wert zu als letzte Möglichkeit zur Umkehr. Obwohl in der Verkündigung des Johannes die Vorstellung vom Zorn Gottes dominiere, werde der Heilsgedanke nicht vollständig eliminiert: Die Gerichtsansage des Täufers sei zweifellos anthropologisch ausgerichtet, so daß ihr eigentliches Ziel darin bestehe, den Menschen zu Umkehr und Taufe zu bewegen. Die Taufe, als Ausdruck der Umkehrbereitschaft, vermöge die anthropologische Ursache des Gerichts zu beseitigen, indem sie durch die mittlerische Funktion des Täufers Vergebung der Sünden bei Gott bewirke. Sie sei somit Ausgangspunkt für eine mögliche Heilserwartung, ohne aber eine Heilsgarantie zu geben (86).

Die hochgespannte Naherwartung des Johannes, die Wüste als Ort seiner Wirksamkeit sowie der ausdrückliche Ruf zur Umkehr rückten Johannes in die Nähe der alttestamentlichen Propheten (87). Mit Hilfe dieser Erkenntnis versucht BECKER eine Einordnung des Täufers in das Frühjudentum. Dazu bedürfe es sowohl eines Vergleichs mit der Apokalyptik als auch mit dem nachalttestamentlichen Prophetentum (88).

Johannes habe zwar apokalyptische Motive benutzt, jedoch könne man ihn selbst nicht als Apokalyptiker bezeichnen, da er sich weder hinter

---

82 Vgl. BECKER, Johannes.

83 Ebd. 10-15.

84 Ebd. 16.

85 Ebd. 17.

86 Ebd. 22-30.

87 Ebd. 17-20.22.

88 Ebd. 41.

einem Pseudonym verberge - seine Verkündigung zeuge von eigener Vollmacht - noch sich apokalyptischen Visions- und Auditionsberichten bediene (89). Vielmehr repräsentiere Johannes "den prophetischen Charismatiker, der unter der Voraussetzung, Gesamtisrael habe endgültig seinen Heilsanspruch vor Gott verspielt, einen möglichen neuen Weg, der massa perditionis zu entkommen, allenfalls noch durch den Bußruf und die eigene Person gegeben sieht" (90). Eine analoge Figur sieht BECKER im Lehrer der Gerechtigkeit. Er und Johannes seien Repräsentanten dieses Prophetentyps (91).

Anders als VIELHAUER, der nur eine mehr oder weniger grobe Einordnung des Täufers in seine religiöse Umwelt unternahm, bemüht sich BECKER, Johannes einen festen Ort innerhalb der vielfältigen Strömungen des Frühjudentums zuzuweisen. Allerdings treffen wir hierbei auf zwei Schwierigkeiten: Die Ablehnung BECKERS, Johannes als Apokalyptiker zu bezeichnen, stützt sich allein auf einen formalen Vergleich des literarischen Genres Apokalypse mit der Verkündigung des Täufers. Die besonderen inhaltlichen Ausprägungen apokalyptischen Denkens werden hier nicht berücksichtigt (92).

Die Analolgie, die BECKER zwischen Johannes dem Täufer und dem Lehrer der Gerechtigkeit sieht, erscheint konstruiert. Der Grundtypus des "prophetischen Charismatikers", den BECKER für beide postuliert, ist das Resultat eines phänomenologischen Vergleichs zwischen Johannes und dem Lehrer der Gerechtigkeit im Hinblick auf ihre Gemeinsamkeiten untereinander sowie ihre gemeinsamen Unterschiede zum übrigen Judentum.

Während BECKER zweifellos religionsgeschichtlich fragt, jedoch nicht konsequent traditionsgeschichtlich, unternimmt H. MERKLEIN den Versuch einer stärker traditionsgeschichtlichen Einordnung des Täufer (93). Auch wenn bei MERKLEIN die Analyse des Täufers primär der Intention dient, "eine sachgerechte religionsgeschichtliche Würdigung Jesu" (94) zu erreichen, geht er im Hinblick auf das Verhältnis Johannes - Jesus mit einem ähnlichen Anspruch ans Werk wie BECKER. So setzt auch MERKLEIN methodisch bei der Umkehrpredigt des Täufers an; in seinen Ergebnissen unterscheidet er sich jedoch deutlich von BECKER.

Ähnlich wie bei BECKER weist nach MERKLEIN die Umkehrpredigt Johannes den Täufer als radikalen Gerichtsprediger aus, in dessen Augen ganz Israel unter dem unabwendbaren Gericht stehe. Von der Sache und der Motivik her - hier weicht MERKLEIN von BECKER ab - stehe die Predigt des Täufers in der Tradition deuteronomistischer Umkehrpredigt, die das seit dem Exil an Israel haftende vom Volk selbstverschuldete Unheil als Aufweis für die weiterhin auf ihm lastende Gerichtsandauer bis in die Gegenwart hinein ansah; allerdings teile Johannes nicht deren Heilszuversicht. Ein Rekurs auf die Heilstaten Gottes in der Geschichte sei für Israel seiner Meinung nach nicht mehr möglich. Der Bruch mit einer Vergangenheit, die die Aussicht auf eine heilvolle Zukunft in sich

---

89 Ebd. 42f.

90 Ebd. 56.

91 Ebd. 60-62.

92 Zur neuesten Diskussion über Apokalyptik/Apokalypse/apokalyptisch vgl. HELLHOLM, (Hg), Apocalypticism, 1ff.

93 Vgl. MERKLEIN, Botschaft, 13ff, siehe aber auch den bereits früher erschienenen Aufsatz Umkehrpredigt, 29-46.

94 MERKLEIN, Botschaft, 26.

barg, sei unabwendbar vollzogen. Das Volk sei nur noch dem Gericht konfrontiert; nicht weil Gott dies will, sondern Israel habe seine Gerichtsverfallenheit aufgrund seines sündhaften Tuns ganz allein verschuldet. Die Kontinuität göttlichen Heilswillens sei dadurch nicht infrage gestellt, aber: Heil und Geschichte ständen beziehungslos nebeneinander, eine Sichtweise, die nach MERKLEIN ein besonderes Charakteristikum apokalyptischen Denkens offenbare. Insofern könne man sagen, daß Johannes "ein apokalyptisch radikalisiertes deuteronomistisches Geschichtsbild vertritt" (95). Einziger Ausweg aus der Gerichtsverfallenheit sei die Umkehrtaufe, die allerdings keine Heilsgarantie in sich schließe, sondern Bekenntnis der eigenen Sündhaftigkeit und Anerkenntnis des souveränen Gerichtshandelns Gottes sei. Die Taufe stelle die letzte von Gott gewährte Möglichkeit dar, dem drohenden Unheil zu entkommen (96).

Der von MERKLEIN unternommene Versuch einer traditionsgeschichtlichen Bestimmung des Täufers hebt sich deutlich von den bisherigen religionsgeschichtlichen Beurteilungen ab, indem zwei neue Wege gewiesen werden: So wird weder die Apokalyptik unter einseitiger Berücksichtigung ihrer literarischen Erscheinungsform vorschnell aus der Überlegung ausgeschlossen. Vielmehr nimmt MERKLEIN in Anlehnung an K. MÜLLER (97) die Apokalyptik als historische und theologische Größe des Frühjudentums ernst. Auch wird Johannes nicht global in das Sammelbecken "alttestamentliche Prophetie" gesteckt. Der Hinweis auf das deuteronomistische Geschichtsbild vermag zum ersten Mal einen gangbaren Weg zu einer traditionsgeschichtlichen Beurteilung des Täufers darstellen.

Will eine neuerliche Untersuchung zu Johannes dem Täufer über die bisher erzielten Einzelergebnisse der Täuferforschung hinausgehen, dann werden weder die Wirkungsgeschichte des Täufers im Urchristentum noch redaktionsgeschichtliche Überlegungen im Zentrum stehen. Vielmehr soll speziell nach der Stellung des Täufers innerhalb des Frühjudentums unter besonderer Berücksichtigung der historischen Entwicklungen und theologischen Strömungen dieser Epoche gefragt werden.

Ein erster Ansatz dazu fand sich bereits bei H. Merklein, allerdings fehlt dort die breite Sichtung des frühjüdischen Textmaterials.

Ziel unserer Arbeit ist somit der Versuch einer Einordnung Johannes des Täufers in eine Theologiegeschichte des Frühjudentums, wobei Theologiegeschichte nicht rein als Ideengeschichte zu verstehen ist, sondern umfassender so, daß die historischen und soziologischen Voraussetzungen und Konsequenzen mitbedacht werden.

---

95 Ebd. 29.

96 Ebd. 29-32, vgl. auch Umkehrpredigt, 36f.

97 Vgl. MÜLLER, TRE 3, 212.

METHODE

Methodisch nimmt die Untersuchung - wie die bisherigen Arbeiten zu Johannes dem Täufer auch - ihren Ausgangspunkt bei den neutestamentlichen Texten. Doch geht es dabei nicht um eine Sichtung aller neutestamentlichen Stellen zu Johannes dem Täufer. Vielmehr wollen wir uns hauptsächlich auf diejenigen Texte konzentrieren, in denen der Täufer selbst zu Wort kommt, die Umkehrpredigt in Q (Mt 3,7-12 par Lk 3,7-9.16f) und der Bericht über sein Auftreten, Mk 1,1-8. Beide Quellen, Mk und Q, zählen innerhalb des NT zur ältesten schriftlichen Überlieferung, so daß wir bei den oben genannten Texten von einer relativen zeitlichen Nähe zu Johannes dem Täufer ausgehen können. Gestützt wird diese Vermutung durch die Beobachtung, daß sowohl Mk als auch Q inhaltlich gleichlautende Aussagen über Johannes bieten: Er ist Verkünder von Umkehr und Wassertaufe, er kündet das Kommen eines Stärkeren und die Geisttaufe an. Da aber eine literarische Abhängigkeit von Mk und Q nicht angenommen werden kann, werden wir davon ausgehen müssen, daß beide Texte eine ihnen gemeinsam zugrundeliegende Tradition aufnehmen, die entweder christlichen Ursprungs ist, christlich überarbeitete Täufertradition umfaßt oder aber insgesamt Täuferüberlieferung bietet. Die folgenden Untersuchungen werden sich diesem Fragenkomplex ausführlich widmen. Doch seien bereits hier einige Überlegungen genannt, die die Vermutung stützen können, in Mk 1,1-8 und Mt 3,7-12 par Lk 3,7-9.16f habe sich Täufertradition niedergeschlagen: Bemerkenswert ist die ausführliche Würdigung der Person und Funktion Johannes des Täufers zu Beginn des Mk und am Anfang von Q. Dies läßt auf eine besondere Stellung des Täufers innerhalb des frühjüdischen Umfeldes schließen. Indem Johannes Eingang in die Evangelien findet, wird also seiner Stellung Rechnung getragen. Gleichzeitig kommt ihm in den Evangelien die spezifische Rolle des Vorläufers Jesu zu. Diese Funktionsbestimmung kann Resultat einer Konkurrenz zwischen Johannes und Jesus bzw. Johannesjüngern und Jesusjüngern sein, die zweifellos dort aufkam, wo die Täuferanhänger im Nebeneinander mit der Jesusbewegung für sich Erfolge verbuchen konnten.[98] Aufgrund der Auferweckung Jesu von den Toten erkannten die frühen Christen, daß Jesu Leben und Verkündigung

98 Daß es Täuferanhänger gab, zeigen u.a. Joh 1,35-40; Act 19,1-7. Vgl. zu der Frage nach Täuferjüngern den zweiten Teil der Arbeit.

von Gott begleitet und bestätigt war; diese Erkenntnis hatte auch Konsequenzen für das Verhältnis zum Täufer bzw. zu seinen Anhängern. Die Johannesbewegung erschien als vorläufig, vorlaufend. Verkündigung und Taufe des Johannes bekamen nun eine vorausweisende Funktion. Um eine Unterordnung des Täufers unter Jesus aufzuzeigen, bot es sich für die frühen Christen an, die Täuferanhänger mit ihren eigenen Waffen zu schlagen: Sie nahmen vorhandene Johannestradition auf und zeigten an dieser Überlieferung die Vorläuferfunktion des Täufers auf. Eine solche Art und Weise des Vorgehens könnte sich in Mk und Q niedergeschlagen haben, so daß es nicht abwegig erscheint, hinter der Mk und Q zugrundeliegenden Tradition Täuferüberlieferung zu vermuten. Folglich bilden diese Überlegungen einen der Gründe für eine schwerpunktmäßige Konzentration auf die Erarbeitung von Mt 3,7-12 par Lk 3,7-9.16f und Mk 1,1-8.

Ein weiterer Grund für die Analyse der genannten Texte ist darin zu sehen, daß hier zwei Charakteristika des Täufers, seine Verkündigung und seine Taufe, zur Sprache kommen. Dabei konzentriert sich der Gang der Untersuchung vor allem auf die Verkündigung des Johannes. Denn erst eine umfassende Auseinandersetzung mit der johanneischen Verkündigung kann zu einer theologiegeschichtlichen Einordnung des Täufers führen. Merklein hat dafür mit seinem Hinweis auf das deuteronomistische Geschichtsbild bereits einen Weg gewiesen.[99]

Ein Ansatz bei der Johannestaufe ist deshalb so schwierig, weil ihre konkrete religionsgeschichtliche Ableitung bisher nicht gelungen ist. Vielleicht kann aber gerade eine aufgrund der johanneischen Verkündigungsstruktur erzielte theologiegeschichtliche Einordnung des Täufers dezidiertere Aussagen zur Taufe und ihrer Funktion ermöglichen.

Neben den genannten gibt es noch weitere Texte im NT, die sich ausführlicher mit Johannes dem Täufer befassen. Auch sie sollen im Zuge der Untersuchung berücksichtigt werden, allerdings in unterschiedlicher Gewichtung. Grundsätzlich werden alle folgenden Texte in Beziehung gesetzt zu den Ergebnissen aus Mt 3,7-12 par und Mk 1,1-8. Dabei können sie ganz unterschiedliche Funktionen haben: In Lk 1 begegnen wir zwei Geburtserzählungen, der des Johannes und der Jesu, die eindeutig parallelisiert sind. Hier lassen sich möglicherweise Anhaltspunkte für die Bedeutung des Täufers in den Augen seiner Anhänger, sowie für dessen

---

99 Vgl. die Forschungsgeschichte, Seite 30f.

Unterordnung unter Jesus erkennen. In Joh 1,1-34 und Mt 11,7-13 par Lk 7,24-28 (= Q) finden wir diesselben auf Johannes angewandten alttestamentlichen Zitate wie in Mk 1,2f. Somit wird in drei literarisch voneinander unabhängigen Texten Johannes der Täufer im Licht des Alten Testaments interpretiert; Joh 1 und Mt 11 par Lk 7 sollen deshalb vor allem der Überprüfung der Ergebnisse aus Mk 1 dienen. Ein besonderes Interesse gilt Mk 6,17-29, dem Bericht über den Tod des Täufers. In diesem Text kommt ein neuer Aspekt in den Blick, der noch nicht zur Sprache gekommen ist. Die ausführliche Schilderung vom Tod des Johannes weist nicht nur erneut auf die besondere Bedeutung des Täufers hin, sondern legt zugleich die Vermutung nahe, daß sich in dem Bericht eine Reflexion seiner Jünger niederschlägt, die möglicherweise eine interpretierende Deutung seines Todes intendiert.[100]

Die methodischen Schritte im einzelnen:

In einem ersten Arbeitsschritt wird in Mt 3,7-12 par Lk 3,7-9.16f mit Hilfe des synoptischen Vergleichs der Q-Text der Umkehrpredigt des Täufers rekonstruiert.

Durch die Ausscheidung von Q-Redaktion soll dann in einem zweiten Arbeitsschritt der Versuch unternommen werden, einen Text zu erstellen, der in unmittelbare Nähe zum historischen Johannes weist. Der sich daraus ergebende Text erhält die Bezeichnung 'Grundtext', da er die letztmögliche Rekonstruktionsstufe für einen griechischen Text darstellt. Er dient als Grundlage für die folgenden Analysen.

Doch bleibt zu beachten, daß für den Grundtext nicht in Anspruch zu nehmen ist, er habe in dieser Form realiter existiert; er bleibt Rekonstruktion. Trotzdem spricht nichts dagegen, daß dieser Grundtext alte Traditionen wiedergibt, die möglicherweise mündlich überliefert worden sind.

Inwieweit eine solche Rekonstruktion, die als Arbeitshypothese dient, für den Versuch einer theologiegeschichtlichen Einordnung des Täufers

---

100 Mt 3,13f/Mk 1,9 (Johannes tauft Jesus); Mt 4,12/Lk 3,20 (Notiz über die Gefangenschaft des Johannes); Mt 17,13 (Johannes ist der Elia redivivus); Mt 21,26/Mk 11,30/Lk 20,6 (Johannes ist ein Prophet); Mt 9,14/Mk 2,18/Lk 5,33 (Erwähnung von Johannesjüngern); Mt 16,14/Mk 8,28 (werden hinreichend in Kapitel 5 besprochen); Apg 1,5.22; 10,37; 11,16; 13,24f, 18,25; 19,3f (Taufe des Johannes) sind alles solche Texte, die keine neuen Informationen zu Johannes enthalten.
Mt 21,32; Lk 11,1 und Joh 3,23-27; 5,33.36; 10,41 sind Texte, die eine deutlich christliche Täufersicht zum Vorschein kommen lassen.

sinnvoll ist, wird sich noch zu zeigen haben. Vom methodischen Procedere her bietet diese Vorgehensweise zweifellos Vorteile:
Nach Ausscheiden der Q-Redaktion ist bezüglich des Grundtextes vor allem von Interesse, inwieweit Q bereits auf ein zugsammenhängendes Traditionsstück zurückgreift. Hier kommt also die Frage der Textkohärenz in den Blick, die gerade deshalb wichtig ist, weil wir nicht von vornherein davon ausgehen können, daß die vorgenommene Rekonstruktion als Resultat einen in sich stimmigen, zusammenhängenden Text liefert. Es könnte zumindest sein, daß Q auf einzelne Traditionsstücke zurückgegriffen und erst durch intentionale Verknüpfung und Erweiterung ein Textganzes geschaffen hat. Sollte sich der Grundtext als kohärent erweisen und auch keinerlei Anzeichen mehr von christlicher Bearbeitung aufweisen, dann könnte er einen Hinweis darauf sein, daß es eine nichtchristliche Gruppierung gab, die ein Interesse an der Weitergabe zusammenhängender Täuferverkündigung hatte, um die Bedeutung des Johannes - auch über seinen Tod hinaus - zu betonen. Gleichzeitig kann die Tradierung gruppensoziologische Funktion haben, indem die eigene Existenz und die eigene Praxis legitimiert werden: Wenn Verkündigung und Taufe des Johannes zu den Tradenda zählen, dann kann damit das Tun der Anhänger des Täufers, Tauf- und Verkündigungstätigkeit im Sinne einer Fortführung der johanneischen Praxis, begründet werden.

Eine endgültige Bestätigung der Textkohärenz wird sich jedoch in diesem Arbeitsschritt nicht erzielen lassen; dazu bedarf es zusätzlich gattungs- und traditionsgeschichtlicher Untersuchungen.

An die Überlegungen zur Textkohärenz schließt sich sodann die Bearbeitung des Grundtextes auf synchroner Ebene an: Indem wir den Text auf seine syntaktische Struktur, seinen semantischen Gehalt und seine pragmatische Dimension hin untersuchen, ergeben sich Aufschlüsse über die im Text vermittelten Inhalte, über die Adressaten und über den Sprecher. Die Ergebnisse dieser synchronen Untersuchung liefern nicht nur richtungsweisende Fragen für die Bearbeitung von Mk 1,1-8; in Kombination mit formalen Gliederungselementen des Textes bilden sie das Grundgerüst für die gattungs- und traditionsgeschichtliche Fragestellung; diese stellt den eigentlichen Ansatzpunkt für eine theologiegeschichtliche Einordnung des Täufers dar.[101]

---

101 Zur traditionsgeschichtlichen Arbeitsweise vgl. MÜLLER, TRE 3,207-210. Neue Ansätze zur Form- und Gattungsgeschichte finden sich bei BERGER, Formgeschichte.

Dabei werden Gattungsgeschichte und Traditionsgeschichte nicht voneinander abgekoppelt behandelt, vielmehr bleiben sie aufeinander bezogen: Indem ein Text einer bestimmten Gattung zugeordnet wird, richtet sich die traditionsgeschichtliche Fragestellung auf den Text als Ganzen und nicht auf einzelne Elemente, indem traditionsgeschichtlich gefragt wird, wird die Gattung eines Textes losgelöst von ihrer 'transhistorischen' Bindung an einen bestimmten 'Sitz im Leben' und in den Kontext zeitgeschichtlicher Entwicklungen eingebunden. Entstehung und Weitergabe einer Form lassen sich nicht nur nicht vom Inhalt lösen, sondern sind darüber hinaus unabdingbar mit den historisch-politischen, religiösen und soziologischen Vorkommnissen verbunden.

Vor allem mit Hilfe der traditionsgeschichtlichen Vorgehensweise sollte es möglich sein, die aus dem Grundtext erarbeiteten Aussagen in einen übergreifenden Zusammenhang einzuordnen - ähnlich werden wir auch bei Mk 1,1-8 vorgehen. Im Hinblick auf die Frage nach dem historischen Johannes vermag die Traditionsgeschichte nicht nur den Blick von einer Wirkungsgeschichte des Täufers im Urchristentum zu lösen und somit seine Gestalt aus der "Klammer" christlicher Redaktion herauszulösen. Gleichzeitig lenkt sie die Schritte zurück und läßt nach den Wurzeln täuferischen Denkens und Handelns fragen, da ihr Hauptanliegen vor allem in der Erforschung von Vorstellungen und Vorstellungskomplexen liegt. Mittler derartiger Vorstellungen und Vorstellungskomplexe sind solche Texte, die nicht literarischer Fiktion entspringen und somit letztlich überzeitliche Gültigkeit beanspruchen, sondern die Spiegel ihrer Entstehungssituation sind und etwas von den Personen durchscheinen lassen, die diese Texte verfaßt bzw. tradiert haben; deshalb sind sie zeitbedingt und intentional.

Von daher muß sich eine traditionsgeschichtliche Bearbeitung von Texten dem zeitgeschichtlichen Kontext zuwenden, in dem diese entstanden sind. Die Ausbildung bestimmter Vorstellungen ist nämlich vielfach eine - positive oder negative - Reaktion auf politische, religiöse oder soziale Entwicklungen. Sie dient entweder zur Legitimation bestehender Verhältnisse oder zu deren Ablehnung.

Daneben ist nach den Täufergruppen zu fragen, die nicht nur Garanten der Weitergabe von Traditionen sind, sondern oftmals verantwortlich sind für Innovationen, die zur Veränderung von Vorstellungen und Vorstellungskomplexen führen.

In engem Zusammenhang mit dem zeitgeschichtlichen Kontext und den Trägergruppen steht die Frage nach der Intention der Texte. Wenn sich in Texten vielfach Reaktionen bestimmter Gruppen auf konkrete Vorfälle niederschlagen, dann ist hinsichtlich alttestamentlicher, frühjüdischer und neutestamentlicher Texte in besonderem Maße die theologische Beurteilung zeitgeschichtlicher Prozesse von großem Interesse. Unter diesem Aspekt ist Traditionsgeschichte immer zugleich auch Theologiegeschichte.

Für die konkrete Bearbeitung derjenigen alttestamentlichen und frühjüdischen Texte, die für eine Einordnung des Johannes relevant sind, ist es notwendig, sie zu datieren und in ihr historisches Umfeld einzuordnen; die zeitgeschichtlichen Ereignisse sollen, soweit sie sich im Text niedergeschlagen haben, dort auch aufgezeigt werden. Dafür erscheint es sinnvoller, die Texte einzeln zu analysieren, auch wenn dies für den Leser mühsamer ist. Doch lenkt m.E. eine systematisierte Betrachtung der Texte unter dem Blickwinkel einer vereinzelten, aus dem Zusammenhang herausgegriffenen Vorstellung den Blick zu sehr von einer traditionsgeschichtlichen Untersuchung ab.

Im Zuge der Analyse werden zwar motivgeschichtliche und religionsgeschichtliche Gesichtspunkte nicht außer Acht gelassen, doch bleiben sie letztendlich an die Traditionsgeschichte gebunden. Sie entgehen damit der Gefahr, verschiedene Aspekte der komplexen Täufergestalt zu vereinzeln und mögliche Sinnzusammenhänge auseinanderzureißen.

Mk 1,1-8 erfordert ein anders methodisches Vorgehen als die Umkehrpredigt des Täufers, da es sich in diesem Textabschnitt nicht um eine Rede, sondern um eine Beschreibung des Johannes handelt. Zwar bilden die VV 7-8 innerhalb des Abschnitts eine Ausnahme, da dort ein Stück wörtlicher Rede begegnet, doch soll bereits im Zuge der Rekonstruktion des Grundtextes der Umkehrpredigt auf die Problematik dieser Verse im Zusammenhang mit der Überlieferung der Täuferpredigt bei Mt und Lk eingegangen werden. Im Rahmen der Analyse von Mk 1,1-8 soll vor allem die Stellung der Verse im Kontext berücksichtigt werden.

Ziel der Untersuchung der Mk-Perikope kann es nicht sein, einen Grundtext zu erstellen, der in die Nähe des historischen Johannes reicht. Allenfalls ist es möglich, in Mk 1,1-8 Täufertradition herauszuarbeiten. Eine zusätzliche methodische Schwierigkeit liegt darin, daß zu den VV 1-8 keine zusammenhängende Parallelüberlieferung existiert, sondern jeweils nur einzelne Stücke: Die Zitatenkombination aus Mal 3,1 und

Ex 23,20 in Mk 1,2 wird von Matthäus und Lukas im Zusammenhang des Berichts über das Auftreten Johannes des Täufers nicht verwandt, sondern in einem Q-Stück (Mt 11,7-19 par Lk 7,24-35)[102], Jesu Zeugnis über den Täufer. Das in Mk 1,3 zitierte Stück aus Jes 40,3 hingegen wird von beiden Seitenreferenten in Mt 3,3 par Lk 3,4 auf das Auftreten des Johannes hingedeutet. Eine ähnliche Verwendung findet sich auch in Joh 1,23. Elemente aus Mk 1,4-6 begegnen in Mt 3,1-6 par Lk 3,1-6. Auf die Sonderstellung der VV 7-8 wurde bereits hingewiesen. Eine Parallele dazu findet sich in der Umkehrpredigt des Täufers, Mt 3,11 par Lk 3,16.

Die sprachliche Analyse von Mk 1,1-8 kann somit zunächst nur textimmanent erfolgen. Doch kommt im Lauf der synchronen Untersuchung immer wieder die diachrone Ebene in den Blick. Vor allem bei der Behandlung der alttestamentlichen Zitate wird ohne eine Berücksichtigung der Diachronie ein Weiterkommen nicht möglich sein.

Ein besonderes Augenmerk gilt der Bestimmung der Johannestaufe als 'Taufe der Umkehr zur Vergebung der Sünden' in V 4f. Hier findet sich eine gegenüber der Umkehrpredigt erweiterte Bestimmung der Taufe. Interessant ist dabei, ob es sich um eine christliche Interpretation handelt oder aber um eine Charakterisierung, die täuferischen Ursprungs ist. Stammt die Wendung aus der Täufertradition, dann muß das Verhältnis von Taufe, Umkehr und Sündenvergebung gerade auch bezüglich der Funktion des Täufers genau bestimmt werden. Methodisch ist dies am ehesten mit Hilfe der Ermittlung eines semantischen Feldes möglich, welches sowohl die synchronische Konventionalität der genannten Elemente als auch ihre diachronische Traditionalität aufzuzeigen vermag.[103]

Eine Schwierigkeit bildet die saubere Abgrenzung von Täuferüberlieferung und christlicher (markinischer) Überarbeitung. Aufgrund der skizzierten Quellenlage wird man hier nicht zu definitiven Aussagen kommen können. Allein ein Vergleich mit den an der johanneischen Umkehrpredigt erzielten Ergebnissen kann uns helfen, Vermutungen über Täufertradition in Mk 1,1-8 auf eine fundiertere Basis zu stellen.

---

102 Vgl. POLAG, Fragmenta, 40.

103 Zum methodischen Umgang mit semantischen Feldern vgl. BERGER, Exegese, 137-143.

Aus den methodischen Überlegungen heraus ergibt sich für die Arbeit folgender Aufbau:
Wir setzen ein mit der Analyse von Mt 3,7-12 par Lk 3,7-9.16f. Nach Ausscheiden der Q-Redaktion und Rekonstruktion des Grundtextes wird der Text auf seine Kohärenz hin befragt und auf synchroner Ebene bearbeitet. Die erzielten Ergebnisse bilden zusammen mit den formalen Gliederungsmerkmalen des Grundtextes das Fundament für die traditionsgeschichtliche Analyse. Ausgangspunkt sind dabei diejenigen Texte, die das deuteronomistische Geschichtsbild repräsentieren. Am Ende dieses Abschnitts steht der Versuch einer theologiegeschichtlichen Einordnung des Täufers.

Neben die Umkehrpredigt des Täufers tritt als zweiter Schwerpunkt der Bericht über das Auftreten des Johannes in Mk 1,1-8. Dabei ist nicht nur von Interesse, ob sich die theologiegeschichtliche Einordnung des Täufers bestätigt, sondern inwieweit die Mk-Perikope neue Informationen zu Johannes liefert.

Die Bearbeitung von Mk 6 schließt sich an. In einem letzten Kapitel werden die zu Mk 1,1-8 und Mk 6 erzielten Resultate an Joh 1 und Mt 11 par Lk 7 überprüft.

I. TEIL

DIE UMKEHRPREDIGT JOHANNES DES TÄUFERS

Den Evangelien sind historisch zuverlässige Information über Johannes den Täufer nicht ohne weiteres zu entnehmen. Es ist zwar offensichtlich, daß die Beziehung des Täufers zu Jesus ein vitales Problem für die Evangelisten darstellt - von der Bedeutung, die sie ihm beimessen, zeugt der ihm gewidmete Raum. Die neutestamentlichen Quellen sind jedoch deutlich tendenziös in ihrer Johannesdarstellung. Hier spiegelt sich eine Auseinandersetzung mit der Täuferbewegung und deren Verehrung des Johannes. Das Interesse, Johannes dem Messias Jesus unterzuordnen, dominiert die evangelischen Berichte. Allein aufgrund der Tatsache, daß die Evangelien authentische Täufertradition verarbeiten und diese trotz der Umgestaltungstendenz eindeutig durch Spannung zwischen Stoff und Absicht erkennbar bleibt, können die Evangelien als bedingt brauchbare Quellen für die Frage nach dem historischen Johannes angesehen werden[1]. Ältestes zugängliches Material innerhalb der synoptischen Evangelien bietet die Quelle Q. Obwohl sie erstes schriftliches Zeugnis der Messianität Jesu ist, setzt sie ein mit dem Bericht über das Auftreten Johannes des Täufers, Mt 3,1-3 par Lk 3,2b-4.

Den Schwerpunkt der Untersuchung bildet die in Q überlieferte Umkehrpredigt des Täufers, Mt 3,7-12 par Lk 3,7-9.16f. Aus zwei Gründen bietet es sich an, diese Predigt zum Ausgangspunkt einer Standortbestimmung des Johannes zu wählen:

- Die Tatsache, daß Q die Umkehrpredigt wiedergibt, zeigt, daß nicht nur die Person des Johannes von Interesse war, sondern auch seine Verkündigung. Stellt man eine Bearbeitung des Stücks in Rechnung, die eine Unterordnung des Täufers unter Jesus intendierte, so lassen sich gerade hier christliche Elemente gut erkennen und aussondern.
- Bei der Predigt handelt es sich um ein längeres Redestück, in dem zwei zentrale Gedanken der Täuferbotschaft, die Umkehr und die Taufe, zur Sprache kommen.

Mit Hilfe seiner Verkündigung scheint so eine Einordnung des Johannes in die frühjüdische Theologiegeschichte am ehesten möglich zu sein, zumal die Umkehrpredigt mit frühjüdischen Texten aufgrund formaler und inhaltlicher Kriterien vergleichbar ist. Von daher umfaßt der erste Teil nicht nur eine Bearbeitung der Umkehrpredigt, sondern die Befragung des Textes auf einen eventuell im Hintergrund stehenden "theologischen

---

1 Vgl. VIELHAUER, Johannes, Sp. 804.

Gesamtentwurf" hin, wie er z.B. im deuteronomistischen Geschichtsbild vorliegt[2], eröffnet die Möglichkeit zu einer traditionsgeschichtlichen Analyse, die nicht nur die Entwicklung jener Geschichtskonzeption nachvollzieht, sondern auch deren historischen Hintergrund reflektiert.

---

2 Vgl. STECK, Israel, 317-320.

1. Kapitel

Rekonstruktion des Grundtextes der Umkehrpredigt auf der Basis von Mt 3,7-12 par Lk 3,7-9.16f

1.1. Textrekonstruktion

Der Q-Text

Die Umkehrpredigt des Johannes, die uns in Mt 3,7-12 par Lk 3,7-9.16f überliefert ist, ist aufgrund des Textbefundes eindeutig der Logienquelle Q zuzurechnen[3]. Eine Rekonstruktion des Q-Textes ist wegen der überaus häufigen Übereinstimmungen nicht allzu schwierig. Insbesondere bieten die Verse Mt 3,7b-10 par kaum Probleme. Die Abweichungen lassen sich leicht als lk Redaktion erklären: Lk ändert den Singular καρπὸν ἄξιον (V8) in den Plural καρποὺς ἀξίους (V8) und leistet somit einer ethischen Interpretation der Umkehr Vorschub, wie sie in Lk 3,10-14 zum Ausdruck kommt[4]. Das ursprüngliche δόξητε wandelt Lk in ἄρξησθε (V8) und glättet somit das semitischere μὴ δόξητε λέγειν[5]. Die Rekonstruktion der Einleitung Mt 3,7a par muß offen blei-

---

3 Vgl. SCHULZ, Q, 366; HOFFMANN, Studien, 15; MERKLEIN, Umkehrpredigt, 31f.

4 Vgl. SCHULZ, aaO, 367; HOFFMANN, aaO, 17f; MERKLEIN, aaO, 31 A 18; SCHENK, Synopse, 17; POLAG, Fragmenta, 28; SCHÜRMANN, Lukasevangelium 165 A 23 erinnert zu Recht an die ἄξια τῆς μετανοίας ἔργα in Apg 26,20.

5 Die Verwendung von δοκεῖν mit Infinitiv ist keine mt Eigenart. Viel eher streicht er sogar dieses Verb aus seiner mk Vorlage in 14,26 par Mk 6,49; 20,25 par Mk 10,42. Von sich auch verwendet Mt es nie (Ausnahme ist hier nur die Wendung τί...δοκεῖν), so kommt also eine redaktionelle Setzung durch den Evangelisten in Mt 3,8 nicht in Frage, vgl. SCHULZ, aaO, 367 A 297; SCHÜRMANN, aaO, 165 A 25; SCHENK, aaO, 17; anders POLAG, aaO, 28, der an der Ursprünglichkeit von ἄρξησθε festhält.
καὶ in V9a ist vermutlich von Lk eingefügt worden, vgl. SCHULZ, aaO, 367f.

ben. Während Schulz und Polag[6] ihren Wortlaut wiederherzustellen versuchen, meint Hoffmann zu Recht, daß sich sichere Ergebnisse nicht erzielen lassen[7].

Für Lk 3,10-14, die sogenannte Standespredigt[8], findet sich im mt Text keine Parallele. Haben wir es hier mit einer lk Einfügung zu tun oder hat Mt diese Verse aus dem Q-Text gestrichen? Sowohl Sahlin als auch Holtz und Schürmann plädieren für die letztgenannte Möglichkeit[9]. Nach Sahlin muß die ethische Verkündigung des Täufers im Kontext der alttestamentlich-jüdischen Ethik, wie sie in den prophetischen Schriften und bei den Rabbinen zur Sprache komme, gesehen werden. Diese Ethik sei eine "Gottesvolksethik"[10], d.h. die 'Früchte der Umkehr' seien die Antwort auf die Forderungen, die Gott an seinen Bundespartner, das Volk Israel, stellt, damit es sich seiner als würdig erweise. So würden sich in den praktisch ethischen Postulaten der VV 10-14 "charakteristische Beispiele echt jüdischer Ethik"[11] finden. Von daher behauptet Sahlin für die lk Standespredigt einen protolukanischen Ursprung ohne sie allerdings dezidiert der Q-Quelle zuzurechnen[12]. Daß er allerdings eine solche Möglichkeit nicht für abwegig hält, zeigen seine Überlegungen zu Mt 5-7, dessen Grundbestand auf Q zurückgeht[13]: Dort nämlich brächte Mt ausführliche ethische Weisungen, so daß er diejenigen aus der Q-Vorlage zur Umkehrpredigt streichen konnte[14]. Noch einen Schritt weiter als Sahlin geht Holtz. Johannes' ethische Weisungen an die Zöllner und die Berücksichtigung des Soldatenstandes veranlassen ihn, die Standespredigt dem Täufer selbst zuzuschreiben. Mittels eines dreifachen Argumentationsgangs versucht Holtz seine These zu begründen: So könne

6 SCHULZ, aaO, 367 spricht sich für folgenden Text aus: Ἰωάννης εἶπεν τοῖς ἐρχομένοις ἐπὶ τὸ βάπτισμα , vgl. auch SCHENK, aaO, 17. POLAG, aaO, 28 plädiert für: ἔλεγεν δὲ τοῖς ὄχλοις ἐρχομένοις ἐπὶ τὸ βάπτισμα αὐτοῦ .

7 Vgl. HOFFMANN, aaO, 17.

8 Vgl. HOLTZ, Standespredigt, 461.

9 Vgl. SAHLIN, Früchte, 58; HOLTZ, aaO, 468; SCHÜRMANN, aaO, 169.

10 SAHLIN, aaO, 58.

11 Ebd.

12 Ebd.

13 Vgl. POLAG, Christologie, 2f.

14 Vgl. SAHLIN, aaO, 58f A 3.

die Standespredigt keine jüdische Paränese sein, da die Zöllner nicht zu ihrem Adressantenkreis zu rechnen seien; im Judentum wurden Zöllner nämlich durchweg auf eine Stufe mit Räubern gestellt. Sie sei aber auch nicht christlichen Ursprungs, da die Erwähnung der Soldaten für neutestamentliche Schriften völlig atypisch sei; einen christlichen Soldatenstand habe es in den frühchristlichen Gemeinden noch nicht gegeben, Johannes der Täufer hingegen könnte wohl jüdischen Soldaten, z.B. denen des Herodes Antipas, begegnet sein. Zusätzlich ließe sich in den frühen Gemeinden die Tendenz erkennen, entgegen der Praxis Jesu die Zöllner wieder zu verachten (Mt 18,17), so daß es von daher schwer vorzustellen wäre, die Täuferpredigt als eine nachträgliche christliche Eintragung anzusehen. Da zusätzlich auch die Zusammenstellung der angeredeten Gruppen - die Menge, die Zöllner und die Soldaten - außergewöhnlich und ohne Parallele seien, könne nur die Schlußfolgerung gezogen werden, Lk 3,10-14 repräsentiere Täuferüberlieferung[15].

Während Salin und Holtz die VV 10-14 hauptsächlich in den jüdischen und christlichen Kontext stellen und sich von dort her gegen lk Redaktion entscheiden, argumentiert Schürmann deutlicher von der Sprachgewalt des Textes her. So ließen sich zwar in den VV 10-14 und in den VV 15-16a lk Spracheigentümlichkeiten feststellen[16], daneben zeigten die Verse jedoch für das Lk völlig atypisches Vokabular[17]. Von daher könne hier kaum mit einer Bildung des Evangelisten zu rechnen sein, vielmehr handele es sich in den VV 10-16a um Traditionsgut. Allerdings geht

---

15 Vgl. HOLTZ, aaO, 461-468.

16 ἐπερωτάω verwendet Lk von sich aus gerne, so 6,9; 8,9; 18,40; 20,21; 22,64; Apg 5,27; 23,34. δὲ καί findet sich schon in V9. διατάσσω wird außer in Mt 11,1 nur von Lk verwandt, vgl. Lk 3,13; 8,55; 17,9f; Apg 7,44; 18,2; 20,13; 23,31; 24,23. Auch πράσσω wird nur noch von Lk benutzt, nicht jedoch von den anderen Synoptikern: Lk 3,13; 19,23; 22,23; 23,15.41; Apg 3,17; 5,35; 15,29; 16,28; 17,7; 19,36; 25,11.25; 26,9.20.26.31. πλέον findet sich im NT auch nur noch in Apg 15,28 und Joh 21,15. Typisch lk Vokabular zeigt sich bei λαός (Ev.ca. 22 mal redaktionell, Apg 48 mal) und ἀποκρίνεσθαι (Ev.ca. 19 mal redaktionell, Apg 20 mal); genetiv-absolutus-Konstruktionen wie προσδοκῶντος τοῦ λαοῦ werden von Lk bevorzugt; vgl. SCHÜRMANN, aaO, 169 A.54. 171 A 63; SCHULZ, aaO, 368 A 300; HOFFMANN, aaO, 7; GRUNDMANN, Evangelium nach Lukas 104f.

17 μεταδίδοναι, das absolute ὁ ἔχων und die Anrede διδάσκαλε setzt Lk nicht von sich aus, vgl. SCHÜRMANN, aaO, 169 A 53.

Schürmann nicht näher auf die Frage nach der Herkunft des Traditionsstückes ein; er bleibt im Bereich der Vermutung und bezeichnet das Stück als Q-verdächtig[18].

Es sprechen jedoch gewichtige Gründe gegen eine ursprüngliche Verbindung der Verse mit der Umkehrpredigt. Nicht nur, daß Lk Johannes in der Kindheitsgeschichte (Lk 1,16f.76-79) und in der redaktionellen Erweiterung in Lk 7,29f ebenfalls als "ethischen Wegbereiter" darstellt[19]. Auch daß die VV 10-14 inhaltlich in der Feldrede (Lk 6,20-49) aufgenommen werden, kann als Argument gegen eine Ursprünglichkeit der Standespredigt in Q verwandt werden: Ähnlich wie sich für Lk 1 eine deutliche Parallelisierung zwischen Johannes und Jesus feststellen läßt, könnte auch für die Umkehrpredigt des Täufers und die Feldrede Jesu eine Parallelisierung intendiert sein, wobei in der Feldrede zugleich die gegenüber Johannes höhere Stellung Jesu verdeutlicht wird; die Seligpreisungen in 6,20-22 sowie die Lohnverheißung in 6,35 bringen dies zum Ausdruck. Daneben lassen sich aus dem Textgefüge selbst sachliche und sprachliche Argumente finden. Die konkreten Weisungen der Standespredigt durchbrechen den Duktus der Täuferbotschaft: Lk 3,7-9.16f betont die radikale Gerichtsbedrohung ganz Israels (V7f) - bestimmte Stände sind überhaupt nicht in den Blick genommen - und die unmittelbare Nähe des Gerichts (V9: ἤδη). Die Änderung des καρπὸς ἄξιος in den Plural καρποὺς ἀξίους (V8) wird aus der Perspektive einer eingefügten Standespredigt verständlich. Schon V8 sollte auf die noch folgenden ethischen Forderungen vorausweisen. Die dialogische Struktur der VV 10-14 stört die monologische Einheit der Johannesrede, wie wir sie im mt Text vorfinden.

Da in Lk 3,7-17 allein die VV 10-16a typisch lk Vokabular aufweisen und ansonsten der Evangelist in den VV 7-9.16bf fast wörtlich mit Mt übereinstimmt - Ausnahmen sind die redaktionelle Änderung in V8 (s.o.) und die Kombination des Q-Textes mit der Mk-Überlieferung in V 16 -, Lk demnach in den VV 7-9.16bf der Q-Vorlage folgt, wird für die VV 10-16a kaum davon auszugehen sein, daß sie ebenfalls Q entstammen. Aus diesem Grund ist es möglich, die VV 10-16a als lk Einschub zu werten. Jedoch ist es nicht eindeutig zu klären, ob wir es hier mit einem von Lk redigierten Traditionsstück, z.B. Sonderüberlieferung des

18 Vgl. SCHÜRMANN, aaO, 169.171.

19 Vgl. HOFFMANN, aaO, 16 A 5.

Lukas[20], oder mit einer lk Bildung zu tun haben[21]. Für unseren Zusammenhang ist die Klärung dieses Problems nicht notwendig.

Nach der Erläuterung der redaktionellen Änderung in Lk 3,7-9 und der Eliminierung der VV 10-16a bleibt festzuhalten, daß Mt 3,7-10 dem Q-Text am nächsten steht, ihn wahrscheinlich wörtlich wiedergibt.

Komplizierter erscheint die Rekonstruktion für Mt 3,11f par, da die beiden Evangelisten an dieser Stelle den Q-Text mit dem Markustext (Mk 1,7f) vermischt haben[22]. Insgesamt bewahrt auch hier Mt den ursprünglicheren Text, doch lassen sich bei ihm ebenfalls einige redaktionelle Änderungen feststellen. εἰς μετάνοιαν in V11a ist sicherlich von Mt hinzugefügt, da eine Auslassung seitens Lk nicht erklärlich ist. Möglicherweise handelt es sich hier um eine Aufnahme von 3,2.8[23]. Aus Mk 1,7 hat Mt ὀπίσω μου übernommen, Lk nicht, da er diese Wendung vielfach im Sinne der Nachfolge gebraucht[24], Jesus aber nicht als Jünger des Johannes erscheinen lassen will[25]. Das Fortlassen der Präposition ἐν und die Umstellung des ὕδατι in Lk 3,16b gehen vermutlich auf lk Stilverbesserungen zurück[26]. Mit ἔρχεται...ὁ ἰσχυρότερός μου und λυσαῖ τὸν ἱμάντα τῶν ὑποδημάτων αὐτοῦ (V16) folgt Lk eindeutig der Mk-Vorlage (Mk 1,7)[27].

Schwierigkeiten bietet die Wendung ἐν πνεύματι ἁγίῳ, die sowohl bei Mt als auch bei Mk und Lk tradiert ist (Mt 3,11; Mk 1,8; Lk 3,16). Man könnte an eine mt und lk Abhängigkeit vom Mk-Text denken. Doch ist auch mit der Möglichkeit zu rechnen, daß bereits in Q ἐν πνεύματι ἁγίῳ stand. Nach Hoffmann paßt jedoch der Geist im Sinne der

---

20 Vgl. GRUNDMANN, aaO, 103. Nach Bultmann, Geschichte, 155 handelt es sich um "eine relativ späte hellenistische Bildung".

21 Vgl. HOFFMANN, aaO, 16 und POLAG, Fragmenta, 28, die beide für lk Bildung plädieren.

22 Zur Frage der gegenseitigen Abhängigkeit vom Mk-Text (Mk 1,7f) und Q vgl. die Erörterung bei HOFFMANN, aaO, 19-22, der plausibel machen kann, daß die Markusüberlieferung ein späteres traditionsgeschichtliches Stadium darstellt als Q.

23 Vgl. SCHULZ, aaO, 368; HOFFMANN, aaO, 22; POLAG, aaO, 28; TRILLING, Täufertradition, 286.

24 Vgl. Lk 9,23; 14,27; 21,8; Apg 5,37; 20,30.

25 Vgl. SCHULZ, aaO, 368; HOFFMANN, aaO, 25; anders POLAG, aaO, 28.

26 Vgl. SCHULZ, ebd.; HOFFMANN aaO, 22f; POLAG, ebd.

27 Vgl. SCHULZ, ebd.; POLAG, ebd.

eschatologischen Läuterungskraft nicht in den Kontext der Q-Predigt, da es dort um Gericht und nicht um Heil gehe. Ursprünglich hätten sich in der Johannespredigt in Q Wasser- und Feuertaufe gegenübergestanden, wobei die Wassertaufe als Reinigungsbad zu verstehen sei, welches die Möglichkeit eröffne, dem Feuergericht zu entgehen. Von daher handele es sich bei der Wendung ἐν πνεύματι ἁγίῳ um einen Zusatz der Evangelisten[28]. Nehmen wir jedoch an - und hier stimmt auch Hoffmann zu[29] -, daß bereits Q den ἐρχόμενος ἰσχυρότερος mit Jesus identifiziert hat, dann spiegelt sich in der Q-Vorlage eine Gegenüberstellung von Johannes und Jesus wieder, die auf eine Überbietung des Täufers durch den Stärkeren (Jesus) hinausläuft. Ein Fehlen des ἰσχυρότερος hätte jedoch zur Folge, Jesus allein als Richtergestalt darzustellen, eine Sichtweise, die kaum der Intention von Q entsprechen dürfte. Geht es nämlich Q darum, Johannes Jesus unterzuordnen, dann wird Q wohl nicht eine Darstellung forcieren, die Johannes als Heilbringer zeigt, indem seine Taufe die Möglichkeit eröffnet, dem mit dem Kommen Jesu erwarteten Gericht zu entgehen. Vielmehr wird Q darum bemüht sein, Jesus als die Heilsgestalt darzustellen ohne allerdings den Gerichtsgedanken zu eliminieren. Aus der Sicht von Q ist Jesus zugleich Retter und Richter, so daß angenommen werden kann, Q habe sowohl von der Geist- als auch von der Feuertaufe gesprochen.[30]

Diese Annahme läßt sich durch zusätzliche Argumente stützen: Schürmann verweist auf die besondere Funktion des Komparativs ἰσχυρότερος. Würde nämlich Jesus nur als Feuertäufer gesehen, dann käme kein komparativer Vergleich mit dem Heilscharakter der Johannestaufe zustande, sondern ein Gegensatz. Erst dadurch, daß Jesus auch der Geisttäufer sei, ist er der gegenüber Johannes "Stärkere", weil er der Heilsmächtigere ist[31].

Die Verbindung von Geist und Feuer als rettende und zerstörende Macht ist traditionell, sie findet sich in Joel 3,1-5 und 1 QS 4,13.21, so daß die Doppelfunktion Jesu als Retter und Richter kein Argument gegen die Ursprünglichkeit des ἐν πνεύματι ἁγίῳ in Q sein dürfte[32]. Mit dem

---

28 Vgl. HOFFMANN, aaO, 29f; SCHULZ, aaO, 368.

29 Ebd., 32f.

30 So auch LANG, Erwägungen, 472; POLAG, Christologie, 155.

31 Vgl. SCHÜRMANN, aaO, 176.

32 Ebd.

Personalpronomen ὑμᾶς als Adressat der Geist- und Feuertaufe hat Q unterschiedliche Personengruppen im Blick. Von daher wird die Partikel καί nicht im Sinne von 'sowohl - als auch' zu verstehen sein, vielmehr meint καί eine Alternative: Nicht ein und diesselbe Personengruppe wird mit Geist und Feuer getauft, sondern die, die umkehrbereit sind, erhalten das Pneuma Hagion, die anderen verfallen dem Vernichtungsfeuer; Mt 3,12 par Lk 3,17 bestätigt diese Sichtweise[33].

Mt 3,12 par Lk 3,17 weisen große Übereinstimmungen auf. Eine Parallele im Mk-Text findet sich nicht. Lk verbessert nur stilistisch, indem er die beiden mt Futura διακαθαριεῖ und συνάξει in Infinitive umwandelt und αὐτοῦ nicht auf σῖτον, sondern auf ἀποθήκην bezieht[34].

Lk 3,18 hat keine Parallele bei den anderen Synoptikern, auch das Vokabular ist lk geprägt, so daß wir diesen Vers der Redaktion zuschreiben dürfen[35].

Somit können wir für die Logienquelle Q von folgendem Text ausgehen (Verszählung nach Mt):

7 [('Ιωάννης) εἶπεν/ἔλεγεν (δὲ) τοῖς (ὄχλοις) ἐρχομένοις ἐπὶ τὸ βάπτισμα (αὐτοῦ)][36].
γεννήματα ἐχιδνῶν, τίς ὑπέδειξεν ὑμῖν φυγεῖν ἀπὸ τῆς μελλούσης ὀργῆς;
8 ποιήσατε οὖν καρπὸν ἄξιον τῆς μετανοίας
9 καὶ μὴ δόξητε λέγειν ἐν ἑαυτοῖς· πατέρα ἔχομεν τὸν 'Αβραάμ. λέγω γὰρ ὑμῖν ὅτι δύναται ὁ θεὸς ἐκ τῶν λίθων τούτων ἐγεῖραι τέκνα τῷ 'Αβραάμ.
10 ἤδη δὲ ἡ ἀξίνη πρὸς τῶν δένδρων κεῖται· πᾶν οὖν δένδρον μὴ ποιοῦν καρπὸν καλὸν ἐκκόπτεται καὶ εἰς πῦρ βάλλεται.

---

33 Ebd., vgl. POLAG, aaO, 155f.

34 Vgl. SCHULZ, aaO, 369; GRUNDMANN, Evangelium nach Matthäus, 95: Die "durch καί hergestellte Koordination der Verben" verrät "semitisches Sprachkolorit".

35 Vgl. SCHULZ, ebd. λαός ist typisch lukanisch, vgl. A 17, auch εὐαγγελίζεσθαι wird gerne von Lk verwandt (Ev. 4mal redaktionell, Apg 15mal).

36 Da eine sichere Rekonstruktion der Einleitung nicht möglich ist, erscheint sie im Text in eckigen Klammern. Die runden Klammern weisen auf die jeweiligen Abweichungen bei SCHULZ und POLAG, vgl. A 6.

11 Ἐγὼ μὲν ὑμᾶς βαπτίζω ἐν ὕδατι, ὁ δὲ ἐρχόμενος ἰσχυρότερός μού ἐστιν, οὗ οὐκ εἰμὶ ἱκανὸς τὰ ὑποδήματα βαστάσαι· αὐτὸς ὑμᾶς βαπτίσει ἐν πνεύματι ἁγίῳ καὶ πυρί·

12 οὗ τὸ πτύον ἐν τῇ χειρὶ αὐτοῦ καὶ διακαθαριεῖ τὴν ἅλωνα αὐτοῦ καὶ συνάξει τὸν σῖτον αὐτοῦ εἰς τὴν ἀποθήκην, τὸ δὲ ἄχυρον κατακαύσει πυρὶ ἀσβέστῳ.

Der "Grundtext"

Mit dem rekonstruierten Q-Stück haben wir einen Text vor uns liegen, der zeitlich gesehen älter ist als die Überlieferung der Umkehrpredigt in Mt und Lk. Doch auch hier treffen wir auf eine Darstellung des Täufers unter christlichen Vorzeichen, d.h. nicht nur die Tatsache einer christlichen Rezeption des Johannes zeigt das besondere Interesse der jungen christlichen Gemeinden am Täufer gerade auch bezüglich der eigenen Verkündigung, indem nämlich Jesus als der gegenüber Johannes Stärkere herausgestellt wird. Vermutlich werden wir davon ausgehen können, daß die Trägergruppen der Spruchquelle Einfluß genommen haben auf die Darstellung des Täufers. Wollen wir aber den ureigentlichen Täuferworten noch einen Schritt näher kommen, dann erscheint es sinnvoll, das vorliegende Q-Stück nach möglicher Q-Redaktion durchzusehen.

Für Mt 3,7b-10 par läßt sich beobachten, daß dem Text jede "jesuanische oder christliche Komponente" fehlt[37]. Eine redaktionelle Bearbeitung seitens Q ist folglich nicht festzustellen, so daß hier eine Überlieferung vorliegt, die auf Johannes selbst zurückgehen könnte. Bei der Einleitung in Mt 3,7a par handelt es sich sicherlich um Q-Bildung. Mit Hilfe der Redeeinleitung wird die Umkehrpredigt des Täufers als einheitliche Kommunikationssituation begriffen. Der Bogen spannt sich von V7a zu V11f: Im Vorgriff auf V11 werden zu Anfang als Adressaten der Predigt Taufwillige genannt[38].

Wesentlich mehr Schwierigkeiten bereitet Mt 3,11 par, zumal der Mk-Text (Mk 1,7f) eine gegenüber Mt und Lk veränderte Reihenfolge des Spruchs wiedergibt. Lauffen plädiert für ein der Logienquelle und dem

37 BECKER, Johannes, 109 A 21.

38 Vgl. ZELLER, Redaktionsprozesse, 398.

Mk-Text zugrundeliegendes Doppellogion, welches auf Johannes selbst zurückgeht. Seiner Meinung nach gibt Mk nicht nur im Wortlaut, sondern auch in der Reihenfolge - dem Spruch vom Stärkeren folgt das Wort von den Taufen - die älteste Fassung wieder[39]. Für die Auffassung Lauffens spricht, daß sowohl bei Mk als auch in Q die Aussagen über die Taufen parallelisiert sind (Mk 1,8: ἐγὼ ἐβάπτισα ὑμᾶς ὕδατι, αὐτὸς δὲ βαπτίσει ὑμᾶς ἐν πνεύματι ἁγίῳ, Q: ἐγὼ μὲν ὑμᾶς βαπτίζω ἐν ὕδατι, αὐτὸς ὑμᾶς βαπτίσει ἐν πνεύματι ἁγίῳ καὶ πυρί), in Q ist allerdings in das Logion von den Taufen der Spruch vom Stärkeren eingeschoben. Von daher scheinen wir wohl vermuten zu dürfen, daß Mk 1,8 die ursprünglichere Form wiedergibt, da dort die strikte Parallelität des Satzbaus gewahrt bleibt und nicht mittels eines Einschubs durchbrochen wird. Ein Blick auf die sprachliche Gestaltung hingegen zeigt den sekundären Charakter von Mk 1,7-8 im Vergleich mit Q: Die Änderung des Partizips ἐρχόμενος in die Indikativform ἔρχεται in Mk 1,7 hat kompositorisch-vorausweisende Funktion, indem sie auf das Kommen Jesu in Mk 1,9 abzielt. Die temporale Umdeutung des ehemals lokal im Sinne von Nachfolge zu verstehenden ὀπίσω μου ist von Mk 1,2f her beeinflußt; Mk geht es um das zeitliche Nacheinander von Johannes und Jesus. Der Aorist ἐβάπτισα in Mk 1,8 ist der mk Redaktion zuzuschreiben. Er weist zum einen auf die in V4f geschilderte Tauftätigkeit zurück; die Taufe des Johannes hat ihre Gültigkeit verloren, jetzt zählt nur noch die Geisttaufe Jesu.[40]

Ein weiterer Gedankengang könnte dafür sprechen, daß Mk nicht die ursprünglichere Fassung bewahrt hat: Es ist offensichtlich, daß Mk kein Interesse an der Verkündigung des Täufers hat. Schon das Auftreten des Johannes beschreibt er als κηρύσσων βάπτισμα μετανοίας εἰς ἄφεσιν ἁμαρτιῶν (Mk 1,4). Der Schwerpunkt liegt also eindeutig auf der Taufe. Dies wird durch Mk 1,8 bestätigt. Von daher kommt es Mk in erster Linie nicht auf eine Gegenüberstellung von Johannes und Jesus an, sondern hauptsächlich auf eine Abhebung der Geisttaufe von der Wassertaufe; der Aorist ἐβάπτισα sowie der Bericht von der Geistbegabung Jesu bei dessen Taufe im Jordan (Mk 1,10) bringen dies zum Ausdruck. Nicht ein Interesse an den Personen steht im Vordergrund, son-

---

39 Vgl. LAUFFEN, Doppelüberlieferungen, 116f. Vgl. auch DIBELIUS, Überlieferung, 54, der die Q-Fassung als sekundär ansieht, da sie die "Prägnanz" als Kennzeichen ältester Überlieferung vermissen läßt.

40 Vgl. PESCH, Markusevangelium, 83; HOFFMANN, aaO, 20.

dern ein Interesse an deren Tätigkeit. Daraus ließe sich folgern, daß Mk von der historischen Situation bereits Abstand gewonnen hat. In der mk Gemeinde ging es vermutlich nicht mehr um eine Konkurrenz zwischen Johannes und Jesus, sondern hier stand eine Gegenüberstellung der christlichen und der johanneischen Taufe im Mittelpunkt. So könnte es möglich sein, daß Mk das ursprünglich mit dem Spruch vom Stärkeren verschränkte Tauflogion auseinandergezogen hat, um so den Schwerpunkt auf das Taufwort zu legen. Demnach müßte die mk Fassung gegenüber der Q-Version als sekundär zu werten sein[41].

Wir stehen vor einem Problem. Es gibt sowohl gute Argumente, die für die Ursprünglichkeit der Q-Fassung sprechen - Q repräsentiert die sprachlich ältere Form, Q betont stärker die Konkurrenz zwischen den Personen Johannes und Jesus als die Konkurrenz zwischen deren jeweiliger Tätigkeit -, als auch gute Gründe, eine Mk-Priorität anzunehmen[42] - so bewahrt z.B. Mk eindeutiger die strikte Parallelität der Taufen. Um dieses Problem zu lösen, ist es sinnvoll, bei dem Spruch vom Stärkeren anzusetzen, da er zweifellos als christliches Interpretament zu werten ist[43]. Johannes kündet in seiner Predigt das Kommen einer Person an, die stärker ist als er. Die Predigt selbst läßt zunächst offen, wer mit dem Kommenden, dem Stärkeren, gemeint ist. Deutlich wird nur, daß die kommende Person zum Gericht erscheint, von daher könnte sich die Ankündigung des Johannes auf das Kommen Gottes, des Messias oder des Menschensohnes beziehen - eine genauere Klärung dieser Vermutungen wird an späterer Stelle erfolgen. Im Kontext der Evangelien hingegen wird deutlich, wer der angekündigte ἐρχόμενος ἰσχυρότερος ist: Jesus ist der gegenüber Johannes Stärkere. In der historischen Situation der Umkehrpredigt gab es keinen Anlaß, Johannes mit Gott, dem Messias oder dem Menschensohn zu vergleichen. Erst dort, wo der erchomenos mit einer Person identifiziert wurde, die dem Täufer vergleichbar war, die also auf einer Stufe mit ihm stand oder sogar, als Täuferschüler, unter ihm stand, wurde es notwendig, seine besondere Stärke zu betonen.[44]

Wenn wir davon ausgehen, daß es sich bei dem Spruch vom ἰσχυρότερος um ein christliches Interpretament handelt dann wird deutlich, welche

---

41 Dies meint HOFFMANN, aaO, 21f.

42 Für eine Mk-Priorität plädiert z.B. LANG, aaO, 467.

43 Vgl. HOFFMANN, aaO, 24; BULTMANN, Geschichte, 262.

44 Vgl. HOFFMANN, ebd.; BULTMANN, ebd.

Intention christlicherseits sich ursprünglich hinter der Kombination des Tauflogions mit dem Spruch vom Stärkeren verbarg; primär ging es nicht um eine Unterscheidung der Taufen, sondern um eine Gegenüberstellung der Personen. Gegenüber dem Täufer wird der Kommende in dreifacher Weise herausgestellt: Er wird als der Stärkere bezeichnet, Johannes ist es nicht wert, ihm die Schuhe nachzutragen/sich zu bücken und ihm die Schuhriemen aufzulösen (Q/Mk) und er ist der Geist- und Feuertäufer. Die Rahmung dieser Aussage durch das Tauflogion, wie sie uns in Q begegnet, bringt in besonderem Maße die Stellung Jesu im Vergleich zum Täufer zum Ausdruck; die christliche Intention ist vor allem hier gut erkennbar, so daß wir annehmen können, daß der Q-Text die ursprünglichere Abfolge der Logien aufweist.[45]

Der Überlieferungsprozeß sah demnach folgendermaßen aus: Täuferischen Ursprungs ist die Gegenüberstellung der beiden Taufen sowie die Ankündigung des erchomenos[46]. Im Zuge der aufkommenden Konkurrenz zwischen christlicher Gemeinde und Johannesjüngern wurde der Spruch vom Stärkeren im Sinne eines Kommentarworts in das Logion von den Taufen eingesprengt - diese Überlieferungsstufe repräsentiert Q[47]. Die Interessenverlagerung von den Personen zu den Elementen Wasser und Geist bedingt eine Trennung der Sprüche; hinter der Mk-Version steht deutlich die Konkurrenz der beiden Taufen. Daß Q die traditionsgeschichtlich ältere Fassung bewahrt hat, zeigen auch die anschließenden Überlegungen zur Wendung.

Die Taufaussage birgt eine Schwierigkeit. Im Mk-Text wird der Wassertaufe die Geisttaufe gegenübergestellt, in Q stehen ihr Geist- und Feuertaufe entgegen. Es erhebt sich also die Frage, ob das ursprüngliche Täuferwort nur πῦρ oder nur πνεῦμα ἅγιον oder beides enthielt. Geht man von der Annahme aus, daß Johannes nur von einer Wasser- und Geisttaufe gesprochen hat, so würde Mk 1,8 die ursprüngliche Formulierung des Spruches bieten. Πῦρ wäre dann ein redaktioneller Zusatz von Q, um das Wort von den Taufen besser in den Kontext der johanneischen Predigt einzubinden. Hinter dem Täuferwort stände dann eine

45 Vgl. HOFFMANN, ebd., 20f.24; PESCH, aaO, 83.

46 So auch HOFFMANN, ebd., 25.

47 Vgl. HOFFMANN, ebd., 24; BULTMANN, aaO, 262; ZELLER, aaO, 399.

Haltung des Täufers, die "seine Unterlegenheit und untergeordnete heilsgeschichtliche Bedeutung gegenüber einem anderen betont"[48]. Aufgrund der von ihm angekündigten eschatologischen Geistausgießung, die von dem kommenden Heilsbringer erwartet wird, meint Lauffen, ihn in die Tradition der alttestamentlichen Prophetie einordnen zu können[49].

Eine andere Auffassung vertritt Lang[50]. Er plädiert für die Originalität der Geist- und Feuertaufe. Im Unterschied zu Lauffen berücksichtigt er das Taufwort im Kontext der Johannespredigt, die ja unzweifelhaft den Gerichtsgedanken in den Vordergrund stellt, ohne hierbei eine Heilszusage zu geben. Auch wenn sich eine eindeutige Formulierung des Täuferwortes nicht mehr erarbeiten läßt, tendiert Lang doch dahin, πῦρ und πνεῦμα ἅγιον dem Täufer zuzusprechen. Der von Johannes angekündigte "Stärkere" bringe demzufolge nicht nur das Gericht, sondern läutere die bereits Getauften in einem "eschatologischen Reinigungsakt"[51] durch das πνεῦμα ἅγιον. So gesehen biete das Wort von der Geist- und Feuertaufe "eine sachgemäße Zusammenfassung der gesamten, auch in den beiden Gerichtsbildern enthaltenen eschatologischen Verkündigung des Täufers"[52]. Mk habe πῦρ aus dem Logion gestrichen, da die Feuertaufe in seiner Darstellung des Wirkens Jesu nicht hineinpaßt[53].

Dibelius hingegen hält die Überlieferung der Geisttaufe sowohl in Q als auch in Mk für sekundär. Seiner Meinung nach kündete Johannes nur den Feuertäufer an[54]. Dafür sprechen einige gewichtige Argumente. Geht man aus von dem in der christlichen Gemeinde vermuteten Interesse, die Konkurrenzsituation zu den Johannesjüngern durch eine Überbietung des Täufers durch Jesus abzubauen, so wird die Einfügung des πνεῦμα ἅγιον einsichtig: Einem möglichen Verständnis der johanneischen Wassertaufe als heilswirksamer Kraft wurde die alles überbie-

---

48 LAUFFEN, aaO, 116.

49 Ebd.

50 Vgl. LANG, aaO, 466-473; so auch GNILKA, Evangelium nach Markus, 48.

51 LANG, aaO, 472.

52 Ebd.

53 Vgl. LANG, aaO, 467.

54 Vgl. DIBELIUS, aaO, 56.

tende Geisttaufe im Sinne einer eschatologischen Heilsgabe, die bereits gegenwärtig in der christlichen Gemeinde erfassbar war, entgegengestellt[55]. Daß gerade die Frage des Geistbesitzes als ein die Christen und die Johannesschüler trennendes Moment angesehen wurde, zeigt Apg 19,1-6[56]. Zudem widerspricht die Weissagung eines Geisttäufers der Diktion der Johannespredigt. Auch noch die Q-Überlieferung läßt als Hauptakzent der johanneischen Verkündigung die Gerichtsbotschaft erkennen. Eine konkrete Heilszusage wird nicht gegeben. Die von Johannes geforderte Umkehr und die Taufe sind keine Heilsgarantien, im Vordergrund steht eindeutig das bald hereinbrechende Gericht. Das Kommen eines Geisttäufers ist der Täuferbotschaft diametral entgegengesetzt, da ja das pneuma eschatologisches Heilsgut ist. Auch sprachlich paßt πῦρ eher in den Kontext der Predigt. Bereits Mt 3,10 läßt die gefällten Bäume durch das Feuer vernichten. Πῦρ scheint hier Mittel der Gerichtsstrafe zu sein. Ebenfalls nimmt V12 πῦρ noch einmal auf: der Mann mit der Worfschaufel wird die Spreu in unauslöschlichem Feuer verbrennen. Da es kaum vorstellbar ist, daß die Q-Redaktoren πῦρ in V11 nur im Sinne einer Kontextverknüpfung an das πνεῦμα ἅγιον angehängt haben, ist aufgrund sprachlicher und inhaltlicher Gründe allein die Ankündigung des kommenden Feuertäufers als ursprünglich anzusehen[57].

Wie es bereits für die VV7-10 festgestellt wurde, läßt sich auch für V12 keine christliche Überarbeitung ausmachen, zumal er in enger Verbindung zu den beiden vorhergehenden Versen steht: πυρὶ ἀσβέστῳ korrespondiert mit πυρί aus V11, das Gerichtsmotiv ist seit V10 durchgängig, das Personalpronomen αὐτός bezieht sich auf den erchomenos aus V11. Im Kontext der christlichen Überlieferung war der erwartete erchomenos Jesus, so daß αὐτός in V12 ebenfalls Jesus meinte. In der ursprünglichen Überlieferung hingegen wurde mit dem erchomenos eine Richtergestalt erwartet, so daß eine Deutung des Personalpronomens αὐτός offen ist für unterschiedliche Richtergestalten, Gott, den Messias oder den Menschensohn. Von daher dürfen wir für V12 ebenfalls vermuten, dort Täufertradition vorliegen zu haben.

Nach der Durchsicht der Johannespredigt auf mögliche christliche Redaktion hin, bleiben als Grundbestand die VV7-10, die Wassertaufe und

---

55 Vgl. GNILKA, aaO, 48; SCHMITHALS, Evangelium nach Markus, 80f.

56 Vgl. GNILKA, aaO, 19.

57 Vgl. auch HOFFMANN, aaO, 19.

die Ankündigung des Feuertäufers (V11) und V12 übrig. Mit großer Wahrscheinlichkeit handelt es sich bei diesen Versen um authentische Täufertradition[58]. Innerhalb der Forschung besteht allerdings hinsichtlich der Frage nach der Herkunft von Mt 3,7-12 par kein Konsens: Bultmann spricht sich im Hinblick auf die VV7-10 für christliche Bildung aus, seiner Meinung nach ist es reiner Zufall, daß der Täufer und nicht Jesus Sprecher der Drohworte ist. Für V11f nimmt er jedoch eine vorchristliche Tradition an, die dann aber christlich redigiert wurde[59]. Auch Schulz spricht sich für einen judenchristlichen Ursprung aus, er hält die Predigt insgesamt für eine "antijüdische Polemik"[60]. Anders urteilen Dibelius und Lohmeyer. Dibelius nennt vier Spruchgruppen "1. die Drohrede 'ihr Otterngezücht'; 2. das Gleichnis von der Axt; 3. das Gleichnis von der Worfschaufel; 4. die Sprüche vom Stärkeren und vom Feuertäufer"[61] -, die keine christliche Überarbeitung erkennen ließen. Da sie insgesamt durch das Gerichtsmotiv miteinander verbunden seien, welches in der Ankündigung des Feuertäufers seinen Höhepunkt erreiche, die christliche Gemeinde Jesus aber nicht als Feuer-, sondern als Geisttäufer gesehen habe, müsse es sich bei den vier Spruchgruppen um Täuferüberlieferung handeln.[62] Lohmeyer rechnet sogar mit einer wörtlichen Überlieferung von Johanneslogien. Dabei weisen für ihn insbesondere der Stil und die Sprache der Täuferpredigt spezifische Eigenarten auf, die dergestalt weder in den Evangelien noch in alttestamentlicher und frühjüdischer Überlieferung anzutreffen seien: Zwar ließe sich bei Johannes eine Verwandtschaft mit alttestamentlichen Bildern beobachten, eine direkte Übernahme aber nicht; vielmehr handele es sich hierbei um spezifisch täuferische Bilder. Im Unterschied zur prophetischen Rede sei bei Johannes kein Bild rein für sich genommen, sondern vielfach in Kombination mit anderen, erläuternden Begriffen, so trete neben den Begriff 'Frucht' die Wendung 'würdig der Umkehr'[63].

---

58 Vgl. MERKLEIN, aaO, 32.

59 Vgl. BULTMANN, aaO, 123.262f.

60 Vgl. SCHULZ, aaO, 372.

61 DIBELIUS, aaO, 58f.

62 Ebd., 53-59.

63 Vgl. LOHMEYER, Evangelium nach Matthäus, 37f.

Da die Untersuchung der redaktionellen Bearbeitung der Umkehrpredigt von dem Interesse geleitet war, dem historischen Johannes möglichst nahe zu kommen, scheint es für die synchrone Analyse seiner Botschaft sinnvoll zu sein, die Rekonstruktion eines Textes zu wagen, der in unmittelbarer Nähe zu den Täuferworten steht. Scheidet man die christliche Überarbeitung aus, ergibt sich folgender Text (Verszählung nach Mt):

7 γεννήματα έχιδνῶν, τίς ὑπέδειξεν ὑμῖν φυγεῖν ἀπὸ τῆς μελλούσης ὀργῆς;

8 ποιήσατε οὖν καρπὸν ἄξιον τῆς μετανοίας

9 καὶ μὴ δόξητε λέγειν ἐν ἑαυτοῖς· πατέρα ἔχομεν τὸν Ἀβραάμ. λέγω γὰρ ὑμῖν ὅτι δύναται ὁ θεὸς ἐκ τῶν λίθων τούτων ἐγεῖραι τέκνα τῷ Ἀβραάμ·

10 ἤδη δὲ ἡ ἀξίνη πρὸς τὴν ῥίζαν τῶν δένδρων κεῖται· πᾶν οὖν δένδρον μὴ ποιοῦν καρπὸν καλὸν ἐκκόπτεται καὶ εἰς πῦρ βάλλεται.

11 ἐγὼ μὲν ὑμᾶς βαπτίζω ἐν ὕδατι, ὁ δὲ ἐρχόμενος ὑμᾶς βαπτίσει ἐν πυρί·

12 οὗ τὸ πτύον ἐν τῇ χειρὶ αὐτοῦ καὶ διακαθαριεῖ τὴν ἅλωνα αὐτοῦ καὶ συνάξει τὸν σῖτον αὐτοῦ εἰς τὴν ἀποθήκην, τὸ δὲ ἄχυρον κατακαύσει πυρὶ ἀσβέστῳ.

Wenn auch der rekonstruierte Text, er soll im folgenden als "Grundtext" bezeichnet werden, inhaltlich mit ziemlicher Wahrscheinlichkeit auf Johannes selbst zurückzuführen ist, muß doch mitbedacht werden, daß es sich hierbei um keine wörtliche Wiedergabe der Umkehrpredigt handelt. Dies anzunehmen verbietet allein schon die Tatsache der griechischen Abfassung. Unergiebig ist m.E. der Versuch einer Rekonstruktion des aramäischen Urtextes. Zwar versucht Black, mittels der rhythmischen Struktur einer Poesie eine aramäische Fassung der Täuferpredigt zu erstellen, doch mischt er dabei die unterschiedlichen Überlieferungen in Mt, Lk und Mk durcheinander, um einen rhythmisch stimmigen Text zu erhal-

ten[64]. Da Vergleichsmöglichkeiten zur Absicherung des rückübersetzten Textes fehlen, sind "alle Rückübersetzungen aus dem Griechischen ... nicht mehr als Möglichkeit und beweisen auf alle Fälle nicht mehr, als daß eine bestimmte Formulierung mit großer Wahrscheinlichkeit ursprünglich semitisch konzipiert war"[65].

1.2. Textkohärenz

In einem ersten Schritt soll der erarbeitete Grundtext auf seine Kohärenz hin befragt werden. Anders als Linnemann, die einzig aus dem Blickwinkel der Adressatenfrage heraus die Entscheidung fällt, bei der Täuferpredigt handele es sich um Einzellogien, ohne jedoch ihre Behauptung näher zu begründen[66], wollen wir zunächst von der Einheit des Textes ausgehen und die Mittel der Textverknüpfung sowohl auf syntaktischer als auch auf semantischer und pragmatischer Ebene untersuchen, um von hier aus ein fundierteres Urteil fällen zu können.

Als syntaktisches Merkmal der Textkohärenz dienen die Wiederholung des Personalpronomens ὑμεῖς (V7.9.11), der Nomen πῦρ (V10.11.12) und καρπός (V8.10) und des Namens Abraham (V9a.9b). Das Relativ-

---

64 Vgl. BLACK, Muttersprache, 144f. Als Beispiel für einen minutiös durchgeführten Rückübersetzungsversuch soll die Vorgehensweise von SCHWARZ, ἄχυρον, 264-271 kurz vorgestellt werden: SCHWARZ versucht aufgrund metrischer Kriterien, Mt 3,12 par ins Aramäische rückzuübersetzen. Zur Wahrung der "poetischen Struktur ..." (270) ist er allerdings genötigt, zwei griechische Begriffe - κατακαύσει und πυρὶ ἀσβέστῳ - als redaktionell auszuscheiden. Damit nimmt er der Aussage des Verses ihre Schärfe. SCHWARZ' sinngemäße Übersetzung des rekonstruierten aramäischen Textes ins Deutsche "Er, der die Worfschaufel in seinem Arm hat,/um zu worfeln seinen Ausdrusch;/das Getreide wird er sammeln in seinen Vorratsbehältern;/ die Spreu aber wird er verwehen lassen" (271) zeigt deutlich die Akzentverlagerung des Verses. Das Gerichtsmoment tritt zugunsten der Heilsperspektive in den Hintergrund.
SCHWARZ kann allerdings die Änderung der Aussagerichtung nur deshalb befürworten, weil er Mt 3,12 par losgelöst vom Kontext der Umkehrpredigt selbst bearbeitet. Der Diktion der Täuferpredigt läuft dies jedoch völlig entgegen, so daß die aramäische Rückübersetzung kaum historische Gültigkeit beanspruchen kann.

65 KÜMMEL, Antwort, 146f.

66 Vgl. LINNEMANN, Jesus, 228f A 23, sowie Punkt 2.2.

pronomen οὗ bindet V12 an V11. Ebenfalls zur Verknüpfung tragen das Begriffspaar πατέρα - τέκνα (V9), die anaphorische Wendung οὗ τὸ πτύον ἐν τῇ χειρὶ αὐτοῦ (V12) bei, so wie die logische Verknüpfung durch die Konjunktion γάρ (V9) und die Partikel καὶ (V9.12), οὖν (V8), δέ (V.10.12) und μέν - δέ (V11).

Auf der semantischen Ebene erweist sich der Text als kohärent, wenn Begriffe und Vorstellungen verwandt sind, die ein und demselben thematischen Sachzusammenhang zugehören. Dies trifft auf die Wendung μελλούσῃ ὀργή (V7), das Nomen πῦρ (V10.11.12), das Bild vom Holzfällen (V10) und das von der Ernte (V12) zu: Allen vier Elementen ist gemeinsam, daß sie zum semantischen Feld jüdischer Gerichtsvorstellungen gehören[67]. Ein weiteres Indiz für die Textdichte ist in der zweimaligen Verwendung von καρπός zu sehen, da καρπὸς καλός vermutlich Substitution zu καρπὸς ἄξιος τῆς μετανοίας ist.

Der rekonstruierte Grundtext gibt eine Predigt des Johannes wieder, die sich an eine bestimmte Hörerschaft wendet. Die häufige Setzung des Personalpronomens ὑμεῖς (s.o.), der Gebrauch der imperativischen Verbform ποιήσατε (V8) und δόξητε (V9) sowie die Titulatur γεννήματα ἐχιδνῶν (V7) sind Formen direkter Anrede, die als pragmatische Merkmale der Textverknüpfung zu werten sind[68].

Auf der Basis dieser Beobachtungen erweist sich der Grundtext als ein kohärenter Text. Allerdings bedarf es im weiteren Verlauf der Untersuchung einer Absicherung der Kohärenz auf traditions- und formgeschichtlicher Ebene.

1.3. Textgliederung

Eine vorläufige Gliederung des Grundtextes soll unter grammatikalischem Aspekt vorgenommen werden. Erst am Ende der exegetischen Arbeit wird es dann möglich sein, eine hinreichende Textgliederung zu erstellen, die sowohl sachliche als auch pragmatische Argumente berücksichtigt[69].

---

67 Vgl. SCHÜRMANN, aaO, 164.166.177f; LOHMEYER, aaO, 42-45.

68 Zu den Mitteln der Feststellung der Textkohärenz vgl. BERGER, Exegese, 12-17.

69 Vgl. die Ausführungen BERGERS, aaO, 17-27 zu den Gliederungsmerkmalen.

Der Anrede γεννήματα ἐχιδνῶν folgt ein Anklagewort in Frageform[70]. Mit Hilfe dieser Redeeröffnung gelingt es, "den Leser 'attentum docilem, benevolum parare', d.h. Aufmerksamkeit und Spannung zu wecken und den Leser in bestimmte Richtung zu lenken"[71]. Die Oppositionen πατέρα - τέκνα, ἐν ὕδατι - ἐν πυρί und ἐγώ - ὁ ἐρχόμενος sind Kontrastsignale für die Rezipienten und halten die durch die Eröffnungsfrage erzielte Spannung über den ganzen Text hinweg hoch. Die Partikel οὖν (V8), (ἤδη) δέ (V10), μέν - δέ (V11) und die Konjunktion γάρ (V9b) sind Gliederungsmittel, die jeweils die Einführung eines neuen Gedankengangs anzeigen. Λέγω ὑμῖν (V9b) markiert deutlich den Einschnitt. Während die VV7-9a aufgrund der direkten Anrede und der imperativischen Formulierungen ausschließlich die Hörer der Predigt zum Subjekt haben, tritt in V9b ein Subjektwechsel ein. Das autoritative λέγω ὑμῖν lenkt durch seine Signalfunktion die Aufmerksamkeit der Hörer auf das folgende: Leitendes Subjekt für die VV9b-12 ist ὁ θεός bzw. ὁ ἐρχόμενος - damit soll jedoch nicht behauptet werden, daß die Adressaten der Predigt nicht weiter im Blick sind[72]. Hand in Hand mit dem Subjektwechsel geht ein Wechsel der Tempora. War in den VV7-9a der Aorist bestimmende Zeitform, so wechselt der Großteil der Verben ab V9b in das Präsens über. Inwieweit der Subjekt- und Tempuswechsel eine Änderung der Aussagerichtung herbeiführen, wird die synchrone Analyse der Johannespredigt zum Vorschein bringen.

So ergibt sich zunächst folgende Gliederung: Die VV7-9a sind eindeutig referentiell ausgerichtet. Dieser Teil der Rede enthält die Redeeröffnung (V7), den Umkehrruf (V8) und die Vorwegnahme eines möglichen Einwands der Hörer (V9b).

Die VV9b-12 hingegen sind theologisch ausgerichtet. Sie schliessen eine versteckte Heilsansage (V9b) und Gerichtsworte (VV10-12) ein.

---

70 Auch in Gal 3,1 findet sich die Struktur Anrede und Anklagewort in Frageform.

71 BERGER, aaO, 19.

72 Vgl. ὑμᾶς in V11 und ὑμῖν in V9b.

2. Kapitel

Synchrone Analyse des Grundtextes

Der Grundtext stellt die dem historischen Johannes nächstliegende Überlieferungsstufe dar. Aufgrund dieser Nähe zu Johannes sollen zunächst die Aussagen des Grundtextes wahrgenommen werden. Von daher bietet sich methodisch eine synchrone Textanalyse an. Leitfaden der Untersuchung bilden die Fragenkomplexe, die textintern beantwortet werden sollen:

- Welche Informationen liefert der Text über das Selbstverständnis des Sprechers?
- Eine zweite Fragemöglichkeit richtet sich auf die Adressaten der Predigt. Das Problem, das sich aus der Tatsache der doppelten Hörerschaft ergibt (Adressaten, die im Text angesprochen werden und Adressaten, die durch den Text angesprochen werden) soll nicht übergangen werden, doch konzentrieren wir uns zunächst bewußt auf die Adressaten, die im Text angesprochen werden.
- Eine letzte Frage beschäftigt sich mit den Inhalten, die durch den Sprecher an die Adressaten vermittelt werden.

Es bleibt zu beachten, daß die vorgenommene Trennung künstlich ist und lediglich methodisch den Textzugang erleichtert. Da sich z.B. durch die inhaltlichen Aussagen Informationen über die Adressaten ergeben, greifen die Fragenkomplexe bei der Untersuchung ineinander, als Ergebnisse sind sie jedoch streng voneinander zu trennen. Für ihre Beantwortung wird der Text auf seine syntaktische Struktur, seinen semantischen Gehalt und seine pragmatische Dimension hin untersucht.

Es bleibt zu beachten, daß die synchrone Analyse an natürliche Grenzen stößt. So wird sich zeigen, daß Fragen offen bleiben, weil der semantische Gehalt nicht in seinem vollen Umfang textimmanent zu ermitteln ist. Als Ergebnis werden insofern auch richtungweisende Fragen für die diachrone Untersuchung erwartet.

2.1. Der Sprecher

Die Informationen, die der Text über den Sprecher liefert, sind auf den ersten Blick spärlich. Es läßt sich über ihn sagen, daß er seinen Hörern eine Handlungsanweisung gibt (V8) und sie belehrt: μὴ δόξητε λέγειν ἐν ἑαυτοῖς ; λέγω γὰρ ὑμῖν (V9). Sein Auftreten ist autoritativ, dies wird durch die an den Anfang gestellte Wendung λέγω γὰρ ὑμῖν signalisiert. Zudem geht aus dem Text hervor, daß er tauft (V11a). Durch die Opposition ἐγὼ μὲν ὑμᾶς βαπτίζω ἐν ὕδατι , ὁ δὲ ἐρχόμενος ὑμᾶς βαπτίσει ἐν πυρί werden er und seine Tauftätigkeit in eine spezifische Beziehung zum Kommenden gesetzt. Aus den Beobachtungen, die sich auf den ersten Blick vom Text her nahelegen, lassen sich noch keine Schlüsse ziehen. Erst im Zusammenhang mit den Inhalten wird es möglich sein, wesentlich Konkreteres und auch mehr über Johannes auszusagen.

2.2. Die Adressaten

Die Adressaten der Rede werden von Johannes als γεννήματα ἐχιδνῶν angesprochen und durch diese Metapher in einer bestimmten Weise qualifiziert. Die Anfangsstellung verstärkt diese Wirkung. Es läßt sich zunächst nur vermuten, daß es sich dabei um eine negative Kennzeichnung der Adressaten handelt; hier muß im folgenden diachron weitergefragt werden. Fragt man nach dem semantischen Gehalt der Wendung, der sich textintern ergibt, so findet sich als einzig mögliches Äquivalent die Bezeichnung τέκνα (τῷ 'Αβραάμ). Von daher kann man annehmen, daß es sich bei den Adressaten der Rede um Juden handelt. Doch wen genau hat Johannes im Blick? Eine Gruppe innerhalb des Judentums, die Israeliten oder aber Israel als Kollektiv?

Hollenbach (1) unterteilt die Predigt des Täufers in zwei Abschnitte, VV7-10 und V11f, die sich aufgrund ihrer verschiedenen inhaltlichen Ausrichtung an unterschiedliche Adressaten richten. Im ersten Teil seiner Predigt (VV7-10) wende sich Johannes gegen die unbußfertigen

---

1 Vgl. HOLLENBACH, Social Aspects, 852-875.

Mächtigen, also gegen die Jerusalemer Oberschicht (2). Ihnen künde er bedingungslos das Gericht an, da sie unrein und ungerecht sind. V11f habe als Adressaten die im Blick, die umkehren und sich taufen lassen wollen. Ihnen sage Johannes das Heil in Form einer zweiten Taufe zu, wobei hier Geist- und Feuertaufe im Sinne einer Reinigung zu verstehen seien. In der Zeit zwischen der johanneischen Wassertaufe und der zukünftigen Geist- und Feuertaufe würden die Bußfertigen dazu aufgefordert, "to do ritual and moral acts that befit their repentance and that anticipate the final purification" (3). Diese Aufforderung finde ihren Niederschlag in der Standespredigt des Täufers, Lk 3,10-14. Hier werden unter den Taufwilligen drei soziale Gruppen in den Blick genommen, die relativ Wohlhabenden, die Zöllner und die Soldaten. Alle drei Gruppen seien der Mittelklasseschicht zuzuordnen. Mit Hilfe der ethischen Unterweisung und der Aussicht auf Heil wolle Johannes sie dazu bewegen, die vorhandenen sozialen Ungerechtigkeiten, die zwischen ihnen und der Unterschicht bestehen, zu beseitigen.

Die eigentliche Intention der Johannespredigt liegt nach Hollenbach in der Kritik an den bestehenden sozialen Verhältnissen im palästinensischen Judentum.

Hollenbach geht bei seiner Analyse vor allem soziologisch vor. Aufgrund dieser Aspektierung differenziert er allerdings nicht in den Texten selbst. Die Annahme verschiedener Adressatenkreise ist nämlich nur möglich, wenn man die Texte nicht redaktionskritisch bearbeitet. So

---

2 Daß gerade das Jerusalemer Establishment ("arrogant hypocrits", HOLLENBACH, aaO, 869), der Adressat des Täufers ist, ergibt sich aus der Bestimmung Johannes als abspenstigen ländlichen Priester, so HOLLENBACH, aaO, 852-856. Vermutlich läßt sich HOLLENBACH auch noch von der mt Einleitung der Johannespredigt, Mt 3,7a, leiten, in der Pharisäer und Sadduzäer genannt werden. Doch hat bereits FUCHS, Intention, 62-75 überzeugend die redaktionelle Arbeit des Evangelisten nachgewiesen. Seiner Meinung nach schlägt sich in der Wendung Φαρισαίων καὶ Σαδδουκαίων eine Auseinandersetzung der frühen Kirche mit der Synagoge in der Zeit nach der Tempelzerstörung nieder, da sich die jüdische Synagoge durch das Anwachsen der christlichen Gemeinde in ihrem religiösen Selbstverständnis bedroht fühlte. Durch die Einführung neuer Adressaten, an die sich jetzt die Täuferpredigt richtet, erreicht Mt, daß "der Einwand derer, an die sich der historische Täufer Johannes gewandt hat, zu einem Einwand jener, die jetzt der Kirche des Mt feindlich gegenüber stehen (wird). Und an sie richtet sich jetzt auch die Drohung des bevorstehenden Gerichts", 74. LACHS, John, 28-31 meint, daß als Adressaten der Predigt auch Nicht-Juden in Frage kommen. Er stützt seine Behauptung auf Mk 1,5, da unter denen, die aus Juda und Jerusalem kamen auch Nicht-Juden gewesen sein können. Diese befinden sich unter den Soldaten und Zöllner (Lk 3,10-14), die seiner Meinung nach zur sozial minderpriviligierten Schicht zählen. LACHS findet sogar im Text einen konkreten Hinweis auf die nicht-jüdische Unterschicht als Adressaten: Mt 3,9b par Lk liegt im Hebräischen ein Wortspiel zugrunde. Aber nicht aus Steinen (אבנים) werden Kinder (בנים), sondern aus den Armen (אביונים). Dem Übersetzer des hebräischen Textes scheint also ein Übersetzungsfehler unterlaufen zu sein.

3 HOLLENBACH, aaO, 869.

berücksichtigt Hollenbach weder das Problem der Pharisäer und Sadduzäer als Adressaten der mt Einleitung, Mt 3,7a, noch diskutiert er die Besonderheiten der lk Standespredigt, Lk 3,10-14.

Redaktionskritisch beurteilt Linnemann die Einleitung der Umkehrpredigt (4). Demzufolge sind beide widersprüchlichen Adressenangaben in Mt 3,7a par Lk 3,7a auf Redaktion zurückzuführen. Sie erhebt das methodische Postulat, die Adressaten "aus dem Text unter Beachtung der historischen Situation ... zu ermitteln" (5). Da allerdings Linnemann, wie wir bereits gesehen haben, von der Uneinheitlichkeit der Täuferlogien ausgeht (6), kann sie zu der Auffassung gelangen, daß sich die Umkehrpredigt an unterschiedliche Adressaten wende. So zielten die Verse Mt 3,7b.8 par Lk 3,7b.8 auf Leute, die sich taufen lassen wollen, ohne Buße zu tun. Mt 3,9 par Lk 3,8b spräche diejenigen an, die auf ihre Abrahamskindschaft pochen und es deswegen nicht nötig haben, sich taufen zu lassen.

Allerdings beachtet Linnemann dabei nicht, daß eine Trennung der zwischen Mt 3,8 und 3,9 weder inhaltlich noch syntaktisch kaum gerechtfertigt ist. Ganz besonders die Verse Mt 3,7-10 par weisen eine deutliche Kohärenz auf, so daß hier eine Aufteilung auf verschiedene Adressaten vom Text her nicht möglich scheint.

Die betonte Voranstellung der rhetorischen Frage in V7 zeigt, daß es dem Sprecher bei der Kennzeichnung der Hörer vor allem auf die soteriologische Konsequenz ankommt, die diese aus der Tatsache ihrer Abrahamskindschaft ziehen. Kind Abrahams zu sein besagt für die Adressaten, der in V7 thematisierten μελλούση ὀργή entgehen zu können. Syntaktisch kommt diese Auffassung in dem zu Anfang stehenden Akkusativobjekt πατέρα und in der Verwendung des Präsens ἔχομεν als Ausdruck eines gegenwärtig dauernden Zustandes zum Ausdruck[7]. Diese aus der Sicht des Johannes irrige Annahme wird nicht nur durch eine invektive Anrede abgewertet, sondern zugleich als eine Art "Indoktrination" qualifiziert. Darauf weist die rhetorische Frage τίς ὑπέδειξεν ὑμῖν ...[8]. Die Adressaten werden insofern als "Verführte" ange-

4 Vgl. LINNEMANN, Jesus, 228f A 23.

5 Ebd.

6 Vgl. 1.2.

7 Vgl. KÜHNER-GERTH II/1, 132.

8 "ὑποδείκνυμι c.inf. meint hier nicht eine belehrende Unterweisung, daß sie dem Zorngericht entkommen würden, sondern eine ratende Anweisung, wie sie sich diesem zu entziehen versuchen könnten"; SCHÜRMANN, aaO, 164 A 21.

sprochen. Deshalb fordert der Täufer seine Hörer zu einer Korrektur ihres Denkens und Handelns auf und belehrt sie.

Der Gebrauch des unspezifischen Personalpronomens ὑμεῖς und das Fehlen von gruppenspezifischen Hinweisen schließen die Annahme aus, der Täufer habe sich an eine konkrete jüdische Gruppe gewandt. Vielmehr deutet einiges darauf hin, daß das gesamte Volk Israel angesprochen werden soll, somit nicht einzelne Gruppen innerhalb Israels, sondern Israel als Kollektiv. Dies läßt sich durch folgende Überlegung untermauern: Die von Gott in Abraham gewährte Erwählung wurde ganz Israel als Kollektiv zuteil, so konnte der Anspruch in V9a von jedem Israeliten erhoben werden, folglich richtet sich die von Johannes verkündete Nutzlosigkeit der Abrahamskindschaft sowie die Apodiktik der Gerichtsansage an Gesamtisrael. Wäre nämlich nur eine einzelne Gruppe gemeint, dann erschiene der Verweis auf die Steine in V9b nicht zwingend, vielmehr würde dann vermutlich eher auf eine andere Gruppe verwiesen. Unterstützt wird diese Vermutung durch eine sprachliche Beobachtung: Die Setzung des Singulars τὴν ῥίζαν (in Verbindung mit dem pluralischen Genetivattribut τῶν δένδρων (V10) scheint auf eine kollektive Verwendung von ἡ ῥίζα hinzuweisen. Das Gericht trifft nicht einzelne Gruppen, mit dem Text gesprochen die Bäume, sondern die Wurzel, also das Volk als Gesamtgröße[9].

2.3. Die Inhalte

Die Paränese

Innerhalb der Rede ergeht nur eine einzige Handlungsaufforderung an die Hörer. Sie findet sich in V8: ποιήσατε οὖν καρπὸν ἄξιον τῆς μετανοίας. Durch den Imperativ Aorist ποιήσατε, der sowohl schärfste Befehlsform als auch Dringlichkeit der Aufforderung ausdrückt[10],

---

9 Laut SCHÜRMANN, aaO, 163 hat der lk Text noch durch seine Einleitung Lk 3,7a den "ursprünglichen Sinn der Vorlage" bewahrt, indem er seine Predigt nicht an eine bestimmte Gruppe im Volk richtet, wie es bei Mt der Fall ist, sondern an das Volk insgesamt. Vgl. auch SCHULZ, aaO, 371.

10 Vgl. BLASS-DEBRUNNER, Grammatik § 335. ποιεῖν καρπόν ist semitisch, vgl. SCHULZ, aaO, 373.

werden die Adressaten direkt angesprochen. Das Genetivattribut zu καρπός - τῆς μετανοίας - macht erst deutlich, daß καρπός bildlich gemeint ist. Die Paränese erhält dadurch einen metaphorischen Zug.

Die Stellung des Adjektivs ἄξιος zwischen Akkusativobjekt und Genetivattribut drückt eine Besonderheit der Relation aus. Ἄξιος fungiert einerseits als Bindewort zwischen καρπός und μετάνοια und bedingt dadurch eine enge Verknüpfung der beiden Begriffe. Diese Verbindung kann durch die Übersetzung "eine Frucht der Umkehr entsprechend" zum Ausdruck gebracht werden. Doch kann ἄξιος zugleich als Adjektiv zu καρπός verstanden werden und hat dann attributive Funktion, die im Deutschen am ehesten mit "würdig, wert" wiederzugeben ist[11]. Die zu erbringende Frucht ist durch diese kunstvolle Wendung in doppelter Weise qualifiziert: zum einen dadurch, daß sie in Entsprechung zur μετάνοια steht, zum anderen dadurch, daß sie als eine "wertvolle" Frucht bestimmt wird.

Die Paränese zeichnet sich durch Bildhaftigkeit und Knappheit aus, die zwar der Dringlichkeit (οὖν) der Forderung keinen Abbruch tut, aber dem Verständnis des Ausdrucks nicht dienlich ist. Daher ist die Suche nach möglichen Äquivalenten im Text unabdingbar.

Als mögliches Äquivalent zu καρπὸς ἄξιος τῆς μετανοίας bietet sich in V10 καρπὸς καλός an. Der Ausdruck καρπὸς καλός bleibt ganz in der Bildhälfte: Im ganzen V10 wird die Metapher vom Baum und seiner Frucht nicht durchbrochen. Bemerkenswert ist, daß nicht die Wendung ποιοῦν καρπὸν κακόν/πονηρόν zur Begründung des Abholzens und Verbrennens angeführt wird, sondern der gesamte Nebensatz μὴ ποιοῦν καρπὸν καλόν verneint ist. Dadurch wird deutlich, daß es dem Sprecher auf den καρπὸς καλός ankommt. Es zeigt sich also, was innerhalb der Metapher gemeint ist: Zur naturgemäßen Beschaffenheit des Baumes gehört es, daß er etwas hervorbringt, Frucht trägt und zwar gute Frucht. Ein Abweichen von der eigentlichen Bestimmung des Baumes hat die Vernichtung zur Folge. So geht es dem Täufer mit dem Verweis auf den καρπὸς καλός nicht darum, das Besondere des Baumes hervorzuheben, sondern auf das Eigentliche und Naturgemäße hinzuweisen,

---

11 Vgl. BAUER, Wörterbuch, Sp. 141f. Eine ähnliche doppelte Funktion wie in der Umkehrpredigt hat ἄξιος auch in 2Makk 4,38; 6,23.27; 4Makk 5,11; Sap 6,16 LXX. Dort verbindet ἄξιος nicht nur ein Substantiv mit einem Genetivattribut, sondern es übt gleichzeitig attributive Funktion aus und erkennt so dem dadurch bestimmten Substantiv eine Qualität zu.

welches durch das Adjektiv καλός in bestimmter Weise qualifiziert wird. Καλός bedeutet nicht nur "gut" im Sinne von "trefflich, köstlich", sondern es besagt ebenfalls, daß etwas "sittlich gut, edel, lobenswert" ist[12]; bei καλός schwingt also immer eine doppelte Bedeutung mit.

Auffällig ist die artikellose und singularische Verwendung von καρπός. Es liegt die Vermutung nahe, daß καρπός Kollektivbegriff ist. Denn gerade beim Bild des Baumes wird deutlich, daß nicht irgendeine Frucht gemeint sein kann, sondern die Früchte des Baumes insgesamt. Deshalb wird auch nicht der Plural von καρπός benutzt. Es geht nicht um die vielen einzelnen Früchte, sondern um die Summe aller Früchte, die in dem Kollektivbegriff zum Ausdruck kommt. Analog wie in V10 steht auch in der Paränese (V8) καρπός ohne Artikel und im Singular. Hier meint der Sprecher weder eine bestimmte Frucht - sonst würde der Artikel stehen - noch irgendeine Frucht, da durch die Setzung des Genetivattributs τῆς μετανοίας der καρπός näher bestimmt ist. So wird davon auszugehen sein, daß auch hier καρπός im Sinne eines Kollektivbegriffs verwandt wird[13].

Die Metapher vom Baum und seiner Frucht findet sich nicht nur im Grundtext, sondern sie begegnet uns auch in Mt 7,16-20/12,33-35 par Lk 6,43-45 in Form eines Gleichnisses, welches der Logienquelle zuzurechnen ist, wobei Lk die ursprünglichere Fassung bewahrt hat. Der bei Mt verwandte Plural καρποί in 7,16-20 ist redaktionell, bei Lk findet sich durchgängig der Singular, so auch Mt 12,33-35. Καρπός ist hier im Sinne von ἔργον verwandt und meint das Werk des Menschen[14]. Wahrscheinlich hat die Logienquelle das Bildwort vom Baum und seiner Frucht aus der Täuferrede übernommen. Auch die Bezeichnung von καρπός als Werk des Menschen wird keine "Erfindung" der Logienquelle sein. Vielmehr können wir darin eher eine Wirkungsgeschichte gerade auch im Sinne einer Verdeutlichung erblicken. Die Verbindung von καρπός und ποιεῖν in der Umkehrpredigt birgt bereits eine Deutung der Frucht als Werk des Menschen in sich.

---

12 Vgl. BAUER, aaO, Sp. 725f.

13 Vgl. BLASS-DEBRUNNER, aaO, § 139; so läßt man u.a. auch bei Abstrakta den Artikel fort, vgl. KÜHNER-GERTH, Grammatik, II/1, 606.

14 Vgl. SCHULZ, aaO, 316-320; "im Matthäusevangelium ist καρπός als Synonym für (gute) Tat besonders in Aussagen, die sich auf das Gericht nach Werken beziehen, relativ häufig: 3,1-12; 12,33; 13,24ff und 21,43", HEILIGENTHAL, Werke, 55.

Für den semantischen Gehalt der Wendung καρπὸς ἄξιος τῆς μετανοίας besagen die Aussagen über καρπὸς καλός folgendes: Die Verwendung der Metapher vom Baum und seiner Frucht zielt auf etwas jenseits der Bildhälfte liegendes. Mit Hilfe des Bildwortes versucht der Sprecher den Hörern seine Aussageintention deutlich zu machen. Diese ist für die Angesprochenen innerhalb des Bildes begreifbar. Da sich die Metapher aber an die Adressaten wendet, wird bei ihnen eine Transponierung des Bildes auf ihre konkrete Situation erreicht. Sie sehen sich mit der Tatsache der eigenen Vernichtung konfrontiert. Doch führt ihnen die Metapher noch mehr vor Augen: Dem Feuer anheim fallen nur die Schlechten (Früchte), indirekt aber verspricht das Hervorbringen guter Früchte Rettung. Die Frucht, die der Mensch hervorbringt, sind seine Worte und Taten. So wie es die naturgemäße Bestimmung des Baumes ist, gute Frucht zu tragen, will die Metapher den Adressaten zu verstehen geben, daß sie nicht vernichtet werden, wenn ihre Worte und Handlungen gut sind. Die Identifizierung von καρπός und ἔργον in Mt 7,16-20/12,33-35 par Lk 6,43-45 (s.o.) zeigt, daß mit καρπός das Werk des Menschen gemeint ist.

Während der Ausdruck καρπὸς καλός ganz der Bildhälfte zuzurechnen ist, weist die Paränese in die Sachhälfte. Die Überlegungen zum καρπὸς καλός lassen die Schlußfolgerung zu, daß die vom Menschen geforderte "Frucht entsprechend der Umkehr" die von ihm geforderte gute Tat ist.

Die Qualifizierung der Frucht der Umkehr als gute Tat zeigt noch nicht konkret an, was darunter zu verstehen ist. Als mögliche Konkretion böte sich vom Text her die Taufe des Johannes an (V11), da der Täufer seine Adressaten nicht nur belehrt und sie zum Handeln auffordert, sondern auch tauft.

Es läßt sich nicht einwandfrei textlich nachweisen, daß die "Frucht entsprechend der Umkehr" in der Taufe aufgeht. Auf den ersten Blick scheint die Wendung ἐγὼ...ὑμᾶς βαπτίζω ἐν ὕδατι nicht als Äquivalent zu ποιήσατε καρπὸν ἄξιον τῆς μετανοίας angesehen werden zu können, da die erste Wendung das Tun des Johannes anspricht, die zweite die Handlung der Adressaten herausfordert. Doch ist das beiden Gemeinsame darin zu finden, daß sowohl das "Sich-taufen-Lassen" als auch das Tun der geforderten Umkehrfrucht je eine positive actio des Menschen ist. Von daher ist auf jeden Fall von einer bestehenden Verbindung zwischen Taufe und Umkehrfrucht auszugehen. Die Taufe stellt vermutlich den zu erbringenden καρπός dar. Möglicherweise ist sie identisch mit der geforderten Umkehr selbst[15], vielleicht äußeres Zeichen einer inneren Wandlung.

Die Belehrung

Zusätzlich zu der an die Adressaten ergehenden Paränese wendet sich Johannes belehrend an sie. Mit dem Satz καὶ μὴ δόξητε λέγειν ἐν ἑαυτοῖς· πατέρα ἔχομεν τὸν Ἀβραάμ (V9a) nimmt er einen möglichen Einwand der Hörer vorweg. Die Partikel καὶ verbindet die Belehrung in V9a mit der Paränese in V8; somit wird deren Notwendigkeit unterstützt. Der Imperativ Aorist δόξητε unterstreicht die Dringlichkeit der Belehrung. Mit λέγειν setzt der Gebrauch des Präsens ein: Ein gegenwärtig dauernder Zustand soll zum Ausdruck gebracht werden. Dieser Zustand drückt sich, wie die betonte Voranstellung des Akkusativobjekts πατέρα und die Verwendung des Präsens ἔχομεν zeigen, in dem Verweis auf die Abrahamskindschaft aus. Durch die syntaktische Beziehung der Satzglieder zueinander erhellt sich der semantische Gehalt der Wendung πατέρα ἔχομεν τὸν Ἀβραάμ: Vom Sprecher aus gesehen wird die Berufung auf die Abrahamskindschaft nicht positiv, sondern negativ bewertet (μὴ δόξητε); sie entbindet somit nicht von der geforderten Umkehr. Aus dem Blickwinkel der Adressaten drückt der Verweis auf die Abrahamskindschaft eine Haltung aus, die keine Notwendigkeit für Umkehr sieht, da sie für sich die Erwählungsfunktion des Stammvaters in Anspruch nehmen.

Eine weitere Belehrung setzt in V9b mit λέγω γάρ ... ein. Die kausale Konjunktion γάρ begründet den vorangehenden V9a; doch werden die beiden Belehrungen nicht nur durch die Konjunktion miteinander verbunden, die Kohärenz ergibt sich ebenfalls aufgrund des Begriffspaares πατέρα - τέκνα und der Wiederholung Ἀβραάμ. Λέγω signalisiert den Wechsel von der 2. Person Plural in die 1. Person Singular; die Person des Sprechers tritt autoritativ in den Vordergrund.

Beachtenswert erscheint die Stellung des Nebensatzes. Sie weicht von der Normalstellung - Konjunktion/Prädikat/Subjekt/Objekt/Ergänzungen[16]

15 Vgl. MERKLEIN, Gottesherrschaft, 143.

16 Vgl. BLASS-DEBRUNNER, aaO, § 472.

- ab. Die präpositionale Wendung ἐκ τῶν λίθων τούτων wird hinter das Subjekt gesetzt. Die veränderte Satzstellung entspricht der Abfolge der Handlung: aus Steinen entstehen Kinder. Zudem ist im Nebensatz ein Subjektwechsel zu beobachten. Nomen regens ist jetzt ὁ θεός. Die in den VV7-9a stärkere referentielle Ausrichtung der Rede weicht hier einer theologischen.

Der eigentliche semantische Gehalt von V9 ergibt sich aus der Wendung "wir haben Abraham zum Vater" - "Gott kann dem Abraham aus Steinen Kinder entstehen lassen":

Die von Gott gewährte Erwählung Abrahams und seiner Kinder bleibt unangetastet; dies zeigt schon die Wiederaufnahme von Abraham in V9b. Abraham ist somit weiterhin Garant der Erwählung. Diese Funktion wird von Johannes nicht geleugnet. Dem Täufer kommt es vielmehr darauf an, in besonderem Maße die Treue Gottes hervorzuheben. Israel ist der von Gott gewährten Erwählung verlustig gegangen, es ist insgesamt dem Vernichtungsgericht konfrontiert. Ein Rekurs auf die Abrahamskindschaft ist von Menschenseite aus nicht mehr möglich. Gott allerdings bleibt seiner Erwählung treu, obwohl Israel mit der Möglichkeit des Gerichts rechnen muß, denn Gott hat die Macht, dem Abraham aus Steinen Kinder zu erwecken (V9b). "In dieser dialektischen Spannung von göttlicher Kontinuität und menschlicher Diskontinuität"[17] kommt der Umkehr, die Johannes Gesamtisrael predigt, eine besondere Funktion zu. Sie ist die einzige Chance, die Israel noch hat. Wenn sie auch nicht das Tor zum zukünftigen Heil ist, so ist doch die erbrachte Metanoia der Ermöglichungsgrund für ein Gnadenhandeln Gottes.

Nichts kann plastischer und eindrücklicher das Erwählungshandeln Gottes schildern als die Erschaffung lebendiger Kinder aus einer leblosen Materie, aus Steinen. Dieser Erwählungsakt wird unterstrichen durch das Verb ἐγεῖρω. Ἐγεῖρω steht in einem semantischen Bezug zu den Steinen und den Kindern. Aus einem leblosen Gegenstand, aus Steinen, wird

17 MERKLEIN, Botschaft, 31.

Lebendiges, Kinder[18]. Das Verb bildet die Naht- und Übergangsstelle zwischen Steinen und Kindern. Ἐγεῖρω ist so Ausdruck des schöpferischen Handelns Gottes. Eine transitive Verwendung dieses Verbs mit Gott als handelndem Subjekt begegnet - abgesehen von Auferweckungsaussagen - außerhalb der Johannesrede nur noch in Lk 1,69 innerhalb des Benediktus des Zacharias und in Apg 13,22 bei der Predigt des Paulus vor Juden[19]. Die Wendung ἐγεῖρω τέκνα τῷ Ἀβραάμ betont die anhaltende Treue Gottes zu seiner Zusage, indem Gott zugerechnet wird, daß er sogar aus Steinen dem Abraham Kinder entstehen lassen kann.

Faktum und Motivation der Paränese: Die Gerichtsandrohung

Die Gerichtsandrohung nimmt mehr Raum im Text ein als die Paränese selbst. Dies kann zwei Gründe haben: Einerseits soll der in der rhetorischen Frage angesprochenen Meinung der Adressaten, dem Gericht entkommen zu können, massiv widersprochen werden, indem deutlich auf das Eintreffen des Gerichts für alle hingewiesen wird. Zum anderen gilt: Je eindringlicher die Gerichtsandrohung geschildert wird, desto eher wird die Bereitschaft zur Umkehr geweckt.

---

18 LOHMEYER, aaO, 41 vermutet, daß mit den λίθοι auf die herumliegenden Steine angespielt wird. Für die Verbindung von Steinen und Kindern gibt es in der Forschung zwei Erklärungsversuche: 1. dem griechischen Text liegt ein hebräisches Wortspiel zugrunde: אבניא בניא , so LOHMEYER, ebd. A 2; GRUNDMANN, Evangelium nach Lukas, 103. 2. V9b ist eine Anspielung auf Jes 51,1ff, so JEREMIAS, ThWNT 4, 274f; doch ist hier m.E. die Motivverknüpfung nur sehr lose, so daß die Annahme eines zugrundeliegenden Wortspiels wahrscheinlicher ist. Gestützt wird diese Vermutung dadurch, daß ἐκ τῶν λίθων τούτων ἐγεῖραι Semitismus ist, vgl. SCHULZ, aaO, 375 A 340; JEREMIAS, ebd., 274.

19 Vgl. OEPKE, ThWNT 2, 333.
Lk 1,69: ἤγειρεν κέρας σωτηρίας ἡμῶν ἐν οἴκῳ Δαυίδ;
Apg 13,22: ἤγειρεν τὸν Δαυίδ αὐτοῖς εἰς βασιλέα
Interessant sind die verschiedenen Punkte der Übereinstimmung zwischen Lk 1,68-79 und dem Grundtext:
- Gott hat entstehen lassen
- Der Verweis auf den Abrahamsbund
- Abraham unser Vater
- Johannes als Vorläufer Gottes/des Kommenden
- Die Heilsankündigung
Hieraus läßt sich der Schluß ziehen, daß Lk 1,68-79 ebenfalls Täufermaterial verarbeitet hat.

Ausgangspunkt für die Paränese bildet die in V7 thematisierte μελλούση ὀργή , die als Metapher für das kommende Gericht fungiert[20]. Die Wendung μελλούση ὀργή wird durch drei weitere Bilder präzisiert: durch das Bildwort vom Baum und seiner Frucht, durch die Feuertaufe und durch das Bild vom Mann mit der Worfschaufel. Zur Erläuterung der Metaphern sollen vier Fragen beitragen. Was bedeutet die Nähe des Gerichts? Wem gilt das Gericht? Wie wird das Gericht dargestellt? Wer ist der ἐρχόμενος ?

Die Nähe des Gerichts

Drei sprachliche Indizien deuten auf die unmittelbare, schon in die Gegenwart reichende Nähe des Gerichts: ἤδη (V10) zeigt an, daß etwas schon geschieht, und zwar ehe es erwartet wurde. Das Wort "schon" zeigt an, daß "der Zeitfaktor nahezu eliminiert ist"[21]. Die Präsensformen ἐκκόπτεται und βάλλεται bringen das Bevorstehende sehr lebhaft zum Ausdruck[22]. Die Wendung μελλούση ὀργή deutet auf die bereits gegenwartsbezogene Nähe des Gerichts: Im Unterschied zur Futurform des flektierten Verbs bringt μέλλω die Zukunft durch seine Bedeutung zum Ausdruck; ursprünglich meint μέλλω "ich denke", drückt also ein bereits gegenwärtiges, aber auf Zukünftiges bezogenes Wollen, eine Absicht aus. Mit unpersönlichem Subjekt gebraucht kommt darin eine Erwartung zum Ausdruck, die einen Anhaltspunkt in der Gegenwart hat (Entschluß, Wille der Person, Beschaffenheit des Subjekts, Lage der Verhältnisse)[23]. Die Wendung μελλούση ὀργή bringt diesen Bedeutungsgehalt in besonderer Weise zum Tragen, da μέλλω hier nicht einen Infinitiv nach sich zieht, sondern als Partizip attributiv auf ὀργή bezogen ist. D.h. nicht das Kommen, Hereinbrechen des Zorns wird für die Zukunft erwartet, sondern die ὀργή selbst hat in der Gegenwart bereits Platz gegriffen.

Nicht nur syntaktische Beobachtungen zeigen, daß das Gericht unmittelbar bevorsteht. Auch das Bild von der Axt, die an die Wurzel der Bäume gelegt ist, gibt zu verstehen, daß das Ausholen zum Schlag, also das Eintreffen des Gerichts, nicht mehr auf sich warten läßt[24].

---

20 Vgl. MERKLEIN, Gottesherrschaft, 144; SCHÜRMANN, aaO, 164 A 17.

21 MERKLEIN, ebd. 145; vgl. KÜHNER-GERTH, aaO, II/2, 120.

22 Vgl. BLASS-DEBRUNNER, aaO, § 323.

23 Vgl. KÜHNER-GERTH, aaO, II/1, 177f.

24 Vgl. SCHÜRMANN, aaO, 166.

Der Mann mit der Worfschaufel in der Hand in V12 versinnbildlicht, daß die Erntearbeit zu Ende ist und der letzte Arbeitsgang, das Trennen der Spreu vom Weizen, in Angriff genommen wird[25]. Die Ellipse οὗ τὸ πτύον ἐν τῇ χειρὶ αὐτοῦ unterstützt die inhaltliche Aussage. Die Satzverkürzung geht Hand in Hand mit der Aussage: die Zeit ist knapp!

Sowohl die syntaktischen Beobachtungen als auch die beiden Bildworte haben dargelegt, daß das Kommen des Gerichts jeden Moment erwartet wird. Die Gegenwart selbst ist schon durch das baldige Eintreffen geprägt. Eine konkrete Zeitangabe wird allerdings nicht gemacht.

Die Adressaten des Gerichts

Die rhetorische Frage, in der der zukünftige Zorn angesprochen wird, richtet sich an alle Adressaten (ὑμῖν). Auch die angekündigte Taufe des erchomenos betrifft alle (ὑμᾶς). Am deutlichsten wird das jedoch im Bildwort von der Axt an der Wurzel der Bäume. Der singularische Gebrauch von ἡ ῥίζα in Kombination mit dem Genetivattribut τῶν δένδρων kennzeichnet die Situation der Adressaten. Es geht um die radikale Vernichtung aller; ῥίζα ist, analog zu καρπός, als Kollektivbegriff zu werten. Die einzelnen Bäume werden in der Wurzel gebündelt und sind allesamt der Vernichtung preisgegeben[26]. Demzufolge sind vom Gericht ausnahmslos alle betroffen. Das gesamte Kollektiv Israel steht unter dem Zeichen des Unheils. Dieses Faktum bringt V10a zum Ausdruck. V10b stellt die Konsequenz dar, die aus der Gerichtsverfallenheit resultiert: Jeder, der weiterhin in seiner Lebensweise fortfährt und nicht umkehrt, ist dem totalen Vernichtungsfeuer ausgeliefert.

Das Gericht

Allen drei Metaphern, der vom Baum und seiner Frucht, von der Feuertaufe und vom Mann mit der Worfschaufel ist ein Element gemeinsam: das Feuer. Im Feuer werden alle die Bäume verbrannt, die keine Frucht erbracht haben. Desgleichen gilt für die Spreu, die mit Hilfe der Worfschaufel vom Weizen getrennt wurde. Sie verbrennt sogar im unauslöschlichen Feuer. Da hier das Feuer jeweils der Vernichtung dient, scheint dieser Aspekt auch für die Feuertaufe zuzutreffen. Πῦρ ist also Aus-

25 Ebd. 177.

26 Vgl. LOHMEYER, Baum, 35.

druck der Vernichtung und wird somit zum Inbegriff der Gerichtsstrafe. Auch wenn sich im Text andeutet, daß im Gericht eine Trennung von Spreu und Weizen (V12), schlechter Frucht und guter Frucht (V10) vollzogen wird, so muß doch festgehalten werden, daß die Aussicht auf ein Bestehen im Gericht nur kurz aufleuchtet. Im V10 muß dies durch einen Umkehrschluß aufgezeigt werden: jeder Baum, der gute Frucht trägt, wird nicht ausgehauen und ins Feuer geworfen. V12 spricht zwar vom Sammeln des Weizens, jedoch wird diese positive Aussage schnell überdeckt durch den Hinweis auf das Verbrennen der Spreu.

Diese versteckten Heilszusagen werden nirgends von Johannes zu einer Heilsgarantie für seine Adressaten erhoben[27]. Im Zentrum steht nach wie vor das kommende Vernichtungsgericht.

Der Kommende

Mögen auch die Aussagen über den Kommenden auf den ersten Blick dürftig erscheinen, so ist es doch bei genauer Betrachtung möglich, einiges über ihn festzustellen.

V11 berichtet, daß der ἐρχόμενος mit Feuer taufen wird. Sein Kommen und seine Taufe werden in Beziehung zum Gericht gesetzt. Das genetivische Relativpronomen οὗ bezieht die Ellipse (V12) auf den ἐρχόμενος, so daß über den Kommenden eine konkrete Aussage gemacht wird: Er ist der Mann mit der Worfschaufel. Zudem ist er nicht nur derjenige, der mit Feuer taufen <u>wird</u> - das Futur βαπτίσει weist auf eine Handlung, die nach dem Erscheinen des erchomenos eintritt. Durch die Ellipse wird der Relativsatz aus den futurischen Verbformen βαπτίσει, διακαθαρίει, συνάξει und κατακαύσει herausgelöst und deutlich gemacht, daß der Kommende <u>jetzt schon</u> die Worfschaufel in der Hand hat. Sein Eintreffen steht also unmittelbar bevor, Sinn und Zweck seines Kommens liegt einzig im Vollzug des Gerichts. Der erwartete erchomenos ist der erwartete Richter indirekt aber auch der Retter. Das Bild vom Sammeln des Weizens deutet dies an.

Aber auf welche konkrete Gestalt hatte Johannes hingewiesen? War für ihn der Kommende der Messias, ein eschatologischer Prophet, vielleicht der Menschensohn oder gar Gott?

Innerhalb des Textes bietet sich als mögliche Substitution zu ὁ ἐρχόμενος ὁ θεός in V9 an. Die Vermutung, daß mit dem Kommenden

---

27 Vgl. MERKLEIN, aaO, 144.

Gott gemeint ist, wird durch die Verwendung der passiva divina ἐκκόπτεται und βάλλεται gestützt[28]: Gott ist dann nicht nur der Erwählende (Schöpfer), sondern er ist zugleich der Richter. So wäre in V10 bereits das angelegt, was in V11 konkretisiert würde: Das Kommen Gottes ist das Kommen zum Gericht.

Es scheint also nichts dagegen zu sprechen, Gott für den erwarteten Richter zu halten, Johannes also als Vorläufer Gottes zu sehen. Doch läßt sich auf synchroner Ebene keine Eindeutigkeit erzielen. Eine mögliche Klärung wird sich erst im Zuge einer traditions- und motivgeschichtlichen Untersuchung anbahnen.

2.4. Auswertung

Die folgende Zusammenfassung stellt den Versuch einer Charakterisierung des Täufers auf der Grundlage der durch die Untersuchung des Grundtextes erzielten Ergebnisse dar. Eine besondere Berücksichtigung erfahren hierbei die inhaltlichen Aspekte seiner Verkündigung, die Auseinandersetzung mit den Adressaten und seine Tauftätigkeit. Alle drei Aspekte lassen spezifische Züge des Täufers erkennen, so daß sich Anhaltspunkte für eine spätere theologiegeschichtliche Einordnung ergeben. Am Ende dieses Abschnitts wird erneut eine Gliederung des Grundtextes vorgenommen, die sich nicht mehr nur auf syntaktische Beobachtungen, sondern auch auf sachliche Gesichtspunkte unter besonderer Berücksichtigung der Textpragmatik stützt.

1. Von seiner Funktion her ist Johannes eschatologischer Bote vor dem Eintreffen des Kommenden. Er übt eine ähnliche Tätigkeit aus wie der erchomenos, er jedoch tauft jetzt schon, während die Feuertaufe für die nahe Zukunft erwartet wird. Seine Taufe allerdings will vor dem Gericht retten, die Feuertaufe hingegen ist Gerichtsstrafe. Indem er das Kommen des Richters und des Gerichts ankündet und die Menschen zur Umkehr aufruft, bereitet er den Weg des erchomenos vor[29].

---

28 Hierbei handelt es sich um einen Semitismus, der die Nennung des Namens Gottes vermeidet, vgl. SCHULZ, aaO, 375 A 344.

29 Ähnlich LOHMEYER, Evangelium nach Matthäus, 47.

2. Inhaltlich gesehen stellt sich Johannes als radikaler, bedingungsloser Umkehrprediger dar. Sein Umkehrruf steht nicht in einem konditionalen Verhältnis: "wenn ihr umkehrt, dann ...". Die Umkehr wird gefordert, ohne daß daraus eine konkrete Heilszusage erwächst. Sie ist die einzige noch verbleibende Möglichkeit für das schuldverfallene Israel, dem Gericht zu entgehen.

Die von Israel geforderte Metanoia bewirkt eine actio des Menschen und nicht ein passives Verharren in und Pochen auf die Abrahamskindschaft und sie bedingt die Anerkenntnis des souveränen Handelns Gottes, d.h. Israel erkennt die Rechtmäßigkeit des göttlichen Gerichts an und liefert sich ganz dem Handeln Gottes aus.

Sinn und Zweck der Umkehr ist es, dem Unheilsstatus und somit dem Strafgericht zu entgehen. Das Fehlen einer konkreten Heilszusage zeigt den eigentlichen Stellenwert der Metanoia. Die positive Auswirkung der vollzogenen Umkehr ist nicht der Empfang von Heil, sondern das Verlassen des Unheilsstatus. Dadurch wird die Möglichkeit eröffnet, das Erwählungshandeln Gottes zu erfahren.

Der eigentliche Grund für den Umkehrruf ist nicht die Aussicht auf Heil, sondern die Apodiktik des Gerichts. Das Eintreffen des Gerichts ist eine Realität, die das gesamte Kollektiv Israel existentiell umfaßt. Ein konkreter Termin für das Kommen des Gerichts wird vom Täufer nicht genannt, doch macht der Grundtext deutlich, daß das Gericht unmittelbar bevorsteht. Das bisher für die Zukunft erwartete Gericht ist zu einer die Gegenwart der Adressaten bestimmenden Größe geworden.

3. Die Auseinandersetzung, die Johannes mit seinen Adressaten führt, bezieht sich nicht auf ein wie auch immer geartetes Verständnis von Umkehr und Gericht, sondern es geht hier um grundsätzliche Positionen. Während die Adressaten weiterhin meinen, in der Kontinuität der durch den Bundesschluß Gottes mit Abraham einsetzenden heilvollen Vergangenheit zu stehen, die für das zukünftige Gericht soteriologische Bedeutung hat, erschüttert Johannes Israels Heilsoption in ihren Grundfesten. Die bisherige Verknüpfung von Heil und Geschichte wird durchbrochen. Der Täufer zeigt seinen Zuhörern, daß der in ihren Augen immer noch bestehende Bund mit Gott durch Sünde gebrochen ist. Aber nicht durch einen Akt göttlicher Willkür ist die Berufung auf die Erwählungsfunktion Abrahams nicht mehr möglich; der Bundesbruch ergibt sich aus der Schuldverfallenheit Israels. Israel hat seine Heilschance verspielt. Der Ver-

weis auf das göttliche Erwählungshandeln zeigt, daß von Gottes Seite aus die Verpflichtung gegenüber dem Abrahamsbund weiter bestehen bleibt. Gottes einmal in der Geschichte ergangene Heilstat bleibt in ihrer soteriologischen Kontinuität bestehen. Somit wird von Johannes der Bund insgesamt nicht in Frage gestellt. Er schafft nur ein neues Verständnis von Abrahamsbund. Die Reduzierung der Bundespartner auf den Teil, der weiterhin zu seinem Versprechen steht, die Reduzierung auf Gott, bringt die eigentlich theologische Aussage der Umkehrpredigt voll zur Geltung: Von sich aus kann Israel nichts mehr erreichen. Was bleibt, ist die Hoffnung darauf, daß Gott trotz der Verfehlungen Israels seinem Bund mit Abraham treu bleibt.[30]

Von daher ist es auch verständlich, daß ein Verweis auf den Mosebund in der Umkehrpredigt fehlt. Es geht ja nicht um eine Auseinandersetzung über eine bestimmte Gebotsforderung und deren Beachtung. Deshalb zielt die Umkehrforderung auch nicht auf die Einhaltung der Tora. Viel eher scheint hier eine Auseinandersetzung mit einer "Bundestheologie" vorzuliegen, wobei es um eine grundsätzliche Neubestimmung des Abrahambundes geht und demzufolge auch um eine Neubestimmung Israels.

4. Die doppelte Funktion des Täufers, seine Verkündigung und seine Taufhandlung, läßt die Vermutung aufkommen, den Täufer in Verbindung zum alttestamentlichen Prophetismus zu sehen. Seine Taufe ließe sich dann in Analogie zu einer prophetischen Zeichenhandlung sehen.

Sicherlich hat die Taufe einen symbolischen Charakter. Das Wasser signalisiert Klarheit und Reinheit; durch die Wassertaufe wird der Mensch nach außen hin sichtbar gereinigt. Doch im Gegensatz zu den "traditionellen" prophetischen Zeichenhandlungen[31] ist die Taufe nicht das Symbol "eine(r) schöpferischen(n) Präfiguration des Kommenden, dem die Verwirklichung auf dem Fuße folgen mußte"[32], sondern es muß beachtet werden, daß die Taufe des Johannes an den Menschen und für die Menschen ist. Folglich muß ihr eine Bedeutung zukommen, die das

---

30 Vgl. MERKLEIN, Botschaft, 30.

31 Vgl. VON RAD, Theologie II, 104-107.

32 Ebd. 105.

rein Zeichenhafte übersteigt[33]. Ein Vergleich mit der Feuertaufe trägt zur Klärung bei: Aus dem Grundtext ist unbestreitbar zu erkennen, daß Feuer- und Wassertaufe einander zugeordnet sind. Während die Feuertaufe zweifelsohne auf die Vernichtung zielt, sie also Mittel der Gerichtstaufe ist, scheint die Wassertaufe eine soteriologische Bedeutung in der Weise zu haben, als sie die Möglichkeit zur Rettung im Endgericht eröffnet, ohne allerdings eine Errettung zu garantieren. Ein solches Verständnis der Taufe würde auch den Täufer selbst in seiner bedingungslosen Gerichtsansage nicht mehr ernst nehmen und ihn letztlich als Künder des Heils verstehen[34].

Die enge Verbindung mit der Umkehrforderung läßt sie als das Mittel erscheinen, welches ein Entkommen aus dem Unheilsstatus ermöglicht, indem der Mensch von seiner "Sündhaftigkeit" gereinigt wird. Vom Taufwilligen aus gesehen ist die Taufe äußeres Zeichen einer inneren Wandlung.

Eine endgültige Aussage über die Johannestaufe kann aber erst dann gemacht werden, wenn die Frage nach ihrer Herkunft und ihren Spezifika beantwortet ist. Dies erfolgt erst im Zuge einer diachronen Untersuchung.

5. Mit seiner Rede wendet sich Johannes nicht an eine spezifische Gruppe, sondern an das Kollektiv Israel.

Während die Adressaten sich als Kinder Abrahams betrachten, werden sie vom Täufer als Schlangengezücht bezeichnet. Die invektive Anrede scheint von vornherein die Situation der Adressaten zu kennzeichnen: Indem sie selbst noch meinen, vor dem zukünftigen Zorn gerettet zu werden, sind sie gerade in dieser Meinung aus der Sicht des Johannes "Verführte", da sie einem falschen Verständnis des Abrahambundes anhangen. Er zerstört ihre Heilsoption und wirft sie auf ihre eigentliche Existenzweise zurück: Israel als Kollektiv ist mit dem Gericht konfron-

---

33 Vgl. LOHMEYER, aaO, 46.

34 Vgl. SCHÜRMANN, aaO, 176. SCHÜRMANN behauptet sogar, daß "ein Fehlen der Heilsvorstellung ... eine analogielose und absurde Eschatologie (ergäbe)". WOLF, Gericht, 44 sieht einen Heilssinn in der Eschatologie des Täufers darin gegeben, daß die Taufe vor dem Gericht bewahren soll. SCHNACKENBURG, Umkehr-Predigt, 41, meint, daß durch die Taufe der Mensch so befestigt wird, daß sie "zur vollwirksamen Umkehr-Haltung wird, der Gottes Erbarmen zugesichert ist".

tiert. Einzige Chance sind nur noch Taufe und Umkehr in der Hoffnung auf Gottes errettendes Handeln.

Die funktionale Beschreibung des Täufers, die inhaltlichen Aspekte seiner Rede, die Auseinandersetzung mit seinen Hörern sowie die Taufe lassen Johannes als einen eschatologischen Propheten erscheinen, der eine radikale Umkehrforderung vertritt und aufgrund seiner hochgespannten Naherwartung, seiner Auffassung vom wahren Israel, seinem Heilsverständnis und der von ihm vertretenen "Beziehungslosigkeit zwischen Geschichte und Erlösung"[35] vermutlich apokalyptischen Kreisen zuzuordnen ist.

6. Neben die am Inhalt orientierte Aussage der Umkehrpredigt soll zum Schluß eine Beobachtung unter formalem Aspekt treten. Dafür wird die bereits nach syntaktischen Merkmalen vollzogene Textgliederung um sachliche Aspekte erweitert. Im Mittelpunkt steht dabei die Textpragmatik.

Wie bereits die Gliederung des Textes unter syntaktischen Gesichtspunkten erkennen ließ[36], kann man den Text in zwei Großabschnitte aufteilen. Die Wendung λέγω γάρ ὑμῖν in V9b markiert deutlich den Einschnitt. An dieser Stelle macht sich ein Wandel von einer referentiellen zu einer theologischen Aussagerichtung bemerkbar. Der erste Teil des Textes hat hauptsächlich die Adressaten im Blick. Die rhetorische Frage, mit der sich Johannes an die Hörer wendet, umfaßt bereits zwei Themen der folgenden Predigt: das kommende Gericht und im Hinblick darauf das menschliche Verhalten. Der sich anschließende Ruf zur Umkehr ergibt sich fast als notwendige Konsequenz.

Der zweite Teil stellt nicht mehr das Tun der Hörer in den Mittelpunkt. Hier ist der Schwerpunkt zweifellos ein theologischer. Gott wird den Adressaten als treuer Bundespartner und Richter (?) vor Augen geführt. Doch bleiben die massive Gerichtsdrohung und die versteckte Heilsansage auf die Adressaten hingeordnet[37], denn sie sind nicht nur Faktum, sondern auch Motivation des Umkehrrufs.

Die Hinzunahme sachlicher Kriterien unter dem Aspekt der Textgliederung hat gezeigt, daß die bereits vorgenommene Einteilung nach syn-

---

35 MÜLLER, TRE 3, 212.

36 Vgl. Abschnitt 1.3.

37 Dies zeigt ja die Verwendung des Personalpronomens ὑμεῖς in V9b.11.

taktischen Merkmalen dadurch nur noch gestützt wurde, so daß wir im folgenden von der in Abschnitt 1.3 erstellten Gliederung des Grundtextes ausgehen können.

Nach Berger ist die Umkehrpredigt des Täufers ein argumentativer Text, der dem Genus symbouleutikon zuzurechnen ist[38]. Mittel einer symbouleutischen Argumentation lassen sich unschwer nachweisen: Diese finden sich in der rhetorischen Frage (V7). Der mit οὖν (V8) eingeleitete Imperativ ποιήσατε weist auf die argumentative Struktur, er zieht Folgerungen aus dem vorhergehenden Text. Argumentativ sind auch die bedingte Unheilsansage in den VV10-12 und die auf die Emotionalität der Hörer bezogenen Elemente. Darunter sind zu verstehen die eingebaute Scheltrede (V7) und die vorwegnehmende Abweisung des Widerspruchs μὴ δόξητε λέγειν ἐν ἑαυτοῖς (V9)[39].

Wenn wir berücksichtigen, daß symbouleutische Texte darauf zielen, "den Hörer zum Handeln oder Unterlassen zu bewegen"[40], dann läßt sich im Blick darauf für die Umkehrpredigt feststellen: Die zentrale Aussage der Täuferpredigt ist der Ruf zur Umkehr. Die Aufforderung, Frucht der Umkehr entsprechend zu tun, besitzt im Hinblick auf die Adressaten das größte Veränderungspotential. Und sowohl die apodiktische Gerichtsansage als auch der Verweis auf das Erwählungshandeln Gottes sind dem Umkehrruf zugeordnet.

Unter pragmatischem Aspekt zielt der Text also auf das Handeln der Hörer ab. Gefordert ist von ihnen die Umkehr.

7. In der Täuferpredigt finden sich fünf Motive, die durch eine alle umfassende Klammer miteinander verbunden sind. Die Anrede γεννήματα ἐχιδνῶν, die Abrahamkindschaft, die Baum-Frucht-Metaphorik, das Motiv vom alles verzehrenden Feuer, aber auch die Ankündigung des Kommenden sind alle im Kontext des eschatologischen Gerichts angesiedelt, so daß wir es hier mit einer Verbindung von Motiven zu einem Motivkomplex zu tun haben. Im Folgenden wäre deshalb danach zu fragen, woher der Motivkomplex traditionsgeschichtlich beeinflußt ist.

---

38 Vgl. BERGER, Formgeschichte, 16-19.

39 Vgl. BERGER, aaO, 97-100. Die vorwegnehmende Abweisung des Widerspruchs findet sich bereits in den alttestamentlichen Weisheitsbüchern: Prov 20,22; Koh 7,10.

40 Ebd. 18.

3. Kapitel

Die traditionsgeschichtliche Einordnung des Täufers

Im Zuge der bisherigen Untersuchung der Umkehrpredigt wurden primär Ergebnisse auf synchroner Ebene erzielt. Für eine theologiegeschichtliche Einordnung des Täufers ist es aber notwendig, verstärkt diachron weiterzuarbeiten. Dabei wird nicht nur die Frage nach der Gattungszugehörigkeit der Umkehrpredigt gestellt, vielmehr sollen die bisherigen Resultate in einen traditionsgeschichtlichen Zusammenhang gestellt werden.

Das dritte Kapitel beginnt mit einer Analyse der Umkehrpredigten des deuteronomistischen Geschichtsbildes. Dieser Einsatz bietet sich deshalb an, weil sowohl die Predigten des deuteronomistischen Geschichtsbildes als auch die Täuferpredigt charakterisiert sind durch Umkehrruf und apodiktische Gerichtsansage und eine strikte formale Struktur aufweisen.

3.1. Umkehrpredigt und Umkehrverständnis in der Überlieferungsgeschichte des deuteronomistischen Geschichtsbildes

3.1.1. Die Gattung "Umkehrpredigt"

Wir hatten bereits gesehen, daß sich aufgrund der Makrostruktur des Grundtextes - rhetorische Frage, Aufforderung zur Umkehr, Verweis auf das Erwählungshandeln Gottes, Gerichtsankündigung - konstitutive Textelemente ergaben, die deutlich die Pragmatik der Täuferpredigt offenlegten. Diese primären Textelemente werden im folgenden als Schelte, Umkehrmahnung, Heilsankündigung - wenn auch im Fall der Täuferpredigt nicht dezidiert ausgesprochen - und Unheilsankündigung bezeichnet. In ihrer Bezogenheit aufeinander sind sie "systembildend". Gelingt ihr Nachweis in Texten, die literarisch voneinander unabhängig sind, sich aber durch eine gemeinsame "typische Situation ..."[1] auszeichnen, dann

1 Vgl. BERGER, Formgeschichte 11.

können wir aufgrund der formalen Kriterien (= primäre Textelemente)[2] und der historischen Zuordnung eine Gattungsbestimmung versuchen, die eventuell auch auf die Umkehrpredigt des Täufers angewandt werden kann.

Der Gedanke der Umkehr spielt in alttestamentlichen Schriften seit dem Exil von 587 mehr und mehr eine Rolle. Er findet nicht nur in Bußgebeten und Sündenbekenntnissen des Volkes seinen Niederschlag, sondern kommt uneingeschränkt in der an Israel gerichteten Verkündigung zum Ausdruck. Diese Verkündigung ereignet sich nach Steck im Rahmen des deuteronomistischen Geschichtsbildes (dtrGB)[3], dessen Überlieferung im AT, Frühjudentum und Urchristentum an eine feststehendes Schema gebunden ist: Der an Israel aufgrund seiner Sündhaftigkeit gerichteten Anklage folgt die Schilderung des Gottesgerichts von 587, welches aufgrund von Fremdherrschaft und Exil als weiterhin andauernd erfahren wird. Ihr schließt sich der meist konditional formulierte Umkehrruf an. Das Schema endet mit der in Aussicht gestellten Heilswende. Der Heilsrestitution Israels korrespondiert vielfach das Gericht über Israels Feinde. In seiner Untersuchung ist es Steck gelungen, dieses Schema nicht nur für alttestamentliche Texte nachzuweisen, sondern ebenfalls für frühjüdische. Dabei basiere die Tradierung dieses Schemas nicht auf einer literarischen Abhängigkeit der Texte untereinander, vielmehr sei dafür lebendige Überlieferung verantwortlich.[4] Zwei Beispiele mögen dies verdeutlichen: Mal 3,6-12 ist ein frühnachexilischer Text, der ganz in der Tradition des dtrGB steht. Die Anklage, die der Prophet gegen Israel richtet, bezieht sich nicht nur auf die aktuellen Verfehlungen, sondern auf die gesamte Sündengeschichte des Volkes seit den Tagen der Väter. Sie findet im Vorwurf der permanenten Gesetzesmißachtung ihren Ausdruck (VV7a.8.). Dies hat zur Folge, daß Israel auch weiterhin unter der Andauer des göttlichen Gerichts steht (V9a). Eine Rettung aus der verfahrenen Situation ist nur noch durch die Umkehr möglich. Der konditional formulierte Umkehrruf: "kehrt um zu mir, so kehre ich um zu

2 Für eine Gattungsbestimmung ist die Unterscheidung von primären und sekundären Elementen unabdingbar. Während die sekundären wandelbar sind, bilden die primären Elemente ein festes Schema, welches Grundlage der Gattungsbestimmung ist; vgl. BERGER, Gattungen, 1044.

3 STECK, Israel, 137.

4 Ebd., 184f.

euch ..." (V7a), weist nicht nur den Ausweg, sondern verspricht auch zukünftiges Heil. Allein die Umkehr zu Gott hat seine Zuwendung zur Folge, sie äußert sich ganz konkret in besseren Lebensbedingungen für Israel (VV10-12). Von einem Gericht über die Feinde Israels berichtet der Text nicht. Dieses Element gehört auch nicht konstitutiv in das Schema. Von Bedeutung ist nur die in Aussicht gestellte Heilswende[5].

Eine überlieferungsgeschichtlich jüngere Epoche wird durch Jub 1,7-26 repräsentiert. Dieser aus der zweiten Hälfte des zweiten Jahrhunderts v.Chr. stammende Text weist eine zu Mal 3 analoge Struktur auf. Hier begegnet ebenfalls auf Schritt und Tritt die Tradition des dtrGB. Steck hat dies überzeugend nachgewiesen[6].

Die Anklage, die der Verfasser des Jub ausspricht, richtet sich gegen die Gesetzesübertretungen des Volkes (VV7-11.14.22). Unweigerlich kommt das Gericht Gottes in Form von Vernichtung und Exil (V13). Wie in Mal 3 ist die Umkehr die einzige Chance, einer endgültigen Vernichtung zu entgegen. Ähnlich wie dort ist der Umkehrruf konditional formuliert (V15)[7]: "Und danach werden sie sich zu mir wenden aus der Mitte der Völker mit ihrem ganzen Herzen und ihrer ganzen Seele und mit all ihrer Kraft. Und ich werde sie zurückführen aus allen Völkern. Und sie werden mich suchen, damit ich von ihnen gefunden werde, wenn sie mich suchen mit ganzem Herzen und ganzer Seele". Die Aussicht auf zukünftiges Heil, die in V15 bereits mit dem Umkehrruf verbunden ist, wird in den VV16-17. 24b-26 noch einmal ausgeführt. Jetzt wird nicht mehr nur die Rückführung aus dem Exil von Gott zugesagt, es läßt sich eine Eschatologisierung der Heilsvorstellung in der Weise beobachten, daß für die Endzeit ein "Sein bei Gott" erwartet wird[8].

Nicht nur die beiden dargestellten Texte, sondern auch die übrigen von Steck angeführten Belege weisen das oben skizzierte Schema auf, welches Strukturmerkmal für die in der Tradition des dtrGB stehenden

5 Ebd., 144 A 3.

6 Ebd., 159 A 4.

7 Vgl. auch 1,23-24a.

8 Die Gründe für die Eschatologisierung der Heilsvorstellung in den Predigten des dtrGB werden weiter unten erörtert. Möglicherweise liegt hier Einfluß der Apokalyptik vor.

Predigten ist[9]. Historischer Ort dieser Predigten ist die an ganz Israel gerichtete Verkündigung, deren Höhepunkt in der Umkehrforderung zu sehen ist.

Aufgrund der einheitlichen formalen Struktur sowie der durchgängig typischen Situation sind wir in der Lage, die von Steck erarbeiteten Texte der Gattung Umkehrpredigt zuzurechnen[10].

Wenn wir uns nun wieder der eingangs gestellten Überlegung einer Gattungsbestimmung der Täuferpredigt zuwenden, so müssen wir in einem ersten Schritt die Strukturelemente des Grundtextes und der Predigten des dtrGB miteinander vergleichen: Der Anklage, die sich an Israel richtet, entspricht die Schelte der Täuferpredigt. Analog den deutronomistischen (dtrn) Predigten liegt auch bei Johannes der Schwerpunkt auf dem Umkehrruf, der bei ihm allerdings nicht konditional formuliert ist. Von daher ist eine zukünftige Heilswende im Umkehrruf nicht ausgesprochen; viel eher steht das kommende Gericht im Vordergrund. Und doch bleibt, trotz der inhaltlichen Modifikationen, die Struktur erhalten. Dem Heil, welches Israel in Aussicht gestellt wird und dem Unheil für seine Feinde entsprechen in der johanneischen Predigt der Hinweis auf die anhaltende Treue Gottes und die Gerichtsandrohung.

Der Vergleich der Elemente der Johannespredigt mit denen der dtrGB-Umkehrpredigten zeigte, daß von der formalen Struktur her prinzipiell eine Einordnung des Grundtextes in die in der Tradition des dtrGB stehenden Umkehrpredigten möglich ist[11]. Zudem zeigt die Täuferpredigt

---

9 Weitere Textstellen sind:
AT: 1Reg 8,46-53; Dtn 4,25-31; 28,45-68+30,1-10; Sach 1,2-6; 7,4-14; 2Chr 30,6-9; 29,5-11; 15,1-7; Tob 13,1-6; 14,4-7, frühjüdische Schriften: TestLev 10,2-5; 16,1-5; TestJud 23,1-5; TestIss 6,1-4; TestSeb 9,5-9; TestDan 5,4-13; TestNaph 4,1-5; TestAss 7,2-7; Jub 23,16-31; Bar 3,9-4,4; 4,5-4,9; PsSal 8.9.17. PsPhilo, LibAnt 13,10; 19,2-7 u.ö., Qumran: CD 1-8

10 STECK, aaO, 137ff spricht zwar nicht dezidiert von der Gattung Umkehrpredigt, doch läßt m.E. seine gesamte Darstellung des dtrGB in der Verkündigung eine derartige Schlußfolgerung zu.

11 SCHÜRMANN, Lukasevangelium, 182, behauptet, daß die Täuferpredigt "dem Schema einer judenchristlichen Missionspredigt in ihrer ältesten Form entspricht". Doch bedenkt er dabei nicht, daß sich gerade die an Juden gerichteten Missionspredigten aus deuteronomistischer Tradition entwickelt haben, denn ihnen liegt auch das Schema Schelte - Umkehrmahnung - Heilsansage (jedoch keine Unheilsansage) zugrunde. Täuferpredigt und judenchristliche Missionspredigt gehen also auf einen gemeinsamen Ursprung zurück, vgl. BERGER, aaO, 71.

diesselbe typische Situation wie die Umkehrpredigten des dtrGB. Im Rahmen der synchronen Textanalyse konnte nämlich gezeigt werden, daß Johannes sich mit seiner Umkehrforderung an ganz Israel wandte. Die Gründe für die trotz des gleichbleibenden Schemas von Täuferpredigt und dtrn Predigten beobachtbaren inhaltlichen Veränderungen sollen in den nächsten Abschnitten untersucht werden. Für die folgenden Arbeitsschritte wird das Schema der Johannespredigt - Schelte (A), erweitert um die Andauer des Gerichts (B), Umkehrruf (C), (versteckte) Heilsansage (D), Unheilsansage (E) - unter Verwendung der angegebenen Kürzel zugrunde gelegt.

3.1.2. Die Überlieferungsgeschichte des dtrGB

Für das dtrGB lassen sich insgesamt drei Überlieferungsstufen ausmachen:
Im Juda der Exilszeit setzt die Überlieferung des dtrGB ein.[12] Den Predigern dieser Zeit ging es um eine theologische Bewältigung der Katastrophe von 587, indem sie versuchten, dem Volk das dtrn Geschichtsdenken nahezubringen: Gottes Gericht ist zu Recht über das Volk ergangen, da Israels Geschichte trotz der Treue Gottes eine Geschichte permanenten Ungehorsams war. Den im Lande Verbliebenen blieb nur noch die Möglichkeit, diese theologische Einsicht zu akzeptieren und ihre Sünden zu bekennen. Ein Aufruf zu Umkehr und Gesetzesgehorsam war angesichts der schrecklichen Ereignisse noch nicht am Platz[13].

Noch während der Exilszeit kommt es zur Weiterbildung des dtrGB; die zweite Überlieferungsstufe setzt ein. Der Verfasser eines in der Tradition des dtrGB stehenden Textes versucht seine und die Situation seiner Adressaten mit Hilfe des dtrGB zu erfassen. Seine Gegenwart ist gekennzeichnet durch die Spannung des im Unheilsstatus lebenden Israels einerseits und dem auch weiterhin heilswilligen Gott andererseits.

Die Existenz Israels unter dem Zeichen des Unheils ist das Ergebnis der durch die vorexilischen Sünden Israels auf die Nachfahren überkommenen Schuld und der Erfahrung von der Andauer des Gerichts von

---

12 Die folgenden Ausführungen sind im wesentlichen STECK, aaO, 137-189, verpflichtet.

13 Diese erste Stufe wird repräsentiert durch 2Reg 17,7-20, vgl. auch STECK, aaO 137-139.

587 in Form von Fremdherrschaft und Exil. Ein Ende des kontinuierlichen Unheilsstatus und somit auch ein Abbau der vorhandenen Spannung ist im dtrGB durchaus in den Blick genommen. Gedacht ist solche Beendigung als innergeschichtliche, umfassende Restitution des Heilsstatus Israels durch Gott. Diese Heilszuversicht erwächst aus den bisher von Gott an Israel ergangenen Heilstaten. Inhaltlich wird die Heilsrestitution vor allem als Rückführung aus dem Exil in das eigene Land bestimmt. Damit einher geht das Vernichtungsgericht, aber nun an den Feinden Israels, den Völkern, deren gegenwärtige Herrschaft über Israel Zeichen der Gerichtsdauer ist.

Die Zeit nach 587 bekommt neben ihrer Qualifikation als Unheilsstatus Israels noch eine weitere: Sie ist zugleich Zeit zu Umkehr und Gesetzesgehorsam. Umkehr ist die für Israel von Gott innergeschichtlich neu eröffnete Möglichkeit, an der Verwirklichung seiner Heilsexistenz teilzuhaben. Den Hoffnungsgrund für die von Gott gegebene Umkehr bildet der Väterbund. Weil Gott mit den Vätern einen Bund geschlossen und damit die Verheißung verknüpft hat, ihre Nachkommen niemals zu verlassen, wird er diesen ermöglichen, wieder in den Bund zurückzukehren[14].

Hier liegt die eigentliche Intention jeder in der Tradition des dtrGB stehenden Umkehrpredigt: die gebotene Chance im Blick auf das zukünftige Heilshandeln Gottes zu ergreifen.

Anhand von Dtn 28,45-68; 30,1-10[15] läßt sich die Ausbildung des dtrGB gut erkennen: Die von Israel begangenen Gebotsübertretungen (A) wirken sich als Schuld an den Nachkommen aus, so daß diese auch mit den Israel treffenden Flüchen beladen werden (28,45f). Das ergangene Gericht wird nicht mehr punktuell auf 587 beschränkt (B). Es wird als andauernd erfahren durch die Fremdherrschaft (28,47-57), durch die Krankheiten und Plagen für Israel und seine Nachkommen (28,58-62) und die Zerstreuung (28,63-68). Die Israel in der Geschichte gegebene Möglichkeit, durch Umkehr an der Verwirklichung seiner Heilsexistenz teilzuhaben (C), wird textlich durch das konditionale Verhältnis "wenn du dich von ganzem Herzen und ganzer Seele zu Jahwe, deinem Gott, be-

---

14 Vgl. WOLFF, Kerygma, 322.

15 Dtn 28,45-68; 30,1-10 gehören sprachlich und sachlich zusammen. Sie gehen somit beide auf denselben Verfasser zurück, der auf einer dtrn Traditionsstufe steht, die jünger ist als das dtrGW. Auch Dtn 4,29-31 ist dieser Traditionsstufe zuzurechnen. Umkehr und der Väterbund sind hier die zentralen Themen, vgl. WOLFF, aaO, 318-321.

kehrst[16] und seiner Stimme ... gehorchst, dann wendet Jahwe, dein Gott, dein Geschick ..." (30,2f, vgl. auch 30,10) ausgedrückt. Konkret meint Umkehr hier Rückkehr zu Gott. Doch zeigt Dtn 30,1-10, daß die Umkehr nicht allein ein Produkt menschlicher Anstrengung ist. Die Umkehr ist primär Gabe Gottes (V6): Nur weil Gott das Herz beschneidet, ist Israel in der Lage, Gott aus ganzem Herzen und ganzer Seele zu lieben[17].

Die von Israel erwartete Restitution seines Heilsstatus durch Gott orientiert sich an den vorexilisch ergangenen Heilstaten. Die Sammlung des Volkes (30,3-5a) und die Rückführung in das Land der Väter (30,5b) erinnern an Exodus und Landnahme; das zukünftige, innergeschichtliche Heil ist somit unter fast "lebenspraktischem" Aspekt zu bewerten (D). Dem korrespondiert die Vorstellung vom kommenden Vernichtungsgericht (E). Gott wird die Hasser und Feinde Israels bestrafen (30,7)[18].

Die Entstehung der Apokalyptik um die Wende des dritten zum zweiten vorchristlichen Jahrhundert bleibt auch nicht ohne Einfluß auf die Überlieferungsgeschichte des dtrGB[19]. Die vorausgehende Stufe wird zwar insgesamt beibehalten, doch lassen sich hier drei Modifikationen beobachten, die einzeln oder zusammen die weitere Entwicklung des dtrGB prägen, so daß wir einer dritten Überlieferungsstufe begegnen: Israel lebt nicht mehr nur in der aufgrund der Sünden seiner Vorfahren überkommenen Schuld. Durch seine eigene Sündhaftigkeit versetzt es sich in einen Zustand "permanenten Ungehorsams"[20].

Heils- und Unheilsansage beziehen sich nicht mehr auf Israel und seine Feinde. Die erfolgte bzw. nicht erfolgte Umkehr wird zum Kriterium einer Scheidung innerhalb Israels in Gerechte und Ungerechte. Den Gerechten wird das Heil, den Ungerechten das Unheil zugesprochen.

---

16 Der masoretische Text weist für "umkehren" das Verb שוב auf, die LXX übersetzt mit ἐπιστρέφω , so auch in V8.10.

17 Vgl. WOLFF, aaO, 322.

18 Die zweite Überlieferungsstufe des dtrGB findet sich in einer Bandbreite von Texten: 1Reg 8,46-53; Dtn 4,25-31; Sach 1,2-6; 7,4-14; 2Chr 15,1-7; 29,5-11; 30,6-9; Tob 13,1-6; 14,4-7; 16,1-5; TestJud 23,1-5; TestIss 6,1-4; TestSeb 9,5-9; TestDan 5,4-13; TestNaph 4,1-5; TestAss 7,2-7; Jub 1,7-26; vgl. insgesamt STECK, aaO, 140-153.

19 Die möglichen Gründe für die Entstehung der Apokalyptik sowie ihr Einfluß auf das theologische Denken des Frühjudentums wird in Punkt 3.2.1 behandelt.

20 STECK, aaO, 187.

Das Gericht von 587, welches weiterhin auf Israel lastet, aktualisiert sich aufgrund konkret erfahrener politischer Bedrängnisse durch Antiochus IV, Pompeius oder Titus. Diese werden als Erweis der Andauer des Gerichts verstanden[21].

Entscheidend für den Einfluß der Apokalyptik ist insbesondere die Eschatologisierung der Heilsvorstellung. Orientierten sich die bisherigen Heilsvorstellungen an den vorexilisch ergangenen Heilstaten, so richten sich jetzt die Hoffnungen auf das von Gott gewirkte vollkommene und endgültige Heil. Unabdingbare Voraussetzung ist hierfür aber gleichfalls die Umkehr der Sünder.

Bedingt durch die Einflußnahme seitens der Apokalyptik ist es möglich, hier von einem apokalyptisierten dtrGB zu sprechen.[22] Seine konkrete Ausformung hat sich u.a. in Jub 23,16-31 niedergeschlagen: Israel lebt nicht mehr nur unter der Bürde der vorexilischen Sündengeschichte. Viel eher wird es gesehen in seiner eigenen Sündhaftigkeit (A.B). Die VV16-20 verarbeiten die Erfahrungen der Religionsverfolgung unter Antiochus IV, den damit einhergehenden Abfall von Bund und Gesetz und möglicherweise das Versagen der Makkabäer (V21)[23]. Die Geschichte steuert auf ihr Ende zu; das Bild vom stetig abnehmenden Lebensalter bringt dies zum Ausdruck. Eine Wende bahnt sich mit der Umkehr an (V26). Die vollzogene Umkehr läßt das Lebensalter wieder wachsen (VV27-29, C). Sie hat den Anbruch der Heilszeit zur Folge, die vorgestellt wird als Zeit des großen Friedens (V30). Die Gerechten werden Anteil haben am Heil, ihre Feinde jedoch werden der Vernichtung preisgegeben (VV30f, D+E).

Die bisherige Untersuchung konnte zeigen, daß das dtrGB in drei Überlieferungsstufen tradiert wird, wobei für unsere Fragestellung die erste Stufe nicht von Interesse ist, da sich dort noch keine Aufforderung zur Umkehr findet, sondern die zweite - sie repräsentiert das dtrGB in vollem Umfang - und dritte - als durch die Apokalyptik bedingte Modifikation des vorausgehenden Überlieferungsstufe[24].

---

21 Vgl. ders., 187.

22 Zur Entwicklung der Apokalyptik vgl. 3.2.1.

23 Vgl. BERGER, Jubiläen, 300, HENGEL, Judentum, 411.

24 Der dritten Überlieferungsstufe begegnen wir noch in PsSal 8.9.17; PsPhilo, LibAnt 13,10; 19,2-7 u.ö.; Bar 3,9-4,4.

3.1.3. "Umkehr" im dtrGB

Wir haben gesehen, daß die Umkehr das zentrale Thema deuteronomistischer Verkündigung bildet.

Sprachliche Beobachtungen zu "Umkehr" zeigen, daß sowohl das hebräische שוב als auch die griechischen Verben ἐπιστρέφω und μετανοέω die religiös-sittliche Umkehr meinen.[25] Von daher ist eine erste Spur zum dtrn Umkehrverständnis gelegt. Doch was genau besagt Umkehr? Abkehr von den Sünden? Rückkehr zu Gott oder Hinwendung zum Gesetz? Woher überhaupt nahm Israel die Hoffnung, daß, obwohl es doch immer wieder gesündigt hat, die Umkehr das Tor zum Heil erneut öffnete?
H.W. Wolff verdeutlichte an Dtn 4,29-31 und Dtn 30,1-10 - beide Texte gehören der zweiten Überlieferungsstufe an - wie an diesen beiden Stellen Umkehr zu verstehen ist[26]. Die Umkehr wird nicht primär als Tat des Menschen angesehen, ist also nicht ein Akt eigener Leistung, viel mehr ist sie eindeutig Verheißungsgut. Dtn 4,30 "am Ende der Tage ... wirst du zu Jahwe, deinem Gott, zurückkehren" (vgl. auch Dtn 30,8) zeigt, was darunter zu verstehen ist: für die Zeit der Unterdrückung wird Israel die Umkehr als Ausweg aus dem Unheil verheißen.

Dtn 30,6 geht noch weiter und kennzeichnet die Umkehr als eine von Gott dem Menschen neu eröffnete Möglichkeit. Die Voraussetzung für die Umkehr im Sinne einer Gabe Gottes bzw. im Sinne eines Verheißungsgutes ist das Wissen um das erbarmende Handeln Gottes (4,31; 30,3), der

---

25 Aufschlußreich für die sprachlichen Beobachtungen sind die begriffsgeschichtlichen Untersuchungen von BEHM, ThWNT 4, 972-976; WÜRTHWEIN, ThWNT 4, 976-985; MERKLEIN, EWNT 2, 1022-1031; STOEBE, THAT 2, 59-66, die hier nicht eigens dargestellt werden sollen. Interessant für den Fortgang unserer Analyse ist, daß sich für μετανοέω im Lauf der begriffsgeschichtlichen Entwicklung ein Bedeutungswandel anbahnt: meinte μετανοέω als Übersetzung von ursprünglich die Reue über einzelne Tatsünden, so bahnt sich bereits in den prophetischen Schriften eine parallele Verwendung von ἐπιστρέφω und μετανοέω an. Da ἐπιστρέφω als Übersetzung von die religiös-sittliche Umkehr bedeutet, nimmt μετανοέω dadurch, daß es in die Nähe von ἐπιστρέφω gerückt ist, dessen Bedeutung an. Zum eigentlichen Durchbruch der Verwendung von μετάνοια und μετανοέω im Sinne von 'Umkehr' bzw. 'umkehren' kommt es dann in den frühjüdischen Schriften; vgl. BEHM, aaO, 985-988; MERKLEIN, aaO, Sp. 1024.

26 Vgl. WOLFF, Kerygma, 322.

weiterhin treu zu dem mit den Vätern geschlossenen Bund steht (4,31). Von daher bezieht sich die Umkehrforderung, die an Israel gerichtet wird, auf die Rückkehr zu Gott, die konkret eine Rückkehr in den Väterbund meint, so daß Israel wieder allen Verheißungen teilhaftig wird. Das mit der Umkehrforderung in Aussicht gestellte Heil orientiert sich demzufolge vielfach an den bisher an Israel ergangenen Heilstaten Gottes. In Dtn 30,4f wird die Rückführung aus dem Exil in das Land der Väter versprochen; die Exodus- und Landnahmeverheißung stehen dabei eindeutig im Hintergrund.

Indem der dtrn Verfasser den Hoffnungsgrund für seine Umkehrverheißung im Erbarmen und in der Bundestreue Gottes sieht, ermöglicht er eine Sichtweise der Umkehr, die auf eine Wiederherstellung der alten heilsgeschichtlichen Ordnung abzielt. Umkehr wird somit zum "Zwischenglied" auf dem Weg vom Gericht zum Heil. Dieses Verständnis läßt sich durch andere alttestamentliche Texte stützen: Als besondere Voraussetzungen für die Umkehr gelten weiterhin das göttliche Erbarmen und seine Treue zum Bund, 2Chr 15,3; 30,9; Tob 13,5; Sach 1,4-6 und Mal 3,6 bringen es zum Ausdruck, während 2Chr 29,10 zusätzlich noch die Erwählung durch Gott anführt. Alle angeführten Texte bestätigen die Auffassung der Umkehr als Verheißungsgut[27]; inhaltlich wird sie auch hier primär als Rückkehr zu Gott verstanden[28]. Die mit dem Umkehrruf verbundene Heilszusage greift vielfach auf erfolgte Heilstaten Gottes zurück[29].

Der wachsende Einfluß des Gesetzes gerade im Frühjudentum bedingt eine Modifizierung des Umkehrverständnisses gegenüber dem alttestamentlich-deuteronomistischen. Die Testamente der zwölf Patriarchen und das erste Kapitel des Jubiläenbuches legen davon Zeugnis ab.

---

27 2Chr 15,2; 29,11; 30,9; Tob 13,6; Sach 1,3; Mal 3,10.

28 2Chr 15,4; 29,10; 30,6.8.9; Tob 13,6; Sach 1,3; Mal 3,7.

29 2Chr 29,10f: Bundesschluß und Erwählung sind hier die Heilsgüter, Tob 13,5 stellt die Sammlung des Volkes in Aussicht.

In den eschatologischen Abschnitten der TestXII begegnen wir überall dem dtrGB[30]. Teilweise wird die alttestamentliche Sicht der Umkehr rezipiert: So gelten in den TestXII das Erbarmen und die Bundestreue Gottes weiterhin als Voraussetzung für die Umkehr[31]. Wesentlich deutlicher als bei den alttestamentlichen Texten knüpft in den TestXII die Heilsansage an das heilsmächtige Handeln Gottes in der Geschichte Israels an: sowohl TestJud 23,5b; TestIss 6,4; TestSeb 9,8 als auch TestNaph 4,3 sprechen von der Rückführung aus der Gefangenschaft und verheißen so einen neuen Exodus[32]. Verändert wird jedoch die Sicht in bezug auf die inhaltliche Ausdeutung der Umkehr. Der Schwerpunkt liegt nicht mehr einzig auf der Forderung, zu Gott zurückzukehren. Der Umkehrruf richtet sich gleichzeitig auf die Forderung einer Rückkehr zum Gesetz, die letztendlich immer die Rückkehr zu Gott miteinschließt[33]. Das Einhalten der göttlichen Gebote wird somit zum Maßstab erfolgter Umkehr.

Die eschatologische Ausrichtung der Texte läßt auch die Umkehr nicht mehr nur als ein künftiges Verheißungsgut erscheinen, sondern qualifiziert sie als eschatologische Gabe, mit deren Vollzug die Heilszeit anbricht. Formulierungen wie χρόνους μακρούς (TestIss 6,3), ἐν ἐσχάταις ἡμέραις (TestNaph 4,3), aber auch der häufige Gebrauch

---

30 Auf die komplizierte Überlieferungsgeschichte der TestXII kann in diesem Rahmen nicht ausführlich eingegangen werden. Doch gibt es innerhalb der Forschung zwei konträre Sichtweisen: Während DE JONGE, Testaments, 117ff von der prinzipiellen Einheit der TestXII ausgeht, konnten STECK, aaO, 150 und BECKER, Testamente, 23-25 nachweisen, daß die jetzige Gestalt der Testamente nicht das Produkt eines Verfassers, sondern das Ergebnis einer dreifach gestuften Wachstumsgeschichte ist. Ursprünglich existierte eine jüdische Grundschrift, die den Grundbestand der TestXII ausmachte. In einer zweiten Stufe kam diese Grundschrift unter hellenistisch-jüdischen Einfluß. Ihre Endgestalt erhielt sie unter einer christlichen Bearbeitung. Der Wachstumsprozeß der TestXII umfaßt von ihrem Entstehen im ersten Drittel des zweiten Jahrhunderts v.Chr. - TestLev und Test Naph sind die ältesten Stücke - bis zur endgültigen Fassung gut dreihundert Jahre.

31 TestLev 16,5; TestJud 23,5; TestIss 6,1-4; TestSeb 9,7; TestDan 5,9; TestNaph 4,3.5; TestAss 7,7.

32 TestAss 7,7 verweist auf das Sammeln des Volkes, TestJud 6,5 spricht von der Heimsuchung durch Gott in der Zerstreuung.

33 TestDan 5,9; TestAss 7,7; TestLev 16,5; TestJud 23,5.

futurischer Verbformen[34] deuten darauf hin. In Jub 1,6-27 beobachten wir die gleiche Entwicklung wie in den TestXII. Die Bundestreue Gottes (VV18.24) bildet die Voraussetzung für die Umkehr als eschatologische Gabe (VV15.23). Sie besteht in der Rückkehr zum Gesetz (VV15.24), deren Lohn der erneute Bund mit Gott ist (VV18.24).

Insgesamt aber bleibt das für die alttestamentlichen Texte skizzierte Umkehrverhältnis auch für TestXII und Jub 1, somit also für die gesamte zweite Überlieferungsstufe des dtrGB bestimmend.

Eine wirkliche Wandlung des Umkehrverständnisses ist erst für die dritte Überlieferungsstufe zu verzeichnen. Ausschlaggebend dafür sind die in diesem Stadium zu beobachtenden Modifikationen des dtrGB, von denen zwei einen entscheidenden Einfluß ausüben: Israel steht nicht mehr nur unter der aus den vorexilischen Sünden überkommenen Schuld, sondern lebt im permanenten Ungehorsam[35]. Die je und je sich aktualisierende Sündengeschichte läßt Zweifel an der bedingungslosen Heilszuversicht aufkommen. "Im vorfindlichen Israel der Gegenwart"[36] kommt es zu einer Trennung zwischen Gerechten und Ungerechten. Bisher eröffnete die Umkehr den Weg zum Heil für ganz Israel, indem die real erfahrene Unterdrückung durch die Fremdherrschaft beseitigt, die Feinde bestraft und Israel als Volk Gottes in das "Land des Wohlgefallens" (Mal 3,12) von Gott zurückgeführt wird. Jetzt aber wird sie zum "zentralen Entscheidungskriterium" für Gericht oder Heil innerhalb Israels selbst[37]. Nicht mehr ganz Israel wird das Heil zugesprochen, sondern nur noch denen, die sich als gerecht erweisen. Mit dieser Verengung ist auch eine Neudefinition Israels eingeschlossen: Israel im Sinne eines Heilskollektivs sind nur noch die Gerechten. Daß in diesem Zusammenhang das Gesetz eine entscheidende Rolle spielt, ist evident. Von daher bezieht sich auch die Umkehrforderung fast ausschließlich auf die Rückkehr zum Gesetz.

---

34 TestLev 16,5: ἐπισκέψεται, οἰκτειρήσας, προσδέξηται
TestJud 23,5: ἐπισκέψητε...ἐπισκέψηται
TestSeb 9,7: ἐπιστρέψει ὑμᾶς
TestNaph 4,3: ἐπιστρέψει ὑμᾶς
TestAss 7,7: ἐπισυνάξει ὑμᾶς

35 Anzeichen für diese Auffassung finden sich in Jub 23,19; PsSal 8,29; 9,2; LibAnt 13,10.

36 STECK, aaO, 187.

37 Ähnlich STECK, ebd.

Ältester Repräsentant für das gewandelte Umkehrverständnis ist das weisheitliche Gedicht in Bar 3,9-4,4, dessen Entstehung um 190 vor Christus anzusetzen ist[38]. Aber auch in Jub 23,16-32[39], in PsSal 8.9[40] und in LibAnt 13,10[41] begegnen wir dieser Auffassung. In jedem dieser Texte gelten, wie es bereits für diejenigen der vorhergehenden Überlieferungsstufe festgestellt wurde, das Erbarmen und die Bundestreue Gottes weiterhin als die Voraussetzungen für Umkehr[42]. PsSal 9,9 erwähnt zusätzlich noch die Erwählung in Abraham. Die Orientierung der Umkehr an der Hinwendung zum Gesetz[43] macht ihre Charakterisierung im Sinne eines "zentralen Entscheidungskriteriums" deutlich: die Befolgung bzw. Nicht-Befolgung der Gebote Gottes zeigt an, wer gerecht bzw. ungerecht

---

38 Einen Anhaltspunkt für die Datierung bietet die Identifikation von Weisheit und Gesetz in 4,1, für die sich eine Paralelle in Jesus Sirach (Sir 24,23) findet. Da Jesus Sirach um 190 v.Chr. entstanden ist, ergibt sich somit ein möglicher Ausgangspunkt für die Datierung, vgl. GUNNEWEG, Baruch, 168.

39 Die Frage der Datierung des Jub bezieht sich auf eine Zeitspanne von 167 - 140 v.Chr. STECK, aaO, 158 setzt die Entstehung des Jub zwischen 167 und 162 v.Chr. an; zwar hält die seleukidische Bedrohung noch an, aber die makkabäische Bewegung ist bereits bekannt. BERGER, Jubiläen, 300 hingegen plädiert für eine Datierung zwischen 145 und 140 v.Chr. So weist 23,21 nicht nur auf das Versagen der Makkabäer hin, so daß hier bereits die Errichtung des hasmonäischen Hohenpriestertums seit 153 v.Chr. vorauszusetzen ist. Denn auch der Konflikt in 56,6-11 ist zeitgeschichtlich zu deuten: es geht dabei um den Bericht über eine Auseinandersetzung zwischen Seleukiden und Ptolemäern im zweiten Jahrhundert v.Chr. Der in V6 berichtete Tod des ägyptischen Königs kann sich eigentlich nur auf den Tod Ptolemais IV (145 v.Chr.) beziehen. Von daher ergibt sich 145 v.Chr. als terminus post quem. Da die von BERGER angeführten Textstellen, vorausgesetzt der Text ist einigermaßen glaubwürdig in seinen historischen Aussagen, einiges für sich haben, ist m.E. eine Datierung zwischen 145 und 140 v.Chr. wahrscheinlicher.
In Bezug auf Jub 23 repräsentiert Jub 1 eine traditionsgeschichtlich ältere Stufe des dtrGB, die analog den TestXII zu sehen ist; vgl. STECK, aaO, 157-159.

40 Die Psalmen Salomos können aufgrund der Anspielung in PsSal 2.8. und 17 einigermaßen sicher datiert werden: Alle drei Psalmen spielen auf die Eroberung Jerusalems durch Pompeius im Jahr 63 v.Chr. an. Da in keinem der Psalmen Hinweise auf die Regierungszeit Herodes des Großen zu finden sind, wird die Entstehungszeit zwischen 67 und 37 v.Chr. anzusetzen sein, vgl. HOLM-NIELSEN, Psalmen Salomos, 59; STECK, aaO, 170.

41 DIETZFELBINGER, Pseudo-Philo, 95 gibt die Jahre 70 - 132 n.Chr. für die Niederschrift der LibAnt an, vgl. auch STECK, aaO, 173.

42 Bar 3,37; PsSal 9,8.10; PsSal 8,27; LibAnt 13,10.

43 Jub 23,26; Bar 4,2; PsSal 9,5.

ist. Einzig den Gerechten aber wird das zukünftige Heil zugesprochen, die Ungerechten werden der Vernichtung preisgegeben; "sie (die Weisheit) ist das Buch der Gebote Gottes und das Gesetz, das in Ewigkeit besteht; alle, die daran festhalten, gewinnen das Leben, aber die sie verlassen, sterben dahin. Bekehre dich Jakob und ergreife sie, schreite fort zu dem Glanz, (der) vor ihrem Lichte (ist)", Bar 4,1f[44].

Das den Gerechten in Aussicht gestellte Heil bezieht sich nicht auf die Heilstaten Gottes in der Vergangenheit. Viel mehr ist eine Eschatologisierung der Heilsvorstellung zu beobachten. Das kommende Heil wird beschrieben als "Leben beim Herrn" (PsSal 9,5), als "großer Friede" (Jub 23,30), als "Besitz des göttlichen Wohlwollens auf ewig" (PsSal 8,33). Dahinter steht die Vorstellung von einem eschatologischen Begriff des Lebens, der umfassender Ausdruck für das künftige Heil ist[45]. Dem entspricht, daß die Umkehr, die für die Zeit der Gegenwart des Verfassers erwartet wird, "oft als letzte Zeit vor der nahen eschatologischen Wende verstanden wird"[46]. Der Terminus "novissibus diebus" in LibAnt 13,10 bringt diese Auffassung unmißverständlich zum Ausdruck[47].

Eine besondere Ausprägung des Umkehrverständnisses findet sich in Qumran. Auf die Überlieferung des dtrGB treffen wir in der Damaskusschrift, vor allem in der Handschrift A1, die in Form einer langen Mahnrede die Entstehung der Gemeinde im Rahmen eines Abriß der Geschichte Israels darstellt[48], welche von Handschrift B fortgeführt wird[49]. Daneben findet sich in 1QS 1,24b-2,1 und CD 20,28-30 Sündenbekenntnisse des Volkes, die nach Steck eindeutig der Tradition des dtrGB zuzurechnen sind[50].

---

44 Vgl. auch Jub 23,30f; PsSal 8,23.34; 9,3-7.

45 Vgl. VOLZ, Eschatologie, 362. Eschatologisch zu verstehen ist auch der Ausdruck εὐδοκία in PsSal 8,33; vgl. ebd. 394.

46 STECK, aaO, 187.

47 Ebenfalls die futurischen Verbformen in Jub 23,26: und in jenen Tagen werden die Kinder beginnen ...; PsSal 9,6f: ἐξομολογήσει, ἀφήσεις, εὐλογήσεις.

48 CD 1-8.

49 CD 19f.

50 Vgl. STECK, aaO, 166.

CD 1,3-13a beschreibt die Entstehung der Gemeinde. Bezeichnenderweise liegt gerade hier das dtrGB zugrunde: Im Text beginnt die Geschichte Israels mit dem Gericht (B) von 587, CD 1,3b-4a, welches als Strafe für die vorexilischen Sünden des Volkes (A) aufgefaßt wird, CD 1,3a. Seine Andauer reicht bis in die Gegenwart der Qumrangemeinde hinein, CD 1,5bf. In dieser "Zeit des Zorns" (Z5) läßt Gott "aus Israel und Aaron eine Wurzel der Pflanzung sprießen" (Z7); damit wird das Entstehen der Asidäer und die ihnen verheißene Landnahme als Heilshandeln Gottes (D) gewertet, CD 1,7b-8a. Doch hat die asidäische Bewegung nur vorläufigen Charakter. Erst durch den Lehrer der Gerechtigkeit ist die eigentliche Unterrichtung und Umkehr (C) möglich[51]: "Und sie (= die Asidäer) waren wie Blinde und solche, die nach dem Wege tasten zwanzig Jahre lang. Und Gott achtete auf ihre Werke, denn mit vollkommenem Herzen hatten sie ihn gesucht, und erweckte ihnen den Lehrer der Gerechtigkeit, um sie auf den Weg seines Herzens zu führen", CD 1,9b-11. Diejenigen, die den Weg Gottes nicht befolgt haben und sich nicht der Qumrangemeinde angeschlossen haben, werden von Gott verworfen (E). So hat das dtrGB für die Israeliten selbst einen doppelten Ausgang. Heil oder Vernichtung entscheidet sich letztendlich an der Zugehörigkeit zur Gemeinde von Qumran[52].

Entgegen der verbreiteten Praxis dtrn Umkehrpredigten wenden sich die Texte aus Qumran nicht an ganz Irael. "Der Abgeschlossenheit der Gemeinschaft gegenüber allen Außenstehenden korrespondiert, daß es

---

51 Vgl. die Selbstbezeichnung der Qumrangemeinde als "Umkehrende Israels" CD 4,2; 6,5; 8,16; 19,29.

52 Vgl. STECK, aaO, 116. Das Schema des dtrGB zieht sich fortlaufend durch die Kolumnen 1-8 durch:

A:	CD 1,13b-21/2,7b-9	2,17-21	3,5-8a		5,1-5.17-6,1
B:	CD 2,1	2,21-3,1	3,8b-11		5,16
C:	CD 2,2-5a/2,14-16	3,2-4a	3,12	4,2-4	5,3-7,9a
D:	CD 2,2-5a/2,11-12	3,2-4a	3,13-20	4,5-12	5,2
E:	CD 2,5a-7a/2,13	3,4b		4,13-21	7,9b-12

A:	CD 8,4b-13a	20,13b-15
B:	CD 8,13b	20,16
C:	CD 8,16	20,17f
D:	CD 8,17-18a	20,18b-24a
E:	CD 8,18bf	20,24b-26

kein Verkündigungswirken an Israel mehr geben kann, das zur Umkehr und angesichts der Heilswende zum Gehorsam riefe"[53]. Umkehr und Heilswende sind allein auf die Qumrangemeinde beschränkt.

Das Selbstverständnis dieser Gemeinde kommt insbesondere in ihrer Bezeichnung als jaḥaḏ zum Ausdruck. Dabei meint jaḥad nicht nur die Gemeinschaft in Form eines organisierten Ganzen; von der Etymologie her umschließt der Begriff die Momente des "Eins-sein, Gemeinschaft-sein", so daß dadurch sowohl der Gedanke der Gemeinschaft als auch der der Einigkeit aller Mitglieder untereinander ausgedrückt wird. Jaḥaḏ wird somit im Sinne eines ekklesiologischen Grundbegriffs verwandt.

Ein Eintritt in diese Gemeinschaft wird durch die Umkehr ermöglicht (1QS 1,17; CD 20,10)[54]. Umkehr (שוב) ist dabei ein äußerer Akt, eine konkret zu beobachtende Tat, die sich äußert im Verlassen des bisherigen Lebensbereichs und der Hinwendung zu den Essenern. Dieser Akt ist demzufolge die Voraussetzung für eine Zugehörigkeit zum jaḥaḏ. Der Umkehr in die Gemeinschaft korrespondiert die Abkehr (שוב) von der Sünde[55] im Sinne einer Abkehr von der "Versammlung der Männer des Frevels" (1QS 5,1f), d.h. von der Jerusalemer Tempelgemeinde. Dieses Umkehrverständnis stellt allerdings nur die eine Seite der Medaille dar. Mit dem äußeren Vollzug - dem Ortswechsel - geht eine innere Wandlung einher. Umkehr ist nicht nur Abkehr von den Sünden und Eintritt in die Gemeinschaft, sondern sie fordert gleichzeitig ein Umdenken, welches sich in einer radikalen Hinwendung zur Mose-Tora und zur Gemeinderegel manifestiert[56]. Dieses eindeutig nomistische Umkehrverständnis, welches sich unter dem Einfluß der deuteronomistischen Gesetzestheologie im gesamten Frühjudentum als Spezifizierung eines religiös-sittlichen Umkehrbegriffs ausgebreitet hat, ist in Qumran vielfach zu einem Austauschbegriff für die Umkehr zu Gott geworden. Die

53 STECK, aaO, 169.

54 1QS 7,2.17.24; 8,23; 9,1 erwähnen die Umkehr im Kontext eines Strafkatalogs: Die Strafe besteht darin, daß bei schwerwiegenden Verstößen eine Rückkehr in die Gemeinschaft nicht mehr möglich ist.

55 1QS 5,1.14; 10,20; CD 2,5; 15,7; 20,17.

56 1QS 5,8; 10,11; CD 15,9.12; 16,1.4.

genaue Observanz der Toragebote ist die eigentliche konkret erfüllbare Realisationsmöglichkeit der Umkehr zu Gott[57].

Die besondere Betonung der Hinkehr zum Gesetz ist ein Hinweis auf den qumran spezifischen Umkehrbegriff. שוב bezeichnet nicht einzig ein Augenblicksgeschehen, einen einmaligen Akt des Eintritts in die Gemeinschaft, sondern eine das gesamte Leben des Gemeindemitglieds umgreifende bestimmende Haltung, die sich je und je in der Gebotspraxis aktualisiert[58]. Umkehr meint demnach "eine persönliche Entscheidung für einen verschärften Toragehorsam"[59]; sie ist somit nicht zu ersetzen durch Sühneriten und kultische Waschungen. Der durative Charakter der Umkehr kommt insbesondere durch die Selbstbezeichnung der Gemeinde als "Umkehrende Israels"[60] zum Ausdruck. In Erwartung des eschatologischen Gerichts, in der Gewißheit, der heilige Rest Israels zu sein und in der Hoffnung auf eine Lebensgemeinschaft mit Gott ist die Umkehr die den Gemeindemitgliedern einzig angemessene Haltung. So versteht sich die Gemeinde von Qumran als eine Umkehrbewegung mit verpflichtendem Charakter: "Der Schritt zum jaḥaḏ ist die eine Umkehr. Zugehörigkeit zum jaḥaḏ und damit die jaḥaḏ-Lebensweise sind die andere Umkehr, deren Beständigkeit und Intensität immer wieder ins Bewußtsein gerufen wird"[61] und deren Einhaltung die unabdingbare Voraussetzung für ein von Gott gewirktes Heil ist.

Trotz der zu verzeichnenden Modifikation des Umkehrverständnisses ist festzuhalten, daß die Heilshoffnungen Israels generell nicht in Frage gestellt werden. Vom Bewußtsein der eigenen Erwählung durch Gott getragen, bleibt das heilsgeschichtliche Denken für Israel bestimmend. Doch ist der Zugang zum Heil nicht mehr für alle offen. Wer sich jedoch für die Umkehr entscheidet und den Weg des Gesetzes einschlägt, dem ist zukünftiges Heil sicher.

---

57 Von den drei Textstellen, die dezidiert von einer Umkehr zu Gott sprechen, 1QH 16,17f; 4QDibHam 5,13; CD 20,23f stellen allein zwei, 1QH 16,17f und 4QDibHam 5,13 einen unmittelbaren Zusammenhang zur Gebotsverfolgung her.

58 Vgl. FABRY, Umkehr, 176.

59 BRAUN, Umkehr, 75.

60 CD 4,2; 6,5; 8,16; 19,29.

61 FABRY, Wurzel, 292.

3.1.4. Auswertung

Ein Vergleich dtrn Umkehrpredigten mit der Johannespredigt zeigt, daß uns hier wie dort diesselbe formale Struktur begegnet. Demzufolge erscheint es gerechtfertigt, den Grundtext unter formalem Aspekt in die Tradition der Predigten des dtrGB einzuordnen, obwohl ein Element, die "Gerichtskontinuität", in der Täuferrede nicht vertreten ist. Dies mag zum einen seinen Grund in der massiven und radikalen Gerichtsandrohung haben; ein Hinweis auf die Andauer des Gerichts hat darin nämlich keine Funktion mehr. Zum anderen aber geht es dem Täufer nicht um einen Geschichtsüberblick, der die Kontinuität des göttlichen Gerichts dokumentiert.

Inhaltlich gesehen geht es sowohl den Predigern des dtrGB als auch Johannes dem Täufer darum, ihre Adressaten zur Umkehr zu bewegen. Diese stellt bei beiden das zentrale Anliegen dar. Weil der Täufer ganz Israel im Blick hat, richten sich sowohl die "Heilsansage" als auch die Unheilsansage an diese Adresse. Eine Aufteilung im Sinn von Heil für Israel, Unheil aber seinen Feinden liegt nicht mehr in seinem Gesichtsfeld. Die Existenzweise Israels, sein Verharren im permanenten Ungehorsam, bedingen die radikale Gerichtsverfallenheit des Volkes in der Sicht des Johannes. Insofern liegt hier eine Übereinstimmung der Täuferpredigt mit der dritten Überlieferungsstufe des dtrGB vor. Die eschatologische Ausrichtung der johanneischen Gerichts- und Heilsvorstellung vermag diese Vermutung zu stützen.

Doch läßt sich anhand der beobachteten Übereinstimmungen nicht ohne weiteres eine Abhängigkeit der Johannespredigt von den dtrn Umkehrpredigten behaupten. Dafür sind die vorhandenen Unterschiede zu einschneidend:

- In den Augen des Täufers ist ein Rückgriff auf die von Gott an Israel ergangenen Heilstaten nicht mehr möglich. Erhielt Israel bisher durch die Berufung auf den Väterbund und durch das Wissen um die Treue Gottes die Gewißheit, das erwählte Volk zu sein, dem kommendes Heil garantiert ist, so wird jetzt gerade der Abrahamsbund als Hoffnungsgrund für zukünftiges Heil in Frage gestellt. Israel hat den "heilsgeschichtlichen Boden" unter seinen Füßen verloren.
- Die Umkehr bedingt nicht mehr Heil. Sie ist also weder "Zwischenglied" auf dem Weg vom Gericht zum Heil noch "zentrales Entscheidungskriterium" für das Heil. Während in den dtrn Predigten die

erfolgte Umkehr die Heilsgarantie in sich schließt, ist die Metanoia bei Johannes lediglich die letzte Möglichkeit, dem Unheilsstatus und somit der umfassenden Gerichtsverfallenheit zu entkommen. Eine Heilsgarantie schließt die Umkehr bei Johannes gerade nicht ein. Indizien dafür sind sowohl das Fehlen einer direkten Heilszusage, als auch die Tatsache, daß der Umkehrruf nicht konditional formuliert ist. Die Forderung einer Rückkehr zum Gesetz oder zu Gott, wie sie vielfach in dtrn Predigten begegnet, ist nicht zu finden.

- Die allgemeine Gerichtsverfallenheit schließt eine durch den Rekurs auf den Väterbund bedingte Rettung, wie sie im dtrGB in Aussicht gestellt wird, von vornherein aus. Vielmehr dient der Verweis auf den Väterbund sogar als Verstärkung der Gerichtsansage. Damit einher geht die Feststellung, daß das vom Täufer nur versteckt angedeutete Heil nicht mehr im Bereich heilsgeschichtlicher Kontinuität liegt. Dies mag auch der Grund für das Fehlen eines konditional formulierten Umkehrrufes sein. Das mögliche Heil wird jetzt ausschließlich nur noch von Gott her gedacht und allenfalls denen zuteil, die sich haben taufen lassen.

Johannes übernimmt die in der Tradition des dtrGB vorgegebene formale Struktur der Umkehrpredigt. Die dahinter stehende Geschichtskonzeption einer konditionalen Verknüpfung von Umkehr und Heil freilich ist hier durchbrochen: Weder Väterbund noch erfolgte Umkehr garantieren den Heilsempfang, der vielmehr an das freie Erwählungshandeln Gottes gebunden ist. Von daher ist die Metanoia bei Johannes eher als "Sündenbekenntnis" denn als Beginn einer neuen z.B. am Gesetz orientierten Praxis zu kennzeichnen. Es geht um die Anerkennung des umfassenden Unheilsstatus und des souveränen Handelns Gottes. Die Vermutung, daß die Wassertaufe als ein gegenüber der Tradition des dtrGB neues und spezifisch johanneisches Element in diesem Zusammenhang zu verstehen ist, legt sich nahe. Die enge Bezogenheit der Wassertaufe auf das eschatologische Gericht ergibt sich dabei durch die Kennzeichnung des Kommenden als Feuertäufer. Insofern könnte das Auftreten des Johannes und seine Taufpraxis als Prolepse des kommenden Gerichts gewertet werden. Wer durch die Wassertaufe gegangen ist, kann der Feuertaufe entgehen.

3.2. Umkehrpredigt und Umkehrverständnis im apokalyptischen Geschichtsbild

Ein Vergleich der Umkehrpredigt Johannes des Täufers mit denen, die in der Tradition des dtrGB stehen, hatte gezeigt, daß sich zwischen beiden Übereinstimmungen feststellen lassen, die sich nicht allein auf das rein Formale beziehen. In entscheidenden Punkten allerdings wichen sie voneinander ab. Gerade für die johanneische Sicht der Umkehr konnte keine Parallele aufgewiesen werden. Zudem widersprechen die ganz dem heilsgeschichtlichen Denken verpflichteten dtrn Umkehrpredigten dem von Johannes vertretenen Bruch mit einer Vergangenheit, die geprägt war von der Erwartung zukünftigen Heils. Hier begegnen wir einem für die Apokalyptik charakteristischen Denken. Von daher ist der Weg für die weitere Fragestellung gewiesen. Möglicherweise ergeben sich von der Apokalyptik her Anhaltspunkte, die eine genauere theologiegeschichtliche Einordnung des Täufers möglich machen.

Bereits Steck reflektiert die wichtige Stellung der Apokalyptik innerhalb der Entwicklung des Frühjudentums[62], doch ist seiner Meinung nach die Apokalyptik keine besondere theologische Vorstellungswelt. Viel eher "stellt sich die Frage, ob die Offenbarungbücher der 'Apokalyptik' nicht dem Zweck dienen, thematische und vorstellungemäßige Ankristallisationen an das verbreitete dtrGB als Offenbarungsgut durchzusetzen ..."[63]. So sei es fraglich, inwieweit überhaupt von einem apokalyptischen Geschichtsbild gesprochen werden kann. Dies sei erst legitim, wenn sich ein gegenüber dem dtrGB spezifisch theologischer Sinn des apokalyptischen Geschichtsbildes nachweisen läßt[64].

Eine Hauptschwierigkeit der gegenwärtigen Apokalyptik-Forschung liegt darin, daß es an einer konsensfähigen Grunddefinition dessen fehlt, was unter "Apokalyptik", "apokalyptisch" und "Apokalypse" zu verstehen ist[65]. Eine brauchbare Arbeitsgrundlage bietet zumindest eine phänomenologische Beschreibung, die es ermöglicht, den apokalyptischen Sach-

---

62 Vgl. STECK, aaO, 192f.

63 Ebd. 193.

64 Vgl. STECK, aaO, 192f.

65 Die gegenwärtige Forschungslage repräsentiert der von HELLHOLM herausgegebene Sammelband über Apokalyptik im Mittelmeerraum und im Nahen Osten, der die Ergebnisse eines Apokalyptikkolloquiums 1979 in Uppsala wiedergibt.

verhalt zu erfassen und so einen generellen Gebrauch der drei Begriff rechtfertigt. So gehören zur Apokalyptik im umfassenden Sinn folgende inhaltliche Kennzeichen: "Linearer, mehr oder weniger periodisierter Geschichtsverlauf, 'Endzeitprophetie' (eschatologisches Element), pessimistische Weltbetrachtung, Jenseitslehren, Polarisierungen (duale oder dualistische Züge), Unheils- und Heilszeitvorstellungen, esoterisches Wissen um die Vorgänge in Korrespondenz zu Offenbarungen und Visionen besonderer Art, niedergelegt in schriftlichen Dokumenten; vorausgesetz wird eine religiöse Unheilssituation, deren Bewältigung Wurzel der Apk ist"[66]. Formal lassen sich die Apokalypsen bestimmen durch die Rahmenerzählung, durch Dialoge, Himmelsreisen, Auditions- und Visionsberichte, Paränesen. Charakteristisch für sie ist die vielfache Verwendung von Symbolen und Metaphern. In bezug auf den Verfasser ist dabei das Phänomen der Pseudonymität kennzeichnend[67].

Für den folgenden Arbeitsschritt werden allerdings nicht alle Aspekte eine besondere Berücksichtigung erfahren. Interessant sind hier vor allem zwei Gesichtspunkte: Gibt es innerhalb der historisch-politischen Entwicklung des Frühjudentums Anhaltspunkte, die die Ausbildung eines gegenüber dem dtrGB modifizierten Geschichtsbildes möglich machten, obwohl das dtrGB als Interpretationsmodell für die Geschichte Israels vorhanden war? Wenn ja, was ist dann das Spezifische dieser neuen Geschichtskonzeption gegenüber der bisherigen?

3.2.1. Die Ausbildung des apokalyptischen Geschichtsbildes

Die politischen Entwicklungen des ausgehenden dritten Jahrhunderts und des beginnenden zweiten Jahrhunderts v.Chr., die gekennzeichnet waren durch das Hellenisierungsstreben Antiochus III und seines Sohnes Antiochus IV erreichten ihren vorläufigen Höhepunkt im Religionsverbot Antiochus IV, welches einen Abfall vieler assimilationswilliger Juden von der Tora nach sich zog. Das vom Hohenpriester Menelaos initierte und von Antiochus IV sanktionierte Verbot hatte als Ziel die Ausrottung der jüdischen Religion. Der Grund für die Verfolgung dieses Ziels war der

---

66 RUDOLPH, Apokalyptik, 776.

67 Vgl. RUDOLPH, aaO, 776f.

Wunsch, die Herrschaft des Hohenpriesters und der Seleukiden zu stärken[68]. Die Notwendigkeit zur Stabilisierung der Herrschaft war bedingt durch den Tempelraub des Menelaos: Menelaos hatte sich bei Antiochus IV aufgrund eines höheren Tributangebots die Hohepriesterwürde erkauft; der amtierende Hohepriester Jason wurde abgesetzt und mit Menelaos erstmalig ein Nichtzadokide als Hoherpriester eingesetzt - eine Konfrontation mit der zadokidischen Priestersippe, die seit Jahrhunderten in Erbnachfolge die Hohepriesterwürde inne hatte, war vorprogrammiert[69]. Durch sein Tributangebot begab sich Menelaos in die Abhängigkeit des Königs und um den Forderungen Antiochus IV nachzukommen, sah Menelaos sich genötigt, auf die Tempelschätze zurückzugreifen. Das Verhalten des Menelaos hatte zur Folge, daß sich viele, die bisher dem Hohenpriester und seinen reformfreudigen Anhängern wohlwollend gegenüberstanden, abwandten, so daß sich dadurch die Basis derjenigen verringerte, die das Hellenisierungsstreben des Königs und seines ihm ergebenen Hohenpriesters unterstützten.[70]

Im Tempelraub des Menelaos wird auch der eigentliche Grund für das Entstehen der Asidäer liegen, da eine derartige Schändung des Tempels für die frommen Juden nicht tragbar war. In den Augen der Frommen war der Griff nach dem Tempelschatz ein Sakrileg, weil er einen Angriff gegen die göttliche Ordnung bedeutete. Wahrscheinlich schloßen sich die Frommen in der συναγωγὴ Ἀσιδαίων (1Makk 2,42) zusammen, die sich angesichts der Verfehlungen des gottlosen Hohenpriesters zur strikten Heiligung der Tora verpflichteten. Die Bewegung entstand vermutlich zwischen 172 und 170 v.Chr.[71] Ihre einzige Chance, die Einhaltung des Gesetzes zu wahren, war für die Asidäer somit die Absonderung von der Hierokratie. Das Festhalten an der Tora war gleichzeitig ein Festhalten an dem Bewußtsein, Volk Gottes und somit keines anderen Volk zu sein. Im Gegensatz zu Menelaos und seinen Anhängern, die mit ihrem Hellenisierungsstreben die Existenz Israels aufs Spiel setzten, ging es den Asidäern um die Bewahrung der eigenen Identität, die sich im Bekenntnis

---

68 Vgl. HENGEL, Judentum, 525.527f.

69 Ebd. 508; BRINGMANN, Reform, 125.132.

70 Vgl. 2 Makk 4,23-50; siehe auch HENGEL, aaO, 509f; BRINGMANN, aaO, 125.

71 Vgl. BRINGMANN, aaO.

zu Jahwe als dem einen Gott, und im Festhalten an Bund und Gesetz manifestierte[72].

Das von Antiochus im Jahre 164 v.Chr. erlassene Religionsedikt hatte eine doppelte Auswirkung: eine theologische und eine politisch-soziale. Das Edikt zielte vor allem auf die Abschaffung des mosaischen Gesetzes, indem jetzt Anordnungen erlassen wurden, die grundsätzlich von der Tora verboten waren, wie z.B. das Opfer von Schweinen, das Verbot der Beschneidung für Juden u.a.[73]. Eine strikte Anwendung des Religionsverbots hatte - theologisch gesehen - die Aufgabe der Identität des jüdischen Volkes und dessen Auflösung in das synkretistische Umfeld hinein zur Folge. Trotzdem schlossen sich viele Juden der hellenistischen Reform an, weil sie damit einen politisch-sozialen Aufstieg verbanden. In Dan 11,39b heißt es: "Alle, die ihn (sc. den fremden Gott) anerkennen, überhäuft er (sc. Antiochus IV) mit Ehren; er verleiht ihnen die Herrschaft über viele Menschen und teilt ihnen als Belohnung Land zu". Wer sich also vom Gesetz des Mose abwandte, konnte Macht und Land gewinnen und umgekehrt, wer dem Gesetz treu blieb, konnte alles verlieren[74].

Die Reaktion auf das Religionsedikt blieb nicht aus. Die Makkabäer übten aktiven Widerstand gegen die Religionspolitik des Antiochus und seines Hohenpriesters; ihnen schlossen sich die Asidäer an[75].

Das Vorgehen des Königs hatte nicht nur politische Folgen, die bei einem Teil der jüdischen Bevölkerung im Widerstand gipfelten. Die Tatsache, daß viele Juden der Tora den Rücken kehrten und sich dem Hellenisierungswillen Antiochus IV unterwarfen, bedingte bei den Asidäern eine theologische Reflexion der konkreten historischen Situation: Der Abfall vieler assimilationswilliger Juden von der Tora kam einer Preisgabe der Identität des Gottesvolkes gleich. Die bereits im dtrGB reflektierte Spannung zwischen dem Unheilsstatus Israels einerseits und dem heilsmächtigen Gott andererseits wuchs für die Asidäer ins Unerträgliche. Für sie stand Gesamtisrael nicht mehr nur unter der durch die

---

72 Vgl. HENGEL, aaO, 557.

73 Vgl. 1Makk 1,47; 2Makk 6,5; 1Makk 1,15.60; 2,46; 2Makk 6,10. Hinweise auf den Inhalt des Religionsverbots finden sich in 1Makk 1,44-51.52-64; 2Makk 6,6-11.

74 Vgl. HENGEL, aaO, 529; BRINGMANN, aaO, 132.

75 Vgl. BRINGMANN, aaO, 138-140.

Sünden der Vorfahren überkommenen Schuld, sondern die vorexilische Sündengeschichte aktualisierte sich durch den erneuten Abfall von der Tora in erschreckender Weise, da Israel nämlich jetzt bewußt auf sein Ende zusteuerte[76] und um des politisch-sozialen Vorteils willen seine religiöse und nationale Existenz aufs Spiel setzte. Die Geschichte Israels mußte faktisch durch das Verhalten vieler Juden zu einer Unheilsgeschichte werden. Der im dtrGB angelegte Verlauf der Geschichte Israels auf Erlösung hin brach durch die zeitgeschichtlichen Entwicklungen jäh ab. Somit wurde das dtrGB in den Augen der Asidäer als theologisches Interpretationsmodell ihrer eigenen Zeit unbrauchbar. Was blieb, war das Wissen um die Sündhaftigkeit des Volkes Israel, die Erfahrung der Bedrängnis, die die toraergebenen Juden durch die syrische Religionsverfolgung machten und die Hoffnung, daß Gott trotz allem seinem Bund treu bleibt. Dies zusammen bedingt eine Sicht der Geschichte, die nicht mehr auf eine innergeschichtliche Heilsrestitution Israels hinstrebt, sondern nur noch auf eine Beendigung der vom Unheilsstrudel erfaßten Geschehnisse zusteuert.

Dem bisherigen Verständnis des Geschichtsverlaufs, wie es im dtrGB vertreten wird, steht nun eine Geschichtsauffassung gegenüber, deren Kennzeichen die "Beziehungslosigkeit zwischen Geschichte und Heil"[77] ist. Dieses konstitutive Element des sich entwickelnden apokalyptischen Geschichtsbildes (apkGB) umfaßt folgende Charakteristika, die konsequent das theozentrische Denken offenbaren:

Die tiefe Kluft zwischen sündigem Israel und Gott kann nicht mehr überbrückt werden. Die Prediger des dtrGB mit ihrem Ruf zur Umkehr sind gescheitert. Es gibt keine Möglichkeit mehr, den Lauf der sich verdunkelnden Weltgeschichte aufzuhalten.

Was bleibt, ist die Einsicht in die eigene Sündhaftigkeit, die sich in Form einer Gerichtsdoxologie äußern kann[78] sowie die Hoffnung auf ein neues eschatologisches Heilshandeln Gottes am Ende der Tage. Dieses wird vorgestellt als ein neues Erwählungshandeln, welches grundsätzlich analog der Abraham zuteilgewordenen Erwählung samt ihrer theologischen Konsequenz eines engen Verhältnisses zwischen Erwählendem und Erwähltem vorgestellt wird.

---

76 Vgl. äthHen 90,6-9a.

77 Müller, TRE 3, 212.

78 Vgl. 3Esr 10,16.

Nur Gott ist in der Lage, dem Lauf der Geschichte ein Ende in Form des universalen eschatologischen Gerichts zu setzen. Es liegt in der Konsequenz apokalyptischen Denkens, daß im Gericht nicht allein zwischen Israel und seinen Feinden geschieden wird. Die Erfahrung der erneuten Auflehnung Israels gegen Gott bedingt, eine Trennungslinie innerhalb Israels zu ziehen, so daß jetzt im Gericht geschieden wird zwischen Gerechten und Ungerechten.

Der strikt theozentrischen Ausrichtung der apokalyptischen Gerichtssicht entspricht die Vorstellung einer himmlischen Vorabbildung der irdischen Geschichte. Der Apokalyptiker bekommt Einsicht in diese Metageschichte, die die Unmöglichkeit menschlicher Einwirkung auf den Geschichtsverlauf dokumentiert.

Collins hat von dieser Beobachtung ausgehend versucht, in der Enthüllung der transzendenten Wirklichkeit in ihrer zeitlichen und räumlichen Dimension durch ein außerweltliches Wesen das entscheidende Merkmal des literarischen Genres Apokalypse zu finden (79). Der Glaube an eine andere himmlische bereits gegenwärtig existierende Welt gehört nach Collins zu der die jüdisch-hellenistischen und palästinensischen Apokalypsen verbindenden "thought structure" (80). Ob diese in der Tat zutreffende Beobachtung allerdings zur Gattungsbestimmung ausreicht, ist fraglich, zumal Collins bewußt die Fragen nach dem historisch-politischen und sozialen Hintergrund der Texte ausklammert (81).

Formal gesehen übernimmt das apkGB den Aufbau dtrn Umkehrpredigten. So begegnet uns innerhalb apokalyptischer Texte das Schema Aufweis der Sündhaftigkeit (A) - Gerichtsschilderung (B) - Umkehrmahnung (C) - Heilsansage (D) - Unheilsansage (E), allerdings wird es in spezifisch apokalyptischem Sinn umgeformt.

Demzufolge lebt Israel nicht mehr in der durch die vorexilischen Sünden des Volkes überkommenen Schuld. Durch seine eigenen Sündentaten aktualisiert sich die Schuld in erschreckender Weise. Dadurch wird Israels Existenz zu einer unheilvollen Existenz. Dem korrespondiert, daß das Volk nicht einzig in der Andauer des Gerichts von 587 steht, sondern die politischen Oppressionen als konkretes Gericht hier und jetzt durchlebt. Angesichts dieser erschreckenden Erkenntnis scheint eine Umkehrforderung im Sinne des dtrGB unangebracht. Die Verfasser apokalyptischer Schriften versuchen viel eher, auf eine grundsätzliche Um-

---

79 Vgl. COLLINS, Genre, 531-548.

80 Ebd. 545.

81 Vgl. hierzu die Kritik von SANDERS, Genre, 454-458.

kehrhaltung abzuheben. Eine direkte Verbindung zwischen Umkehrruf und Heil gibt es im apokalyptischen Schema nicht. Ein konditional formulierter Umkehrruf ist innerhalb dieser Texte nicht auszumachen. Die Erwartung eines universalen eschatologischen Gerichts läßt keine Hoffnung mehr auf eine innergeschichtliche Heilsrestitution zu. Dafür wird jetzt das endgültige Ende der hiesigen Welt und das Aufkommen einer neuen, besseren Welt erhofft.

Tiervision

Eine erste theologische Reflexion auf das Hellenisierungsansinnen Antiochus III, welches eine Liquidierung der nationalen Hoffnungen Israels nach sich zog, findet sich im Nachtgesicht am Ende des zweiten Kapitels des Danielbuches (Dan 2,28-45)[82]. Die bisherige Erwartung einer Befreiung durch Gottes Handeln in der Geschichte, indem Israel aus der Zerstreuung zurückgeführt wird und seine Feinde bestraft werden, wandelt sich aufgrund der weiterhin erfahrenen Unterdrückung durch andere Völker[83] zu einer Hoffnung, die sich auf ein heilsgeschichtlich analogieloses, von Gott herbeigeführtes Ende richtet, welches die Errichtung des Gottesreiches (V44) zum Ziel hat.

Die Tiervision (äthHen 85-90) bietet schließlich einen durchdachten Geschichtsentwurf, der eine Rekapitulation der Geschichte Gottes mit Israel darstellt. Ihre Entstehung wird für die Zeit nach dem Regierungsantritt Antiochus IV, 175 v.Chr., angesetzt. In ihr spiegeln sich die politischen Ereignisse, die Religionsverfolgung unter Antiochus IV und der Aufstand der Makkabäer. ÄthHen 90 läßt erkennen, daß die Tiervision zur Zeit des Makkabäeraufstandes verfaßt worden sein muß. Mit dem Bild vom "großen Horn", welches "einem Schaf hervorsproßt", will äthHen 90,9 auf das Auftreten des Judas Makkabäus (166 v.Chr.) hinweisen, der sich gegen die makedonischen "Adler" und die seleukidischen

---

82 Dan 2 nimmt nirgendwo Bezug auf die Ereignisse in Palästina unter Antiochus IV. Von daher vermutet MÜLLER, aaO, 211, daß das Nachtgesicht zwischen 242 und 187 v.Chr., der Regierungszeit Antiochus III, entstanden ist.

83 Das Bild von den vier sich ablösenden Weltreichen in Dan 2, 37-43 bringt dies zum Ausdruck.

"Raben" zur Wehr setzt (äthHen 90,11-13)[84]. Wir hatten bereits im vorhergehenden Abschnitt gesehen, daß sich der Widerstand der Makkabäer gegen die syrische Religionspolitik richtete. Besonders erfolgreich war die Schlacht des Judas Makkabäus und seiner Anhänger, die sie bei der Festung Beth-Zur an der Südgrenze Judäas gegen den Reichsverweser Lysias gewannen; äthHen 90,13-15 und 2Makk 11,6-12 nehmen darauf Bezug[85]. Der Sieg der Makkabäer führte dazu, daß das Religionsedikt in seiner strengsten Form aufgehoben und im Dezember 164 v.Chr. der Tempel in Jerusalem neu eingeweiht wurde[86]. Da die Tiervision vom Tod des Judas Makkabäus im Jahr 161 oder 160 v.Chr. nicht berichtet und es sogar von äthHen 90,13-19 her den Anschein hat, als sähen die Verfasser der Tiervision mit dem Makkabäueraufstand den Beginn des eschatologischen Endkampfes angebrochen[87], wird eine Datierung der Apokalypse zwischen 164 und 161/160 v.Chr. anzusetzen sein[88]. Der Kampf des Judas Makkabäus gegen die Seleukiden steht unter dem Schutz und Beistand Michaels. Eine Verflochtenheit der irdischen mit den himmlischen Geschehnissen läßt sich dort beobachten, wo die Kämpfe auf der Erde eschatologisch gedeutet werden (90,13ff): Mit ihnen bricht das Endgericht an und die eschatologische Wende wird herbeigeführt. Israel selbst hat eine besondere Stellung innerhalb des endzeitlichen Geschehensablaufs. Ihm wird das große Schwert übergeben, damit es seine Widersacher tötet (90,19).

Das spezifisch apokalyptische Denken erschließt sich von der Doxologie in 90,40f her, mit welcher der Seher seinen Traumbericht beschließt. Der Lobpreis bezieht sich nämlich nicht auf die mit Ausführlichkeit geschilderten Heilszuwendungen Gottes zwischen Abraham und Salomo (89, 11b-50), sondern auf das von Gott herbeigeführte eschatologische Ende, welches als universales Gericht vorgestellt wird (90,15ff)[89].

---

84 Vgl. HENGEL, aaO, 343.

85 Vgl. LEIPOLDT-GRUNDMANN, Umwelt I, 151f; GUNNEWEG, Geschichte, 152f; UHLIG, Henochbuch, 673.

86 Vgl. GRUNNEWEG, aaO, 152.

87 Vgl. HENGEL, aaO, 343.

88 Vgl. UHLIG, aaO, 673; HENGEL, aaO, 342.

89 Vgl. MÜLLER, aaO, 213.

Trotz der durchweg negativen Weltsicht des Verfassers - obwohl Gott immer wieder rettend bei Adam, Noah und Abraham gehandelt hat, mündete die Geschichte Israels durch das "Tun der Menschen" (90,41b) je und je in Unheilssituation - liegt es auch weiterhin in dessen Interesse, Israel zur Umkehr zu bewegen[90]. Hierbei orientiert sich der Verfasser an dem Schema der auch das dtrGB prägenden Umkehrpredigten, ohne allerdings das heilsgeschichtliche Denken des dtrGB zu übernehmen. Dies kommt enscheidend im Umkehrverständnis der Apokalyptik zum Ausdruck.

Der Verfasser der Tiervision benützt eine symbolische Sprache, deren grundlegende Metapher die Beziehung der Israeliten als Schafe ist. Die Vision ist unterteilt in vier Hirtenperioden, wobei die letzte die Gegenwart des Verfassers umschließt (90,6ff). Die gesamte Geschichte Israels sieht der Autor als Zeit des permanenten Ungehorsams. Nach der Landnahme, in der vorexilischen Königszeit (89,40-54) kommt es zum Abfall Israels von Gott. Aber selbst das Strafgericht von 587 mit seinen Auswirkungen - Fremdherrschaft und Exil - vermag das Volk nicht zur Räson zu bringen (89,65-90,17). Trotz der Einweihung des zweiten Tempels bleiben die Israeliten weiterhin blind (V74). Doch reicht die bisherige Sündengeschichte des Volkes nicht mehr nur als Schuld bis in die Gegenwart hinein. Sie aktualisiert sich sogar in der Zeit des Verfassers: Obwohl eine Bewegung entstanden war, die Israel zur Umkehr aufrief, blieb das Volk weiterhin blind und taub, so daß nur noch vom Scheitern der Umkehrbewegung berichtet werden kann (90,6-9a). Möglicherweise versteckt sich hinter dieser Notiz ein Hinweis auf die bisher vergebens ans Volk gerichteten Umkehrpredigten des dtrGB.

Die Sichtweise der Existenz Israels als der permanenten Ungehorsams stellt sich als Radikalisierung der dtrn Auffassung von der Andauer der Schuld dar. Von daher läßt sich das dem Schema der Umkehrpredigten typische Element A auch in diesem Text nachweisen.

---

90 Die eindeutige Orientierung an ganz Israel (vgl. 90,10.18f) entkräftet die Behauptung VIELHAUERS, Apokalypsen, 420, daß Apokalypsen "Konventikelliteratur" seien, die sich nur an einen esoterischen Kreis von Frommen wenden. Dies trifft zwar für manche Apokalypsen zu, so z.B. für die Zehnwochenapokalypse (äthHen 93,3-10; 91,12-17), viele aber richten sich weiterhin an ganz Israel (vgl. 4Esr, syrBar).

Der Aktualisierung der Sündengeschichte des Volkes in der Gegenwart korrespondiert eine Aktualisierung des als weiterhin andauernd erfahrenen Gerichts von 587 (B): Darunter fallen die Fremdherrschaft der Assyrer und Chaldäer ebenso (85,65-77) wie die der Griechen, Ptolemäer und Syrer (90,1-4). Zudem wird jetzt die Herrschaft Antiochus IV (90,5-17) nicht mehr nur in der Kontinuität des weiterhin anhaltenden Gerichts gesehen, sondern sie wird als aktuelle Bedrängnis gewertet (V11). Die Rekapitulation der Geschichte Israels zeigt nicht nur auf, daß die Situation des erwählten Volkes maßgeblich vom permanenten Unheil gekennzeichnet ist; die Aktualisierung der Sündengeschichte sowie das Verständnis der Herrschaft Antiochus IV als Konkretion der Gerichtsandauer machen eine Hoffnung auf eine innergeschichtliche Heilrestitution Israels unhaltbar. In den Augen des Verfassers scheint sich dadurch die Geschichte auf ihrem Tiefpunkt zu befinden und auf ein absolutes Ende zuzusteuern. Die dreiundzwanzig Hirten, die in der vierten Periode zu herrschen beginnen (90,5), sind die letzten der von Gott berufenen siebzig Hirten.

Die in der Tiervision bis zur Zeit Salomos berichteten Heilstaten Gottes - das Rettungshandeln Gottes an Noah (89,1-9), die Erwählung Abrahams als Stammvater Israels (90,11f), der Exodus (90,11-27), der Zug durch die Wüste, die Gesetzgebung am Sinai und die Landnahme (90,28-40) sowie die Königszeit (90,42-49) - haben für die nachexilische Entwicklung der Geschichte Israels keine Relevanz mehr. Sie dienen sogar als Negativfolie: Der immer erneut erfolgten Zuwendung Gottes wird das sündhafte Handeln der Menschen gegenübergestellt. Die von Gott in vorexilischer Zeit eröffnete Möglichkeit einer heilvoll verlaufenden Geschichte wird durch die Situation Israels in ihr Gegenteil verkehrt. Die gesamte nachexilische Zeit verläuft zunehmend unheilvoll aufgrund des eigenwilligen Tuns der Menschen. Ein Eingreifen Gottes in diesen Geschichtsverlauf wird in der Tiervision nirgendwo berichtet.

Erst zum Schluß greift Gott handelnd ein, indem er mittels eines universalen eschatologischen Gerichts das Ende der Geschichte herbeiführt (90,18) und sie in einen Heilsstatus universal-kosmischen Ausmaßes überführt[91]. Die Gerichtsschilderung gliedert sich in zwei Abschnitte: In einem ersten Akt (90,20-28) hält Gott Gericht über die gefallenen Engel (VV21.24), die Feinde Israels (VV22.25) und über die verblendeten

91 Vgl. MÜLLER, aaO, 214.

Schafe, über die Sünder in Israel (VV26f) selbst. Wir sehen, daß das für das dtrGB charakteristische Element D, die Bestrafung der Feinde Israels, auf Israel selbst ausgeweitet wird. Diese Ausweitung ist das Ergebnis einer Reflexion über die Situation Israels, das trotz der häufigen Umkehrmahnungen weiterhin sündig blieb. Erst nach der Vernichtung aller Ungerechtigkeit und Sündhaftigkeit läßt Gott die eschatologische Heilszeit anbrechen (zweiter Akt), die in der Vorstellung von einem neuen Jerusalem zum Ausdruck gebracht wird (90,29-36). In ihm wohnen die Schafe, deren Augen geöffnet waren (V35), die Frommen, die Diasporajuden und die bekehrten Heiden (V30). Das Element E schließt also nicht mehr von vornherein ganz Israel ein, sondern nur noch die, die sich zu Gott bekennen.

Der Verfasser der Tiervision entwickelt seine Vorstellung vom eschatologischen Heil, weil die politischen Ereignisse seiner Zeit eine Heilserwartung in Form einer nationalen Hoffnung auf Restauration des Staates Israel nicht mehr zulassen. Das eschatologische Heil besitzt demzufolge keine innergeschichtliche Analogie und liegt somit auch fern jeglicher menschlicher Perspektiven. Es wird als etwas völlig Neues, nie dagewesenes vorgestellt, welches einzig und allein von Gott herbeigeführt wird.

Die Tatsache, daß ausnahmslos ganz Israel von der Unheilsgeschichte umfangen ist, macht die im dtrGB gebotene Möglichkeit der Umkehr im Sinne eines heilseröffnenden Weges für den Menschen nichtig. War bisher die Umkehr der Garant für eine Teilhabe am zukünftigen von Gott gewirkten Heil, muß das apkGB diese Auffassung aufgrund seiner theozentrischen Denkweise verneinen. Von Israels Seite aus besteht keine Möglichkeit mehr, auf eine Heilszuwendung Einfluß zu nehmen. Umkehr im Sinne von Rückkehr gibt es nicht mehr. Demnach meint Umkehr im apokalyptischen Sinn nur noch das Bekenntnis zur eigenen Sündhaftigkeit und die Anerkennung, daß heilsmächtiges Handeln allein bei Gott liegt. Das Entscheidende in der Apokalyptik ist das völlig neue Erwählungshandeln Gottes.

Deshalb begegnen wir auch in keinem der das apkGB rezipierenden Texte einem konditional formulierten Umkehrruf[92]. Die erhoffte Umkehr wird in den Texten auf verschiedene Art und Weise den Adressaten na-

92 Vgl. äthHen 93,3-10; 91,12-17; äthHen 92.94-104; ApkAbr; syrBar; 4Esr.

hegebracht. In der Tiervision ist die Umkehr verbunden mit dem aktionistischen Verhalten der Makkabäer (90,9b-10). V10 berichtet von dem Zusammenschluß der Asidäer mit den Makkabäern. Ausschlaggebend dafür waren nicht deren kriegerische Erfolge, sondern die dadurch erreichte Sammlung des Volkes, die in den Augen der Asidäer Anzeichen einer Hinwendung zum Willen Gottes als Voraussetzung seines erhofften Eingreifens war. Das Schwergewicht liegt jetzt auf den "geöffneten Augen" Israels (V9f)[93]. Die offenen Augen, die Zeichen der Umkehr sind (C), richten sich auf die entscheidende Wende, die allein Tat Gottes sein wird.

Anhand der Tiervision konnte die Entstehung des apkGB nachgezeichnet werden. Wir stellten fest, daß sich das apkGB aus dem dtrGB entwickelte, indem es das Anliegen des dtrGB weiterführte, die vorhandene Spannung zwischen Gott und sündigem Israel abzubauen und zudem das Schema der Umkehrpredigten des dtrGB übernahm. Jedoch handelt es sich dabei nicht einfach um eine Modifikation des dtrGB. Wir haben es hier mit einer Entwicklung eigener Prägung zu tun, deren Auslöser die zeitgeschichtlichen Ereignisse des dritten und zweiten Jahrhunderts v.Chr. waren und deren entscheidender Unterschied zum dtrGB in einer veränderten Sicht der Geschichte liegt. Inwieweit diese Sicht Konstitutivum einer Geschichtskonzeption ist, deren Ziel die theologische Bewältigung sozial-religiöser Krisensituationen Israels ist, muß erst noch an anderen Texten nachgewiesen werden.

Zehnwochenapokalypse

Eine besondere Stellung nimmt dabei die Zehnwochenapokalypse (äthHen 93,3-10; 91,12-17) ein. Sie ist zu werten als Reaktion auf die Konsolidierung der Makkabäer (ab 162 v.Chr.), deren Wandel von "charismatischen Volksführern zu wendigen Realpolitikern"[94] notgedrungen den

93 Vgl. MÜLLER, aaO, 213.

94 HENGEL, aaO, 411. BRINGMANN, aaO, 61-65 konnte überzeugend nachweisen, daß für die Makkabäer seit der Aufhebung des Religionsverbots im Herbst 165 v.Chr. durch Antiochus IV der Kampf nicht mehr aus religiösen Motiven gegen die seleukidische Herrschaft fortgeführt wurde, sondern allein aus sozial-politischen Gründen. Es ging fortan um die Stärkung ihrer eigenen Stellung.

Bruch der Asidäer mit den Makkabäern nach sich zog. Die mit den Kampfhandlungen der Makkabäer verbundene Hoffnung der Asidäer auf den Anbruch der eschatologischen Endzeit hatte sich nicht erfüllt. Zwar hatten die Makkabäer durch ihre Erfolge erreicht, daß die Unterdrückung der jüdischen Religion ein Ende hatte, doch gab es keinerlei Anzeichen dafür, daß die von den asidäischen Kreisen erwartete analogielose, durch Gottes Eingreifen bedingte, endgültige Wende der Zeiten eintreten würde.[95] Nachdem die Religionsfreiheit wiederhergestellt war, wandten sich die Frommen von den Makkabäern ab. Nach 1Makk 7,13 waren die Asidäer die ersten, die sich bei den Seleukiden und dem Hohenpriester Alkimus um Frieden bemühten. Die Intention der Asidäer tritt bei dieser Textstelle deutlich zutage: Ihr Ziel war nicht die Vertreibung der Fremdherrscher und die national-politische Restauration Israels; das verbot schon ihre Geschichtssicht. Vielmehr ging es ihnen um die Wiederherstellung der Identität Israels, welche nur über den Weg der gemeinsamen Religionsausübung erlangbar war. Erst wenn sich Israel - theologisch gesprochen - als Volk Gottes begriff, konnte das theozentrisch-eschatologische Denken der Apokalyptik greifen. Die realpolitischen Entwicklungen hingegen verliefen anders. Die Distanzierung der Frommen von den Makkabäern schwächte die Zahl ihrer Anhänger und ließ den rein weltlich-politischen Charakter der Makkabäerbewegung zutage treten. Ihre Position konnten die Makkabäer nicht mehr allein aufgrund ihrer Kämpfe mit den Unterdrückern behaupten. Jonathan, der die Nachfolge seines toten Bruders Judas Makkabäus angetreten hatte, bewies politisch-taktisches Geschick bei der Festigung der makkabäischen Position, indem er die beiden um die Nachfolge Antiochus' IV streitenden Kontrahenten Alexander Balas und Demetrios I gegeneinander ausspielte. Nach gelungenen Verhandlungen mit Demetrios I wurde Jonathan zunächst Richter in Michmas (1Makk 9, 70-73), später durfte er nach Jerusalem übersiedeln und dort eigene Truppen unterhalten. Die Partei der Makkabäer war somit legalisiert. Krönung dieses Prozesses war 152 v.Chr. das Angebot des Alexander Balas an Jonathan, Hoherpriester in Jerusalem zu werden. So erhielt erneut ein Nichtzadokide das höchste priesterliche Amt.[96] Die Reaktion der Asidäer auf die Politik der Makkabäer läßt sich mit dem Begriff 'Rückzug' kennzeichnen. Die uns aus

---

95 vgl. MÜLLER, aaO, 218.

96 vgl. GUNNEWEG, aaO, 155f.

den Qumranfunden bekannte Gruppe der Essener zogen sich von Jerusalem an das Tote Meer zurück, weil sie Jonathan als Hohenpriester ablehnten.[97] Andere asidäische Kreise gingen in die "innere" Emigration. Die hinter der Zehnwochenapokalypse stehenden Frommen erwähnen die makkabäische Erhebung überhaupt nicht, sie schien für sie ein belangloses Intermezzo zu sein; das Hauptaugenmerk richtet sich auf die Gruppe der "auserwählten Gerechten" (93,10), ein esoterischer Kreis Frommer, der mit dem Rest Israels nichts mehr zu tun haben will. Die Zehnwochenapokalypse hat den gesamtisraelitischen Aspekt aufgegeben. Ihr Interesse richtet sich nicht mehr auf eine Bekehrung Israels, es geht ihr nur noch um die Rechtfertigung des eigenen Konventikels.

Die Darstellung der ersten sechs Wochen in der Apokalypse ist der Situation Israels gewidmet. Israel lebt im anhaltenden Ungehorsam, der sich seit der Sintflut (93,4) in dem immer wieder sich ereignenden Abfall Israels von Gott aktualisiert und seinen Gipfel in dem Verlust der Erwählung (93,8) erreicht (A). Der Sündhaftigkeit des Volkes entspricht die Andauer des Gerichts (93,9, B). Die Gegenwart des Verfassers ist in der siebten Wochen anzusiedeln. Das Aufkommen der Asidäer - gemeint ist damit speziell der hinter der Zwapk stehende Konventikel - wird dort als neues Erwählungshandeln Gottes deklariert. Doch sind die Asidäer nicht nur die einzigen Teilhaber an der erstmalig in Abraham geschehenen Erwählung (93,5), zudem erhalten sie "siebenfache Weisheit und Kenntnis" (93,10)[98], die ein besonderes Wissen um die endzeitlichen Geschehnisse in achten bis zehnten Woche miteinschließt (91,12-17), wobei der Verfasser ein Gericht erwartet, daß die Erde und den gesamten Kosmos umschließt. Für die Gerechten, die Asidäer, wird das Heil erwartet (E), den Gottlosen aber droht die Vernichtung (D)[99].

---

97 Ebd. 156.

98 Die von DEXINGER, Zehnwochenapokalypse, 134 vorgeschlagene Übersetzung geht von den aramäischen Fragmenten des Henochbuches aus, während andere Übersetzungen die äthiopische Fassung als Grundlage haben und 93,10 mit "siebenfache Belehrung über die ganze Schöpfung" wiedergeben. Grundsätzlich steht diese Übersetzung nicht im inhaltlichen Widerspruch zu der von DEXINGER vorgeschlagenen, da DEXINGER nachweisen konnte, daß die Termini חכמה ומדע als "das Wissen um die Schöpfungsordnung zu deuten" sind (135).

99 Vgl. MÜLLER, aaO, 218-220.

Indem die Zehnwochenapokalypse "das Auftreten der Asidäer als neues und endgültiges Erwählungshandeln Gottes an einem Teil Israels definiert, gibt (sie) ... zu erkennen, daß nach ihrer theologischen Beurteilung eine 'Umkehr' ganz Israels als Vorbedingung der Erlösung nicht im Sinne des göttlichen Heilsvorhabens ist. Die 'Sünder' in Israel werden deshalb nicht mehr zur 'Umkehr' ermahnt, sondern über ihnen wird nur noch das eschatologische Verwerfungsurteil Gottes proklamiert"[100].

Trotz der spezifischen Ausrichtung der Zehnwochenapokalypse ist sie aus zwei Gründen von Bedeutung: Das apkGB kommt in ihr voll zum Tragen. Der Apokalyptiker denkt ganz vom Handeln Gottes her. In der Geschichte gibt es keinen Weg auf Erlösung hin. Selbst die asidäische Bewegung vermag von sich aus den Weg zukünftigen Heils nicht gangbar zu machen. Dazu bedarf es erst der Erwählung Gottes. Und diese Erwählung ist der zweite Aspekt, der hierbei von Interesse ist. Wir hatten gesehen, daß die, wenn auch nur versteckt angedeutete Heilszusage in der Johannespredigt auf ein Erwählungshandeln Gottes abzielt. Es hat ganz den Anschein, daß die Wurzel des johanneischen Erwählungsgedankens in der Apokalyptik zu suchen sei. Denn in beiden Fällen, sowohl in der Täuferpredigt als auch in der Zehnwochenapokalypse, kommt die Erwählung nur denen zu, die sich durch ein besonderes Verhalten hervorheben: bei Johannnes ist es die Befolgung des Umkehrrufes, in der Zehnwochenapokalypse die Zugehörigkeit zu den Asidäern. Der in der Zehnwochenapokalypse unternommene Versuch der Rechtfertigung einer sich separatistisch zurückziehenden Asidäergruppe hat besondere Auswirkungen auf das Verhältnis Geschichte-Metageschichte: Die Abläufe der himmlischen Welt sind nicht mehr für alle Israeliten erkennbar. Nur die, die von Gott erwählt werden und ein neues Wissen über die Schöpfung empfangen haben (93,10), haben Einblick in die eschatologischen Ereignisse. Sie wissen um das Ende der Geschichte und die Zerstörung der gesamten Welt ebenso wie um die Tatsache der eigenen Rettung.

---

100 Ebd., 220. Die Paränesen des äthHen (92.94-104) führen den sezessionistischen Ansatz der Zehnwochenapokalypse fort. Auch hier spiegelt sich eine Absetzungsbestrebung gegen die vorherrschende hasmonäische Politik, vgl. MÜLLER, aaO, 221.

Assumptio Mosis

Die AssMos ist ein Dokument apokalyptischer Denkweise, welches zu Beginn des 1. Jhrds. n.Chr. entstanden sein dürfte. Entscheidend für die Beurteilung der zeitgeschichtlichen Situation ist das 6. Kapitel der AssMos, denn dort beschreibt der Verfasser seine Gegenwart; mit Kapitel 7 nämlich setzt die Schilderung der eschatologischen Endzeit ein. Der Verfasser schreibt ganz unter dem Eindruck des durch Varus blutig niedergeschlagenen jüdischen Aufstands. Nach Josephus, bell 2,3,1-4 erhoben sich die Juden in Jerusalem gegen Sabinus, den Schatzmeister Syriens, der, während Archelaos, der Nachfolger Herodes des Großen in Judäa, Idumäa und Samaria, in Rom weilte, seine Hand auf die königlichen Schätze legte. Die Aufständischen belagerten den Königspalast und den Tempel. Während eines Kampfes der Römer mit den Juden wurden Teile des Tempels in Brand gesteckt, AssMos 6,9 spiegelt diese Situation wieder. Sabinus gelang es jedoch nicht, den Aufstand niederzuschlagen; er bat den Legat von Syrien, Quinctilius Varus, um Hilfe. Varus gelang es, die aufständischen Truppen zu zerstreuen, er nahm die jüdischen Anführer gefangen und ließ ungefähr 2000 Juden kreuzigen (Jos, bell, 2,5,6; ant 17,10,10). Diese Erlebnisse brutalster Unterdrückung durch die Römer sind für den Apokalyptiker Anzeichen der bald hereinbrechenden Endzeit (7,1). Da der jüdische Aufstand von Varus 4 v.Chr. niedergeschlagen wurde, AssMos 6,7 die Verbannung des Archelaos durch den römischen Kaiser 6 n.Chr. aber bereits voraussetzen dürfte, 7,1 jedoch nur eine kurze Zeitspanne anvisiert, wird die Datierung von AssMos auf wenig nach 6 n.Chr. anzusetzen sein.[101]

Seit der Seleukidenzeit (5,1) verlief die Geschichte Israels zunehmend unheilvoll; es läßt sich sogar von einer stufenweisen Verschärfung der Unheilssituation sprechen. Die unter den seleukidischen Herrschern einsetzende Tempelentweihung und der fortschreitende Rechtsmißbrauch (5,3-6) erfahren in den hasmonäischen Priesterkönigen einen Höhepunkt: "sie werden Gottlosigkeit verüben vom Allerheiligsten aus" (6,1, A). Die darauf folgende Strafe, die Herodes der Große über die Frevler verhängt, ist grausam (6,3-6). Sie wird nur noch übertroffen durch die schonungslose Rache des Quinctilius Varus (B).

101 Vgl. BRANDENBURGER, Himmelfahrt, 60.

Die Besonderheit der AssMos liegt in der Beurteilung der Geschichte Israels vor dem Anbruch der Seleukidenherrschaft. In den Kapiteln zwei bis vier wird uneingeschränkt das dtrGB rezipiert. Von der Landnahme bis zum Ende des Südreiches erweist sich das Volk als sündig (A). Deshalb erfolgen Strafe und Exil (B), herbeigeführt durch Nebukadnezar. Im babylonischen Exil kehrt das Volk um (C). Es erkennt seine Sündhaftigkeit (3,5), ruft Gott um sein Erbarmen an und verpflichtet ihn auf seine Bundestreue (3,9). Die Heilszuwendung Gottes (D) äußert sich konkret in der Rückführung aus dem Exil (4,5f). Die Tatsache einer so deutlichen Rezeption des dtrGB in einem apokalyptischen Text mag Zweifel an der wirklichen Existenz eines apokalyptischen Geschichtsbildes aufkommen lassen. Läßt sich demzufolge in der Apokalyptik doch nur eine spezifische Modifikation des dtrGB beobachten? Ein Blick auf die eigentliche Funktion des dtrGB in AssMos 2-4 für den Gesamtaufbau der Apokalypse trägt zur Klärung der Frage bei: Der bisherigen Interpretation der Geschichte, wie sie gerade im Hinblick auf die theologische Bewältigung der Katastrophe von 587 gang und gäbe war, wird eine veränderte Sicht der Geschichte gegenübergestellt. Die Orientierung erfolgt nicht mehr an dem Bewußtsein, daß sich Gott erbarmen wird und erfolgte Umkehr Heil nach sich zieht. Eine derartige Auffassung ließe sich mit den historischen Erfahrungen des Verfassers nicht vereinbaren. Das dtrGB dient somit als Kontrast für das apokalyptische Denken.

Es hatte sich gezeigt, daß Israel trotz des erbarmenden Handelns Gottes und seiner Bundestreue weiter sündigte, die Ereignisse überschlugen sich fast und eine Schreckensherrschaft löst die andere ab, die Geschichte rast ihrem Ende entgegen (Kap 5-6). Der Anbruch der Endzeit, den der Verfasser schon sehr bald erwartet (7,1), bringt den Gipfel des Lasters: die Herrschaft der Gottlosen und Frevler, der Ungerechtigkeit (7,2-9). Aber der "König der Erdenkönige"[102] wird furchtbare Rache an den Ungerechten nehmen (8,1-5). Die Schilderung erinnert an die Greueltaten Antiochus IV[103].

---

102 Vermutlich ist damit ein universaler Weltherrscher gemeint, vgl. BRANDENBURGER, aaO, 75.

103 Ebd.

In dieser Tat der Drangsal tritt eine 'Umkehrbewegung' auf (Taxo und seine sieben Söhne)[104], die sich eindeutig von einem dtrn geprägten Umkehrverhalten abhebt (9,1-7). Die Möglichkeit einer Anrufung des Erbarmens und der Treue Gottes verbunden mit einem Sündenbekenntnis, wie es Kapitel 3 schildert, ist angesichts der katastrophalen Lage Israels nicht mehr am Platz. Eine dieser Situation angemessene Haltung ist das Verharren im Gesetzesgehorsam bis ins Martyrium, bis in den Tod hinein. So wird auch mit der Forderung nach Toraobservanz keine Aussicht auf eine heilvolle Zukunft gegeben. Einzig die Rache Gottes für den Tod vieler Gerechter wird vom Verfasser vorhergesagt (C).

Gewaltig ist das Ende der Erdengeschichte. Mit dem Erscheinen der Herrschaft Gottes einher geht die Bestrafung der Feinde Israels durch Michael und die Zerstörung des Kosmos (E). Israel aber wird erhöht (10,1-10, D).

Im Gegensatz zu anderen Apokalypsen kennt die AssMos keine Trennung von Gerechten und Ungerechten im Endgericht. Die Sünder haben ihre Strafe bereits zu Erdzeiten von den Heiden erhalten, so daß jetzt die Treue und das göttliche Erbarmen auch ihnen zukommen kann (12,10-13).

In Anbetracht des nahenden Eschaton wird das Anliegen des Apokalyptikers im Hinblick auf seine Adressaten deutlich: Die an das dtrGB gebundene konditionale Verknüpfung von Umkehr und Heil hat für das kommende Gericht keine Relevanz mehr. Dies ist durch die Sündengeschichte Israels nach der Rückführung aus dem Exil deutlich geworden. Was bleibt, ist die Hinkehr zum Gesetz Gottes, die sogar einen gewaltvollen Tod als Konsequenz miteinschließen kann, sowie das Vertrauen auf das erbarmende Handeln Gottes im Endgericht.

Auch für die AssMos läßt sich eine "Doppelung" der Geschichte beobachten. Kap 12 berichtet, das "Gott der Herr ... alles, was auf diesem Erdkreis geschehen sollte, vorhergesehen" hat (V5). Dem Ablauf auf der Erde geht eine von Gott konzipierte Metageschichte voraus, die Mose offenbart wird (1,11-14), damit sie dem Volk in der Endzeit - der Zeit des Verfassers - mitgeteilt wird (1,16-18; 10,11-3), um so eine tröstende und mahnende Wirkung zu erzielen.

---

104 Nach BRANDENBURGER, aaO, 75 ist Taxo als historische Gestalt nicht zu identifizieren.

Apokalypse Abraham und 4 Esra

In der Apokalypse Abraham und in 4 Esra schlägt sich jeweils eine Reflexion der Katastrophe von 70 n.Chr. nieder, für deren theologische Verarbeitung das apkGB den Orientierungsrahmen bildet.

Während ApkAbr wenige Jahre nach der Tempelzerstörung entstanden ist[105], ist die Datierung von 4Esr auf ca. 100 n.Chr. anzusetzen[106].

Die in der ApkAbr dargestellte Zerstörung des Tempels liegt erst wenige Jahre zurück. Der Verfasser steht noch ganz unter dem Eindruck der Brandschatzung und Plünderung des Tempels durch römische Soldaten (27,1-3). Die Zerstörung Jerusalems und des Tempels war der Höhepunkt einer bereits seit langem schwelenden Auseinandersetzung zwischen der römischen Besatzungsmacht und den Juden. Auf Dauer waren "der Schalom von Gott her und die Pax Romana, der alleinige Gott und der vergottete Caesar, der erwartete Messias Israels und der regierende Kaiser ... inkommensurable Größen"[107]. Wichtigster Träger des Widerstands waren die Zeloten. Sie erwarteten die baldige Wende zu einem neuen Äon und sahen im römischen Imperium das letzte Reich der Finsternis, welches bis aufs Äußerste bekämpft werden mußte, um die Wehen der Endzeit zu verkürzen. Im Gegensatz zu den Apokalytikern, in deren Augen das Ende der Geschichte nur von Gott herbeigeführt werden kann, meinten die Zeloten, durch eigene Aktivität das Eschaton herbeizwingen zu können. Das Resultat ihres erbarmungslosen und radikalen Aktivismus war Zerstörung und Tod. Die Situation der Juden nach 70 n.Chr. war gekennzeichnet durch den Verlust des kultischen Zentrums und der eigenen Obrigkeit, des Synhedriums. Teile des Tempelschatzes, der siebenarmige Leuchter und der Schaubrottisch, wurden von Titus als Beute nach Rom gebracht. Jerusalem erhielt eine römische Besatzung und das ganze Land wurde von Rechts wegen kaiserliches Eigentum.[108] Die Zerstörung des Tempels, das Ende des Tempelkultes und der Verlust von Führern im Volk hinterließen die noch Verbliebenen in Orientierungslosigkeit (27,1-18). Ihnen versucht die ApkAbr eine Hilfe zu sein.

105 Vgl. PHILONENKO, Apokalypse Abrahams, 419.

106 Vgl. SCHREINER, Esra, 301.

107 GUNNEWEG, aaO, 174.

108 Vgl. GUNNEWEG, aaO, 179; LEIPOLDT-GRUNDMANN, aaO, 171.

Ungefähr dreißig Jahre später hatte sich die Situation noch verschärft. Vielen Israeliten waren bewußt geworden, daß eine Wende im Geschick Israels nicht in Sicht war. Die Fragen Esras wie sie in 4 Esra zur Sprache kommen, bringen das Empfinden der Frommen seiner Zeit in ihrer ganzen Vehemenz zum Ausdruck[109]. Die Auffassung von der Geschichte Israels als der eines permanenten Ungehorsams (A) stellen beide Apokalypsen auf ihre je eigene Art dar: ApkAbr 24-26.29 drückt die Sündhaftigkeit des Volkes durch die Anspielung auf das 6., 7., 8. und 10. Gebot (24,4-8) aus. Der Gipfel des Ungehorsams liegt jedoch in der Übertretung des 1. Gebots, in der Götzenanbetung (25,1-3) und dem Tempelmord (25,2.8). Das Ende der hiesigen Welt ist schon in den Blick genommen. Nur noch zwölf Jahre des gottlosen Äons werden über Israel und die Heiden herrschen (29,1f).

Innerhalb der dritten Vision des 4Esr (6,35-9,25) wird die Geschichte als ein abgeschlossener Zeitraum gesehen, in dem der andauernde Ungehorsam zum Ausdruck kommt durch die Entfremdung des Menschen von Gott und vom Heil einer zukünftigen Welt (7,10b-16.19-35), welche nach dem von Gott bereiteten Endgericht kommen wird (7,26-44). Ziel der dialogischen Auseinandersetzung zwischen Esra und Uriel ist die Bekräftigung der Position Uriels, der unaufhörlich auf der Unentschuldbarkeit der Sünder beharrt (7,19-25.70-74.127-131; 8,46-62a; 9,1-13), um so dem Eifer Esras für die Frevler und deren Geschick entgegenzutreten (7,17f). Israel lebt nicht mehr - wie im dtrGB - im andauernden Gericht von 587, sondern im aktuellen Gericht von 70 n.Chr. Diese Tatsache trägt zur negativen Sicht der Geschichte bei (B). So beschreibt ApkAbr 27 die Tempelzerstörung, die Versklavung und Tötung der Juden durch die Römer als Strafe für den Abfall von Gott und den Tempelmord.

4Esr 9,26-10,57 (Vision 4) macht deutlich, daß die in den Visionen 1-3 vorgetragenen Klagen Esras die Klagen des mit der Gerichtsstrafe von 70 n.Chr. belegten Israels sind.

Ein ausdrücklich formulierter Umkehrruf begegnet weder in der ApkAbr noch in 4Esr, doch bringen beide das Anliegen der Umkehr zum Ausdruck (C). ApkAbr 29 macht ein Bestehen im Gericht davon abhängig, wer dem von Gott gesandten Messias folgt (VV8-1). "Umkehr" meint

109 Vgl. SCHREINER, aaO, 301.

hier die Hinwendung zum rettenden Messias[110]. Die vierte Vision (4Esr 9,29-10,57; 12,40b-50) bildet die eigentlich zentrale Stelle im 4Esr. Der bisher Gott anklagende Esra wird selbst zum Tröster einer klagenden Frau, die den Tod ihres Sohnes betrauert, indem er auf das noch viel schlimmere Geschick des zerstörten Jerusalem hinweist (9,38-10,17). Die Deutung der Zionvision in 10,40-49 läßt den eigentlichen Sinn der Peripetie Esras vom Widerpart der Offenbarung - als Kläger - zum Zeugen der Offenbarung - als Tröster - erkennen[111]: Es geht darum, die von der Zerstörung Betroffenen und somit auch die Leser der Apokalypse zu der Erkenntnis zu bewegen, daß Gottes Urteil über Israel zu Recht ergangen ist (10,16), um sie so für die prophetische Tröstung zu öffnen, die abzielt auf eine angemessene, vorhaltungsfreie Klage um das Geschick Zions (10,20f.49) verbunden mit der Hoffnungsperspektive, daß Gott Israel nicht für immer vergessen hat und sich seiner erbarmt (12,7f)[112]. "Umkehr" im Sinne des 4 Esr meint also die Gerichtsdoxologie des Volkes.

ApkAbr und 4Esr zielen auf ein Umkehrverständnis, welches nicht eine konkrete Heilszusage mit einschließt, sondern den Weg einer totalen Hinwendung zu Gott eröffnet, indem sich die gesamte Hoffnung auf das baldige Handeln Gottes stützt.

Das in beiden Apokalypsen vorgestellte Heil steht in keiner Analogie zu den bisherigen Heilstaten Gottes. Gott setzt das Ende der Geschichte und führt die alte in die neue Welt über. Das theozentrische Denken kommt in dem Determinismus der ApkAbr deutlich zum Ausdruck: Gott zeigt Abraham den Lauf der Geschichte, die von ihm als Zeit des Äons der Gottlosigkeit bezeichnet wird (29,2). Dem gegenüber stellt er den Äon der Gerechtigkeit (29,12), der als Ort des Heils für die schon im Voraus festgelegte Zahl der Gerechten bestimmt ist. Im eschatologischen Gericht wird geschieden zwischen Gerechten und Ungerechten (D+E). Jedoch ist hier nicht unbedingt eine Trennung innerhalb Israels im Blick. Die Heiden können auch zu denen zählen, die gerettet werden, falls sie dem Messias folgen (29,1ff). Zudem wird auch eine Bestrafung der Fein-

---

110 Vgl. auch die Freude Gottes über jeden, der zu ihm zurückkehrt, 29,18.

111 Vgl. HARNISCH, Prophet, 478-480.

112 Ebd. Vgl. auch das Gebet Esras 8,4-36: Dort wird Gott als der Erbarmende angesprochen.

de Israels in Aussicht gestellt. Israel wird sogar über die ruchlosen Heiden das Gericht Gottes bringen (29,12).

4Esr 7,31-51 schildert das Kommen des eschatologischen Gerichts. Mit seinem Anbruch beendet Gott die hiesige Welt und führt die neue Welt herbei. Erst jetzt wird erkennbar, wen Gott zu den Gerechten, wen zu Sündern zählt (D+E). Das Wissen um die andauernde Sündhaftigkeit Israels und die Erkenntnis, daß nur noch die Gerichtsdoxologie bleibt, werfen die gesamten Hoffnungen des Volkes auf das erbarmende Handeln Gottes im Endgericht, da es selbst keine "Werke der Gerechtigkeit" hat (8,32).

Eine wirkliche "Doppelung" der Geschichte im Sinne eines Urbild-Abbild-Verhältnisses wird den Adressaten der Apokalypse Abraham während der Himmelsreise Abrahams vor Augen geführt. In einer Darstellung der Schöpfung erkennt Abraham den von Gott vorherbestimmten Lauf der Weltgeschichte, der nicht nur auf die Erwählung Israels abzielt (20,1-5; 22,6), sondern dessen Abfall und Sünden bereits jetzt schon voraussieht. Daß gerade Abraham, der von Gott erwählt und dessen Nachkomme die Teilhabe an dieser Erwählung versprochen wurde (20,4; 22,6) die Sündengeschichte der Menschheit seit Beginn der Schöpfung vor Augen geführt wird, zeigt die Diktion der Apokalypse: Den Adressaten des Textes wird verständlich gemacht, daß ihre Geschichte trotz der heilvollen Erwählungstat Gottes aufgrund ihrer Sünden auf die Katastrophe zusteuerte und daß diese Geschichte letztendlich nur noch das nachvollzieht, was im Himmel bereits vorgezeichnet ist.

Im 4Esr ist die Verzahnung von menschlicher und göttlicher Geschichte mit der Peripetie Esras (10,6ff) gegeben. Was bisher dem Bereich der Offenbarungsvermittlung, dem Dialog zwischen Esra und Uriel, vorbehalten war, wird nun durch den Umschwung Esras, indem er die Position Uriels einnimmt, zu einem Mitteilungsgeschehen zwischen Menschen. In der Rolle des Trösters vermag der Prophet, Israel zum Anerkennen des rechtmäßigen göttlichen Handelns zu bewegen.

Syrische Baruchapokalypse

Folgt man der Analyse Stecks, dann treffen wir in syrBar 31,1-32,7; 44,1-46,7; 77,1-17 und in dem Brief an die neuneinhalb Stämme (78-87) unweigerlich auf die Rezeption des dtrGB[113]. Die apokalyptische Geschichtssicht, die insbesondere in sozialpolitisch-religiösen Krisensituationen zum Tragen kam, scheint für syrBar keine Relevanz mehr zu besitzen. In den Jahren 100-130 n.Chr., jene Zeitspanne, in der syrBar entstanden sein dürfte[114], lag die Zerstörung des Tempels 70 n.Chr. gut eine Generation hinter dem Verfasser der Apokalypse; die erlebten Bedrängnisse waren nicht mehr akut, es war Zeit, das bisher Geschehene aus der Distanz theologisch zu bedenken. Dafür bot sich am ehesten das dtrGB an[115].

Allerdings, dies konnte Klijn überzeugend nachweisen, enthält syrBar Traditionsstücke, die wesentlich älter als das Gesamtwerk sind[116]. Besondere Beachtung verdienen dabei die Zedernvision (36-40) und die Wolkenvision (53-74). Der Verweis auf den Wiederaufbau des Tempels in 68,4f gibt zu der Vermutung Anlaß, daß die Visionen kurz nach 70 n.Chr. entstanden sein dürften[117]. Dort nämlich treffen wir auf die Rezeption des apkGB. Exemplarisch wollen wir dies an der Zedernvision aufweisen:

Die Zedernvision läßt sich in drei Abschnitte unterteilen, die eigentliche Vision (36-37), Baruchs Bitte um Deutung (38) und die Erklärung (39-40). In seiner Vision, die "himmlisches" Abbild der irdischen Geschehnisse ist, sieht Baruch einen Wald, gepflanzt in einer Ebene und

---

113 Vgl. STECK, aaO, 182. In bezug auf die Zedern- und Wolkenvision in syrBar bemerkt jedoch auch STECK, daß diese nicht das dtrGB aufweisen (192).

114 Vgl. KLIJN, Baruch-Apokalypse, 107.

115 "Das Werk entstand an der Schwelle einer neuen Zeit - alle inbrünstige Erwartung einer neuen Zukunft schwindet dahin. Nun kann das Volk inmitten allen Unheils allein noch seinen Weg zum Leben finden ...", KLIJN, aaO, 118.

116 Ebd. 111f.

117 Anders KLIJN, aaO, 112, der keine Hinweise auf den Tempel erkennt und deshalb eine Entstehungszeit vor 70 n.Chr. annimmt.
Eine Darstellung der zeitgeschichtlichen Situation entfällt, da dies für die Jahre um 70 n.Chr. bereis im Zusammenhang mit der Erarbeitung der ApkAbr geschehen ist.

umgeben von Bergen. Gegenüber dem Wald wächst ein Weinstock, unter dem eine Quelle entspringt. Die Quelle schwillt an zu einer großen Flut, vernichtet den Wald und ebnet die Berge ein. Übrig bleibt allein eine Zeder. Doch wird auch sie niedergeworfen und zum Weinstock gebracht (36,1-6). In der Rede des Weinstocks an die Zeder (36,7-11) wird sie deutlich als diejenige dargestellt, die der Gipfel der Bosheit und Gottlosigkeit ist, so daß sie unentrinnbar dem Vernichtungsgericht durch das Feuer anheimfällt (37,1). Der Weinstock aber wächst und die Ebene wird voll unverwelkbarer Blumen (37,1).

In der Erklärung wird dem Seher die Bedeutung des Waldes und der Zeder enthüllt. Sie bezeichnen vier aufeinanderfolgende Königreiche, von denen das vierte (= Zeder) das Schlimmste und Härteste ist. Auf diesem vierten Reich liegt der Schwerpunkt. Seine intensive Beschreibung ab 39,6 gibt zu der Vermutung Anlaß, daß es sich hier um die Zeit des Visionärs handelt. In der Zeit des vierten Reiches bahnt sich nämlich die eschatologische Katastrophe an. Sein Untergang signalisiert das Ende der Geschichte (39,6f)[118], denn jetzt tritt der Messias (= Weinstock und Quelle) seine Herrschaft an (39,7).

In dieser Darstellung läßt sich unmißverständlich das apkGB erkennen. Das vierte Reich ist dadurch charakterisiert (39,5.6), daß sich in ihm alle diejenigen aufhalten, "die mit Unrecht besudelt sind" (A) und daß seine Macht im Vergleich zu den anderen Reichen als viel Schlimmer empfunden wird (B). Das Ende des Reiches wird allein durch den Gesalbten Gottes herbeigeführt (40,1-2). Er ist es, der den "letzten Herrscher" bestraft (E) und den Rest Israels schützt, der sich an jenem Ort aufhält, den Gott erwählt hat (D). Eine Umkehrforderung finden wir auch hier nicht. Doch wird deutlich, wem das von Gott gewährte Heil (= Erwählung und Schutz) zuteil wird: Der Rest Israels sind diejenigen, die an Gott glauben (42,3), d.h. also sein Gesetz befolgen (C); untergehen werden jedoch alle, die gesetzlos gehandelt haben[119].

---

118 Vgl. HARNISCH, Verhängnis, 258.

119 Vgl. KLIJN, aaO, 147, Anmerkung zu Kapitel 42,2. Ähnlich wie in der Zedernvision ist auch in der Wolkenvision die angemessene Haltung im Blick auf das baldige Ende das Festhalten an den Weisungen Gottes (64,4).

Die Ausführungen über die ApkAbr, 4 Esr und syrBar haben gezeigt, daß das apkGB auch in Texten des ersten nachchristlichen Jahrhunderts noch lebendig ist und den Verfassern der Apokalypsen Interpretationshilfen für die theologische Verarbeitung der über Israel erneut hereingebrochenen Katastrophe gibt.

3.2.2. Auswertung

Die zeitgeschichtlichen Entwicklungen des dritten und zweiten vorchristlichen Jahrhunderts bedingten eine veränderte Sicht der Geschichte. Geschichte bewegt sich nicht mehr in einem wellenförmigen auf und ab, in dem die Abfolge von Sünde - Gericht - Umkehr - Heil sich wiederholt, sondern ist in ein "rasendes Gefälle"[120] geraten, welches dem absoluten Tiefpunkt entgegensteuert und nur noch durch ein von Gott herbeigeführtes Ende in eine neue, bessere Zukunft geführt werden kann. So handelt es sich bei dieser Geschichtsauffassung nicht nur um eine Modifikation des dtrGB. Sie erweist gerade dort ihre Eigenständigkeit, wo es um die theologische Bewältigung politischer Extremsituationen geht. Über eine Zeitspanne von dreihundert Jahren hinweg dient das apkGB der Interpretation und Bewältigung einer als ausweglos erfahrenen geschichtlichen Entwicklung.

Während sich die Entwicklung und Existenz apokalyptischer Kreise als Protestbewegung gegen die herrschenden Zustände allein anhand der überlieferten Texte nachzeichnen läßt, kennen wir seit den Text- und Grabungsfunden am Toten Meer eine konkrete soziologische Gruppe innerhalb des Frühjudentums, die Qumran-Essener, deren Opposition nicht nur in ihren Schriften zum Ausdruck kommt, sondern sich real an ihrem Weggang aus Jerusalem und ihrer Ansiedlung in der Wüste festmachen läßt.

Im Gegensatz zur inneren Emigration der Apokalyptiker vollzogen die Qumran-Essener die Abtrennung vom übrigen Judentum durch einen äußeren Schritt. Ausschlaggebend dafür war die Einsetzung des Nichtza-

---

120 MÜLLER, aaO, 226.

dokiden Jonathan zum Hohenpriester im Jahr 152 v.Chr.[121]. Die einheitliche Phalanx der Asidäer bröckelte bereits mit der Konsolidierung der Makkabäer ab. Die Zehnwochenapokalypse gibt darüber Aufschluß. Seinen vorläufigen Höhepunkt erreichte der Zerfall mit dem Auszug eines Teils der Asidäer in die Wüste. Kristallisationspunkt im Widerstand gegen die Hasmonäer war hier der in den Qumranschriften genannte "Lehrer der Gerechtigkeit", vermutlich ehemals Hoherpriester in Jerusalem, verdrängt durch Jonathan[122]. Mit dem Exodus aus Jerusalem einher geht eine Trennung vom Jerusalemer Tempelkult, da in den Augen des Lehrers der Gerechtigkeit und seiner Anhänger der Tempel durch die Einsetzung Jonathans verunreinigt wurde und ganz Jerusalem es nicht mehr wert war, den Namen Israel zu tragen[123]. So gründete der Lehrer der Gerechtigkeit eine Gemeinschaft, die sich selbst verstand als eschatologische Heilsgemeinde und heiliger Rest Israels[124].

Die Tatsache, daß die Gemeinde der Qumran-Essener und die apokalyptischen Kreise auf eine gemeinsame Wurzel, die Asidäer, zurückgehen, gibt zu der Vermutung Anlaß, daß innerhalb der Qumranliteratur apokalyptisches Gedankengut rezipiert wurde. Läßt sich möglicherweise dort das apkGB nachweisen? Unter den Textfunden in den Höhlen am Toten Meer befanden sich zwar apokalyptische Schriften, doch handelt es sich hier größtenteils um Handschriften aus der Henochliteratur und der Danielapokalypse. Sie stellen keine genuin qumran-essenischen Texte dar, sondern entstammen der Tradition[125]. Die wenigen Texte, die nach Stegemann als in Qumran entstandene Apokalypsen bezeichnet werden könnten, die Schrift vom "Neuen Jerusalem" und die sogenannte "Engelliturgie", sind nicht allein deshalb problematisch, weil die vorhandenen Fragmente erst teilweise ediert sind[126]; in Relation zu der restlichen

121 Vgl. GRUNDMANN-LEIPOLDT, aaO, 235.

122 Vgl. DOHMEN, Gründung, 93.

123 Vgl. GUNNEWEG, Geschichte, 161.

124 Vgl. HENGEL, Judentum, 457.

125 Vgl. STEGEMANN, Bedeutung, 593-519.

126 Ebd. 517f.

Qumranliteratur decken die Apokalypsen nur einen geringen Teil der Texte ab[127]. "Als 'apokalyptische Bewegung' läßt sich die Qumrangemeinde angesichts dieses Sachverhaltes sicher nicht charakterisieren"[128]. Eine Rezeption des apkGB ist von daher einzig für die aus der Tradition übernommenen Schriften, insbesondere Fragmente der Tiervision und der Zehnwochenapokalypse zu verzeichnen[129]; in das ureigentliche Denken der Qumranessener hat das apkGB keinen Eingang gefunden.

Allerdings begegnen wir in der Sektenregel und in der Damaskusschrift Vorstellungen und Begriffen, die vehement an die Zehnwochenapokalypse erinnern: In 1QS 4,15 wird für die Zukunft eine neue Schöpfung erwartet. Diese Erwartung läßt Anklänge an die den erwählten Gerechten in äthHen 91,10 durch Gott zuteil werdende Belehrung über die Schöpfung und die kosmologische Erneuerung (als neue Schöpfung) im Zuge des eschatologischen Gerichts (äthHen 93,16f) aufkommen. Zur Selbstbezeichnung der Qumrangemeinde als "ewige Pflanzung" (1QS 8,5) und "Wurzel der Pflanzung" (CD 1,7) und zum Bewußtsein der besonderen Erwählung (CD 4,5) lassen sich unschwer Analogien in äthHen 91,5-10 nachweisen "... an ihrem Ende werden die erwählten Gerechten von der ewigen Pflanze der Gerechtigkeit erwählt werden ... (V10)". Dadurch, daß in Qumran die Zehnwochenapokalypse bekannt war, könnte man vermuten, hier einen Einfluß der Henochschrift anzunehmen, ohne daß allerdings das dahinter stehende apokalyptische Geschichtsdenken übernommen wurde.

Ein besonderes Interesse an einem durch Audition oder Vision geoffenbarten Himmelswissen über eine zukünftige Welt ist in der Qumrangemeinde nicht zu beobachten. Allerdings wird dort auch eine Wende der Zeiten am Ende der Tage erwartet[130], so daß wir eine Eschatologisierung der Gerichts- und Heilsvorstellung feststellen können[131], die wahr-

---

127 Ebd. 520f.

128 Ebd. 521.

129 Textausgaben der aramäischen Fragmente bei MILIK, Books, 204f. 222-225. 238-245 (Tiervision); 265-267 (Zehnwochenapokalypse).

130 CD 4,4; 6,11.

131 CD 4,4ff; 6,10; 20,18-27.

scheinlich auf den Einfluß der Apokalyptik zurückzuführen ist[132]. Jedoch bezieht sich die erwartete Wende nicht auf das Kommen einer jenseitigen, neuen, gänzlich anderen Welt, sondern von ihr wird eine Reinigung des Jerusalemer Tempelkults erhofft, die eine Beseitigung der Hasmonäer und die Wiedereinsetzung eines zadokidischen Hohenpriesters durch Gott miteinschließt[133].

Trotz der Unterschiede zum dtrGB werden im apkGB die formalen Strukturelemente dtrn Umkehrpredigten übernommen und im spezifisch apokalyptischen Sinn inhaltlich gefüllt. Dies zeigt sich besonders am Umkehrverständnis: Auffällig ist zunächst, daß die Termini "Umkehr" bzw. "umkehren" in apokalyptischen Texten nur selten begegnen[134]. Nirgendwo ist ein konditionaler Umkehrruf belegt, so daß in den Augen

---

132 Die von STEGEMANN, aaO, 498-501 vollzogene strikte Trennung zwischen Apokalyptik und Eschatologie ist m.E. nicht gerechtfertigt. Während Stegemann unter "Apokalyptik" ausschließlich ein literarisches Phänomen versteht, "nämlich die Anfertigung von 'Offenbarungsschriften', die Sachverhalte 'enthüllen', die sich nicht aus innergeschichtlichen Gegebenheiten ... erklären lassen" (498), bezeichne "Eschatologie ... eine spezifische Ausprägung 'heilsgeschichtlicher' Orientierung, die von der Zukunft eine 'Wende zum Besseren' erhofft" (500). Ihre Kenntnis über den Ablauf der Weltereignisse und das kommende Gericht bezöge die Eschatologie aus einem "vorgegebenen Geschichtsbild" (500), die Apokalyptik aus der himmlischen Offenbarung. Richtig ist die Feststellung Stegemanns, daß die Eschatologie traditionsgeschichtlich wesentlich älter ist als die Apokalyptik. Nicht gerechtfertigt scheint es, einem geschichtsorientierten eschatologischen Denken eine "ahistorische" Apokalyptik entgegenzustellen, die gerade mal in ihren Anfangszeiten Anleihen an das Geschichtsbild der Eschatologie machte, um sich dann zunehmend rein am "himmlischen Geheimwissen" (501) zu orientieren. Die Entstehung der Apokalyptik als Reaktion auf politische Ereignisse ihrer Zeit, insbesondere die Entwicklung einer eigenen Geschichtssicht als dem Kennzeichen der Apokalyptik überhaupt, werden in den Überlegungen STEGEMANNS nicht bedacht.
Die Apokalyptik übernahm nicht das Geschichtskonzept der Eschatologie (ob wir dahinter das dtrGB vermuten dürfen, wird zwar von Stegemann nicht reflektiert, liegt aber im Bereich des Möglichen). Sie machte sich allerdings eschatologisches Gedankengut zu eigen und paßte es ihren Bedürfnissen an: aus der "eschatologischen 'Wende zum Besseren'" (501) wurde im Sinn der Apokalyptik das Ende der Welt, die Erwartung einer neuen Welt, so daß wir hier, vorsichtig ausgedrückt, von einer apokalyptischen Eschatologie sprechen können, ohne aber zu behaupten, die Apokalyptik sei eine "Tochter der Eschatologie" (501).

133 Vgl. STEGEMANN, aaO, 521.

134 Der Begriff "Umkehr" begegnet nur in syrBar 85,12; ApkAbr 29,18 spricht vom "zurückkehren zu Gott".

der Apokalyptiker die Verbindung Umkehr-Heilsgarantie durchschnitten ist.

Mit "Umkehr" wird eine Haltung des Menschen beschrieben, die seiner sündigen Existenz angemessen ist. Diese eher allgemeine Auffassung von Umkehr wird in den einzelnen Apokalypsen unterschiedlich akzentuiert:

- In der Tiervision und im 4Esr liegt der Schwerpunkt auf der Anerkenntnis der eigenen Sündhaftigkeit. Dementsprechend bekommt hier die Hoffnung auf das Erbarmen Gottes zentrale Bedeutung.
- AbkAbr sieht dagegen in der Nachfolge des von Gott gesandten Messias die entscheidende Ausdrucksform der Umkehr.
- In AssMos und in SyrBar kommt dem Gesetz eine besondere Bedeutung zu.

Dies ist als Ausfluß der asidäischen Opposition gegen die hellenistischen Reformbestrebungen zu verstehen. Die mit dem dtrGB tradierte dtrn Gesetzestheologie konnte hier als Ansatzpunkt dienen[135]. Die Tora ist allerdings nicht mehr als heilsgeschichtliches Dokument der Erwählung Israels verstanden, sondern als "Norm des göttlichen ius talionis"[136]. Hier ist grundsätzlich an dem Gedanken festgehalten, daß die Befolgung des göttlichen Willens gerichtsrelevant ist[137]. Freilich ist die Orientierung am Gesetz im Kontext der spezifisch apokalyptischen Geschichtssicht zu verstehen. Diese bildet die Klammer, die die unterschiedlichen Akzentuierungen der Umkehr verbindet. Grundlegend ist darin der Gedanke, daß der Niedergang der Geschichte unaufhaltsam ist. Mit der Forderung nach Gesetzesobservanz ist also nicht mehr wie im dtrGB die Hoffnung auf eine dadurch bewirkte Wende des Geschichtsverlaufs verbunden. Auch in der AssMos ist die göttliche Barmherzigkeit der alleinige Hoffnungsgrund für eine Rettung im Gericht. Die Erkenntnis des umfassenden Ungehorsams Israels, wie sie sich besonders in 4Esr ausspricht, bedeutet nicht, daß das Gesetz als Norm gerechten Handelns außer Kraft gesetzt wird. Es bleibt die verpflichtende Willenskundgebung Gottes. Die Sündhaftigkeit Israels ist jedoch so umfassend, daß auch die Einhaltung der Gebote den Geschichtsverlauf nicht mehr wenden kann.

---

135 Eindeutige Rückgriffe darauf finden sich in AssMos 1,5, wo das Deuteronomium herausgehoben wird oder in der Forderung nach Gebotsgehorsam 9,6; vgl. 4Esr, 14,29-35.

136 MÜLLER, aaO, 231.

137 Vgl. ApkAbr 29,15; AssMos 12,10f.

Dies zeigt sich deutlich in der Vorstellung einer himmlischen Vorabbildung der irdischen Geschichte. Die dem Apokalyptiker geoffenbarte Metageschichte dokumentiert, daß das Ende nicht mehr aufzuhalten ist. Es geht mithin nur um die Einsicht in den kommenden Geschichtsverlauf, nicht um die Möglichkeit einer Korrektur. So geht es darum, Gott die Ehre zu geben durch die Erfüllung seines Willens sowie durch die Anerkenntnis, daß Heil nur von ihm kommen kann.

Die Einflüsse des apkGB auf die Johannespredigt sind deutlich: Der grundlegende Gedanke der Beziehungsloskeit von Geschichte und Heil kommt in der Täuferpredigt dadurch zum Ausdruck, daß zum einen eine Berufung auf die heilsgeschichtliche Vergangenheit Israels, speziell auf den Abrahamsbund, abgelehnt wird, zum anderen durch die Betonung des allein maßgeblichen souveränen Erwählungshandeln Gottes, die dem theozentrischen Denken des apkGB entspricht. Die Vorstellung einer der irdischen Geschichte parallel vorauslaufenden Metageschichte kommt in den Täuferworten insofern zum Tragen, als der Hinweis auf die Nähe des Gerichts, auf die kommende Richtergestalt sowie auf deren Gerichtshandeln (Feuertaufe, Worfschaufel) im Sinne einer Offenbarung der himmlischen Wirklichkeit verstanden werden kann. Das Interessante und Neue der johanneischen Predigt liegt nun darin, daß es nicht nur um die Offenbarung dieser transzendenten Wirklichkeit bzw. des kommenden Endes geht, sondern: Hier werden Metageschichte und Geschichte in der Form verknüpft, daß mit der von Johannes angebotenen Taufe bereits ein Element des zukünftigen Gerichts vergegenwärtigt wird. Zu achten ist dabei freilich auf die deutliche Unterschiedenheit der Wassertaufe als Ausdruck der Umkehr bzw. des Sündenbekenntnisses und somit als Möglichkeit der Rettung von der Feuertaufe als dem Strafhandeln des Richters. Es geht nicht um eine Vorwegnahme des Gerichts, wohl aber um einen dem Gerichtshandeln nachgebildeten Akt. Die Gerichtsrelevanz der johanneischen Wassertaufe wird nicht nur durch die enge Beziehung von Täufer (Vorläufer) und Kommendem ausgedrückt, sondern eben auch dadurch, daß beide taufen. Sich jetzt mit Wasser taufen zu lassen, als Ausdruck der Umkehr, ist die einzige Möglichkeit, dann der Feuertaufe zu entgehen.

3.3. Alttestamentliche und frühjüdische Motive der Täuferpredigt im Kontext der traditionsgeschichtlichen Fragestellung

Im Zuge der vorangegangenen Untersuchung war es möglich, die Ergebnisse der synchronen Analyse der Umkehrpredigt auf eine traditionsgeschichtliche Basis zu stellen. Doch wurden bisher nicht die in der Täuferpredigt verwandten Motive berücksichtigt. Wir hatten gesehen, daß die fünf Motive, die Anrede γεννήματα ἐχιδνῶν die Abrahamskindschaft, die Baum-Frucht-Metaphorik, das Motiv vom alles verzehrenden Feuer sowie die Ankündigung des Kommenden, alle im Kontext des eschatologischen Gerichts angesiedelt sind. Von daher erhebt sich die Frage, ob nicht die Kombination dieser Motive ein zusätzlicher Hinweis für eine traditionsgeschichtliche Einordnung des Täufers sein kann. So soll im folgenden nach dem alttestamentlichen und frühjüdischen Hintergrund der verwandten Bilder gefragt werden. Indem aber die Motive in den Kontext der traditionsgeschichtlichen Fragestellung eingebettet werden, wird die Gefahr einer isoliert motivgeschichtlichen Arbeitsweise umgangen.[138]

3.3.1. Γεννήματα ἐχιδνῶν

Die Anrede γεννήματα ἐχιδνῶν ist außergewöhnlich. Zwar kommt es im Frühjudentum, speziell in apokalyptischen Schriften gelegentlich vor, daß Menschen mit Tiernamen belegt werden[139], jedoch nirgends im biblischen wie außerbiblischen Sprachraum in Form einer Invektive[140].

Im NT begegnet γεννήματα ἐχιδνῶν nur viermal: Mt 3,7 par Lk 3,7; Mt 12,34 und Mt 23,32, wobei die Wendung in den letzten beiden Stellen aus dem Munde Jesu kommt, sich aber wie in Mt 3,7 an Pharisäer und Sadduzäer bzw. Schriftgelehrte richtet. Vermutlich haben wir es in Mt 12,34; 23,32 mit Redaktion zu tun.

---

138 Die religionsgeschichtliche Einordnung der Taufe wird in einem eigenen Abschnitt erörtert werden.

139 äthHen 90; TestJos 19; Dan 4; 4Esr 11.

140 Vgl. LOHMEYER, Evangelium des Matthäus, 38 A 2.

Da die LXX die Wendung γεννήματα ἐχιδνῶν nicht kennt, werden die folgenden Überlegungen von dem Wort ἔχιδνα auszugehen haben[141]. Die Verwendung des weniger geläufigen ἔχιδνα anstelle des häufigen ὄφις hat bereits Anlaß zu einigen Deutungsversuchen gegeben. So meint Foerster, daß "die Giftigkeit der Schlange ein wesentliches Moment des Vergleichs bilden (muß): die Natur der Schlange ist es, bösartig und verderblich zu sein"[142]. Ähnlich urteilt auch Kraeling. Jemanden mit dem Wort "Giftschlange" zu belegen, unterstelle ihm nicht nur schlechte Motive, sondern kennzeichne ihn auch als durch und durch schlecht[143]. Schürmann weist auf den besonderen Gegensatz zwischen den Kindern Abrahams und dem Schlangengezücht hin, denn gerade die, die sich als Kinder Abrahams empfinden, sind in den Augen des Täufers "Gezeugte der Schlangen"[144].

In der LXX wird selbst das Substantiv ἔχιδνα nirgends verwendet. Einzig Aquila übersetzt in Jes 59,5 das hebräische אפעה [145] mit ἔχιδνα, während die LXX βασιλίσκος wählt. Aber auch das Wort אפעה findet sich nur noch an zwei weiteren Stellen des AT: Jes 30,6 und Hiob 20,16. Von besonderem Interesse für die Deutung der γεννήματα ἐχιδνῶν sind Jes 59,1-20 und Hiob 20. Hier wie dort gehören zum Wortfeld die Schlange, die Werke des Menschen und das Gericht, so daß sich die Frage nach einem möglichen Zusammenhang ergibt.

In Jes 59,1-20 klagt Tritojesaja über Frevel, Sünde und Trug der Menschen. V4 spricht sogar vom Unheil gebären und mit Mühsal schwanger gehen. Das Bild für die Werke des Unheils ist das Ausbrüten der Basiliskeneier und das Schlüpfen der Ottern (אפעה) aus Eiern (V5). Den Frevlern wird das Gericht Gottes angesagt, den Frommen wird die Herrlichkeit Gottes zuteil werden (VV15-20). Eine analoge Verbindung wie in Jes 59,1-20 findet sich in Hiob 20: Dem Frevler wird gemäß seinen Taten am Tage des Gerichts vergolten. V16 heißt es: "das Gift der Nattern sog er ein, der Ottern אפעה Zunge tötet ihn". In beiden Stel-

---

141 ἔχιδνα meint die Giftschlange, die Otter oder Viper, vgl. FOERSTER, ThWNT 2, 815. NESTLE, Otterngezücht, 268 meint, daß γεννήματα ἐχιδνῶν "besonders böse Vipern" bezeichne.

142 FOERSTER, ebd.

143 Vgl. KRAELING, John, 48.

144 Vgl. SCHÜRMANN, Lukasevangelium, 164.

145 אפעה meint die Otter, also die Giftschlange, vgl. GESENIUS, Handwörterbuch, 60.

len erscheint der Begriff "Schlange" im Kontext einer Anklage, die dem sündigen Menschen aufgrund seiner schlechten Werke das Gericht ansagt. Eine ähnliche Verknüpfung der Elemente begegnet in den Schriften der Qumrangemeinde, konkret in den Hodajoth. In 1QH 3,7-18, Schlüsselstelle dazu ist Jes 59,1-20[146], wird von einer Schwangeren berichtet, die unter Krampfwellen einen Sohn gebiert (Z7-12a). Als Gegenbild dazu dient die Schilderung einer Frau, die schwanger ist mit אפעה . Die Geburt der Otter führt zu Werken des Bebens (Z12). Schwangere und Unheilsschwangere sind hier Bilder für die wahre und falsche eschatologische Gemeinde[147]. Der falschen Gemeinde steht das Gericht bevor. In Z17f heißt es, daß sich die Tore der Unterwelt öffnen für alle

מעשי אפעה (Werke der Otter) und die Riegel der Unterwelt verschlossen werden hinter den רוחי אפעה (Geistern der Otter). Dieser falschen Gemeinde gehören die Gottlosen und Gewalttätigen an, die in 1QH 2,22 als der Rat des Truges und Gemeinde Belials bezeichnet werden.

Wenn ihre Wellen sich erheben, dann brechen hervor

אפעה ושוא (Ottern und Trug, 1QH 2,28). Aufgrund der eschatologischen Ausrichtung des Textes gewinnen die Begriffe p^{e}h und sw eine scharf negativ bestimmte Farbe. Otter und Trug "sind der Inbegriff jenes menschlichen Handelns, welches die eschatologische Erfüllung verhindert, ja sogar verkehrt"[148].

Die Schlange, die geboren wird, ist die falsche eschatologische Gemeinde, die Gemeinde Belials (vgl. 1 QH 2,22). Die Gottlosen und Gewalttätigen stehen im Herrschaftsbereich Belials. Ihr Handeln ist

מעשי אפעה , sie sind in ihren Handlungen der Schlange ähnlich. Die Hypostasierung der Werke der Otter, wie sie in der Rede vom Gerichtet-werden der Werke und der Geister der Otter in 1QH 3,17f zum Ausdruck kommt, zeigt die große Bedeutung, die menschlichem Handeln im Hinblick auf das Endgericht zugemessen wird. D.h. konkret: Diejenigen, die Nachkommen der Schlange sind, erweisen sich auch in ihren Taten als solche und damit als falsche eschatologische Gemeinde, die das Gericht Gottes erwartet. Im Blick auf die γεννήματα ἐχιδνῶν läßt sich

146 Vgl. MAIER, Texte II, 76.

147 Ebd. 77.

148 Ebd. 71f.

von daher sagen: Auch wenn keine direkte Abhängigkeit der Wendung γεννήματα ἐχιδνῶν von den angeführten alttestamentlichen Stellen und von den Qumrantexten nachweisbar ist, so zeigen diese Belege doch, daß der Begriff "Schlange" im Kontext von Gerichtsankündigungen verwendet werden konnte und zwar als Metapher für die Personengruppe, die im Gericht nicht bestehen wird. Ein solches Verständnis fügt sich in den Kontext der Johannespredigt gut ein, denn die angeschlossene rhetorische Frage (V7) kennzeichnet die γεννήματα ἐχιδνῶν als solche, die dem Gotteszorn anheim fallen werden. Ihre besondere Brisanz erhält die Invektive aber erst durch die Opposition zu den "Kindern Abrahams": Die sich als Kinder Abrahams fühlen, sind "Gezeugte der Ottern".

3.3.2. Die Abrahamskindschaft

Innerhalb des Frühjudentums läßt sich beobachten, daß es eine enge Beziehung zwischen der Frage nach der Abrahamskindschaft und der Zugehörigkeit zu Israel gibt. Als Israel nämlich werden immer diejenigen bestimmt, die Kinder Abrahams sind. Allerdings treffen wir dabei auf ganz unterschiedliche Sichtweisen der Abrahamskindschaft und in Folge auch auf unterschiedliche Definitionen Israels. So ist zwar allen gemeinsam die soteriologische Bedeutung Abrahams und der Väter für die Nachkommen aufgrund des Bundes Gottes mit Abraham. Sie spalten sich jedoch an der Frage, wer die Nachkommen Abrahams sind.

Eine dieser Sichtweisen bestimmt Israel als die Summe aller leiblichen Kinder Abrahams, denen allen aufgrund des Bundes Gottes mit dem Stammvater das Heil zugesagt ist[149]. Im Endgericht sind somit leibliche Abstammung und Fürbitte der Väter heilsrelevant[150]. Abraham zum Vater zu haben, bedeutet demnach, Anspruch und Garantie auf Rettung im Endgericht zu besitzen[151].

---

149 4Esr 3,13-15; LibAnt 4,11.13; 30,7; TestAss 7,7; CD 1,4f; Jub 15,26. Die folgenden Ausführungen über die Abrahamskindschaft stützen sich auf BERGER, TRE I, 372-382.

150 Josephus, Ant 11,169; TestLev 15,4; slHen 53,1; TestAbr A 14; Philo, Praem 166.

151 Zum Vater-Titel Abrahams vgl. auch BILLERBECK, Kommentar I, 116.

Eine andere Deutung der Abrahamskindschaft findet sich in einer dem hellenistischen und palästinensischen Judentum gemeinsamen Tradition, in paränetischen Gattungen: Dort wird die grundsätzlich soteriologische Funktion Abrahams für seine leiblichen Nachkommen bestritten. Abrahamskindschaft bestimmt sich nicht nur durch Abstammung. Die Destruktion des Wertes der leiblichen Abstammung erfordert ein anderes Verständnis von Abrahamskindschaft, zumal die soteriologische Funktion des Erzvaters nicht bestritten wird. Wahre Abrahamskindschaft und somit Zugehörigkeit zu Israel erweist sich durch einen dem Stammvater ähnlichen Wandel[152].

Ein Beispiel für das ethische Verständnis ist die philonische Sicht des Erwerbs von Eugeneia. In Virt 189-219 schildert Philo Abraham, der selbst unedler Abkunft ist, als Prototyp für diejenigen, die Adel nicht wegen ihrer leiblichen Abstammung, sondern durch ihre Gerechtigkeit erlangen. Adlig ist der, der σώφρονος und δίκαιος ist. Eugeneia erhält man deshalb nicht durch Vererbung, sie erweist sich erst in Worten und Handlungen. Philo wirft hier also einen Gegensatz auf zwischen λόγοι und ἔργα einerseits und Anspruch auf edle Herkunft andererseits. Von daher kann Philo Abraham als Muster für alle Proselyten hinstellen.

Da nicht mehr die leibliche Abstammung Garant für das Heil ist, sondern Heil denen zukommt, die in λόγοι und ἔργα dem Stammvater ähnlich werden, hat dieses neue Verständnis im Blick auf Gesamtisrael eine Einengung zur Folge[153]. Nur diejenigen, die sich als gerecht erweisen wie Abraham, bilden das "wahre Israel", welches der Rettung im Endgericht entgegensieht.

Lag bei dem ethischen Verständnis der Abrahamskindschaft der Schwerpunkt vor allem auf dem gerechten Handeln des Menschen, welches seinen Ausdruck in der Toraobservanz fand, so bildete sich mit Beginn der Apokalyptik eine wiederum von den übrigen verschiedene Sichtweise der Abrahamskindschaft aus. Wie äthHen 93,10 aber auch Mt 3,9 par zeigen, kann Gott Menschen zu Abrahamskindern erwählen. Trotz der Untreue der Menschen bleibt Gott seinem Bundesschluß mit

---

152 1Makk 2,51-61; Philo, Virt 189-219; TestAbr B 9; LibAnt 33,5.

153 Durch die Anwendung dieses Verständnisses kann sich auch eine Ausweitung ergeben: Auch Nicht-Juden können dem Abraham zugesagten Heil teilhaftig werden, vgl. Philo, Virt 189-219; Röm 4.

Abraham und somit seinem Versprechen an die Nachkommen treu. Aber Gott bestimmt, wer Nachfahre des Erzvaters ist. Diese Sichtweise der Abrahamskindschaft bedingte wieder eine Neubestimmung Israels. Israel wurde jetzt als neue Erwählungsgemeinschaft definiert. In der Apokalyptik bilden diejenigen das neue Israel, die zum inneren Kern der Bewegung zählen, z.B. der hinter der Zehnwochenapokalypse stehende Konventikel. Auch Qumran versteht sich als Israel im umfassenden Sinn. Die Erwählung dokumentiert sich in der Zugehörigkeit zur Qumrangemeinde.

Die Neudefinition Israels als Erwählungsgemeinschaft findet sich auch in der Umkehrpredigt des Täufers. Denn dort ist nicht allein das Prinzip der Ähnlichkeit mit Abraham der ausschlaggebende Faktor, sondern darüber hinaus - das zeigt der Hinweis auf die Steine, aus denen Gott dem Abraham Kinder erwecken kann - das freie Erwählungshandeln Gottes. Der Verdienstgedanke ist hier also deutlich ausgelassen. Die bereits angesprochene Opposition "Schlangengezücht" - "Kinder Abrahams" läßt sich mithin als Gegenüberstellung der Gerichtsverfallenen und Heilsprätendenten verstehen. Ihre besondere Schärfe gewinnt sie aber erst dadurch, daß es gerade die leiblichen Nachkommen Abrahams sind, denen mit dem Hinweis auf die allein maßgebende Erwählung Gottes die Abrahamskindschaft in soteriologischem Sinne abgesprochen und durch die Qualifizierung als "Gezeugte der Schlangen" ihr eschatologischer Unheilsstatus bestätigt wird.

3.3.3. Die Baum-Frucht-Metaphorik

Die synchrone Analyse hatte für V10 ergeben, daß das Bildwort vom Baum und seiner Frucht im Kontext der Gerichtsankündigung auf die Taten der Menschen abzielte. Auf der diachronen Ebene ergibt sich nun die Frage, ob eine ähnliche Verwendung der Baum-Frucht Metaphorik auch für das AT bzw. das Frühjudentum nachzuweisen ist.

Im AT und Frühjudentum wird "Frucht" metaphorisch im Kontext des Tun-Ergehen-Zusammenhangs verwandt[154]. Hierbei kann "Frucht" zum einen die Folge einer Handlungsweise bezeichnen[155] zum anderen sind die

154 Vgl. WREGE, EWNT 2, Sp. 620.

155 Jes 3,10; Jer 17,10; 21,14; Hos 10,13; Spr 1,31; 31,16.

Taten selbst die καρποί[156]. So heißt es in einem antithetischen Parallelismus in Prov 10,16 LXX: ἔργα δικαίων ζωὴν ποιεῖ, καρποὶ δέ ἀσεβῶν ἁμαρτίας. Auch das rabbinische Schrifttum bezeichnet die Taten der Menschen als Früchte, z.B. GnR 30 (18b): "Was sind die Früchte des Gerechten? Gebotserfüllung und gute Werke"[157]. Dieses Verständnis setzt sich im NT weiter fort. In Gal 5,19-23 entsprechen einander καρπὸς τοῦ πνεύματος (V22) und ἔργα τῆς σαρκός (V19)[158].

Das Motiv des Baumes wird im AT in einfachen Vergleichen, aber auch in ausgeführten Gleichnissen verwendet. Hier wie dort steht der Baum in enger Beziehung zum Gericht. Ez 15,6 spricht vom Verbrennen des Rebholzes: "Wie das Rebholz zu den Bäumen des Waldes sich verhält, das ich zum Verbrennen ins Feuer werfe, so mache ich es mit den Bewohnern Jerusalems". Dan 4,11 bringt die Gerichtsbezogenheit durch das Fällen des Baumes zum Ausdruck: "Fällt den Baum und haut ab seine Äste! Nehmt weg sein Blätterkleid und zerstreut seine Früchte ..."[159].

So verbreitet die Motive vom Baum und von der Frucht in alttestamentlichen und frühjüdischen Schriften je für sich auch sind, eine Baum-Frucht-Metaphorik, wie sie in der Umkehrpredigt des Täufer verstanden sein will, begegnet nur in Ψ 1. Dort wird bekanntlich der Mann, der Freude am Gesetz Gottes hat (νόμῳ κυρίου, V2) mit einem Baum verglichen - die LXX übersetzt das hebräische עץ mit ξύλον -, der seine Frucht (καρπός, V3) zu seiner Zeit bringt. Die Frevler hingegen sind wie der Staub, der im Winde verweht. Sie werden im Gericht nicht bestehen (VV4f).

Zwischen der Umkehrpredigt und Ψ 1 lassen sich zweifellos Ähnlichkeiten nachweisen: hier wie dort kommt es auf die Frucht an, auf die Taten des Menschen, die gerichtsrelevant sind. In beiden Texten wird karpos im Singular verwandt, so daß wir in Ψ 1 ähnlich wie in der Täuferpredigt bei karpos auf einen Kollektivbegriff schließen dürfen. Nicht die Einzeltaten, sondern das Gesamtverhalten ist somit im Blick. Ein

---

156 Vgl. HAUCK, ThWNT 3, 617.

157 Vgl. BILLERBECK, aaO, 466. Dort finden sich auch noch weitere Stellen als Belege.

158 Weitere Textbeispiele sind: Mt 12,33-37; 21,33-43; Lk 13,6-9; Joh 15,2-16; Röm 6,21f; Eph 5,9.

159 Vgl. Jer 11,16; 17,8; Ri 9,7-15; Ps 1,3; Jes 10,15-19; 61,3; Ez 31,1-18; Am 2,9.

Unterschied liegt allerdings darin, daß in Ψ 1 der Schwerpunkt auf dem Bestehen im Gericht aufgrund der Befolgung des νόμος κυρίου liegt, während die Johannespredigt den Blick mehr auf das Vernichtungsgericht lenkt. Ihre Sichtweise des Sünders jedoch ist gleich. Ψ 1 bezeichnet sie als Staub (χνοῦς), der im Wind verweht, der Grundtext spricht vom Worfeln und Verbrennen der Spreu. Zudem deutet in V10 nichts darauf, daß der karpos die Werke des Gesetzes meint. Zwar steht vermutlich auch hier die Vorstellung des Gerichts nach Werken im Hintergrund, doch zielt der Umkehrruf nicht explizit auf eine Rückkehr zur Tora. Das gerichtsrelevante "Werk" des Menschen ist wohl eher die von Johannes gespendete Taufe als äußere Manifestation eines inneren Wandels. Von daher ist es nicht möglich, in Ψ 1 die Grundlage für die Baum-Frucht-Metaphorik der Täuferpredigt im Sinne einer literarischen Abhängigkeit zu sehen. Beide Stellen entstammen aber vermutlich demselben Vorstellungszusammenhang. Da jedoch weitere Parallelen fehlen, läßt sich über die Herkunft des Motivs mehr nicht aussagen.

Nach Lohmeyer steht im Hintergrund von V10 der Umkehrpredigt die Weinbergmetaphorik (160). Dabei greift er vor allem auf das jesajanische Weinberglied (Jes 5,1-7), Ps 80, 4-16 und Ez 15,1-6; 17,5-10; 19,10-14 als Belege zurück: Israel ist die Pflanzung Jahwes, in ihr dokumentiert sich das Erwählungshandeln Gottes. Mit dem Gleichnis vom Weinberg brachte Israel die Hoffnung zum Ausdruck, von Gott Wachstum und Reife geschenkt zu bekommen, um einst die Herrschaft über die ganze Erde zu erhalten und im Endgericht bestehen zu können.

Der Täufer übernehme den mit dem Bild vom Weinberg verbundenen Gedanken der Erwählung, dehne ihn allerdings nicht mehr auf ganz Israel aus, sondern nur auf die, die gute Frucht bringen. Ihre Legitimation erhalte die Sichtweise des Johannes kraft einer eschatologischen Offenbarung, die die bisherige Offenbarung, wie sie im AT bezeugt ist, in einem neuen Sinn begründe (161). Im Unterschied zu einer pharisäischen Ethik, die strikt am Gesetz als der Macht, die im einzelnen wirkt, festhält (162), zählten für Johannes nicht die Werke, die dem menschlichen Willen entspringen, im Endgericht, sondern die Früchte als Ausfluß göttlicher Erwählung. "Buße ist ... die göttliche Offenbarung, die für den Täufer an die Stelle des Gesetzes tritt, die göttliche Macht, die allein 'Früchte' bringen kann, die ihrer würdig sind"(163). Ein Werkgericht im strikt jüdischen Sinn wird demzufolge aus dem Blickwinkel des Täufers nicht erwartet.

Für die These Lohmeyers spricht, daß seine Ergebnisse sich in den Duktus der Täuferrede einpassen, dies gilt besonders für den Gedanken

---

160 Vgl. LOHMEYER, Baum, 33-56.

161 Vgl. LOHMEYER, aaO, 47f.

162 Ebd. 53.

163 Ebd. 54.

der Erwählung, die nicht mehr ausnahmslos allen zuteil wird. Dagegen spricht jedoch, daß sich innerhalb der Johannespredigt die Bilder von der Pflanzung und vom Weinstock sprachlich nicht nachweisen lassen. Vom Text her sind für die Behauptungen Lohmeyers keine Anhaltspunkte gegeben.

Konstruiert erscheint vor allen die Opposition zu einer pharisäischen Ethik. Innerhalb des Textes finden sich keine Hinweise auf eine Auseinandersetzung mit derselben. So ist auch die von Lohmeyer hervorgehobene inhaltliche Unterscheidung zwischen Werk und Frucht nicht einsichtig, zumal diese nicht in der Diktion der Umkehrpredigt liegt. Doch ist auffällig, daß καρπός meistens im Singular, ἔργον dagegen vielfach im Plural verwendet wird. Es geht zwar nicht, wie Lohmeyer annimmt, um eine Antithese von Verdienstgedanke und Werkgericht (erga) auf der einen und Gnaden- und Erwählungstheorie (karpos) auf der anderen Seite, aber auch nicht einfach um eine Gleichsetzung von karpos und erga. Die eindeutige Verwendung von karpos als Kollektivbegriff in der Täuferpredigt zeigt ein umfassenderes Verständnis: Hier geht es um ein Gesamtverhalten und nicht um die einzelnen Taten, welche gerade durch den Plural erga zum Ausdruck gebracht werden.

Interessant jedoch ist die weitere Verwendung des Baum-Frucht-Motivs im Matthäusevangelium (Mt 7,15-23 par Lk 6,43-45; Mt 12,33-37). In Mt 7,15-23 geht es um die Beurteilung der falschen Propheten aufgrund ihrer Taten. Diese Feststellung wird ingesamt dreimal durch eine je doppelgliedrige Aussage (V16b.17.18) anhand des Bildes vom Baum und seiner Frucht verdeutlicht. Die formelhafte Wendung ἀπὸ τῶν καρπῶν γινώσκειν (V16a.20) ist für die Gemeinde das Kriterium, welches zur Beurteilung der Lehrer angewendet werden soll. "Καρπός bezeichnet in diesem Zusammenhang ... die von außen wahrnehmbaren Taten selbst, die Zeichen einer bestimmten Grundhaltung bzw. Disposition sind"[164]. Typisch für diese spezifische Verwendung von karpos in

164 HEILIGENTHAL, Werke, 55. Ähnlich auch WREGE, aaO, Sp. 620f. In KopPetrApk 75-76 handelt es sich um eine direkte Paralelle zu Mt 7: "Denn das Böse kann keine gute Frucht bringen. Denn jeder einzelne - von welchem Ort er auch stammt - bringt das hervor, was ihm (dem Ort) gleicht ... Denn weder sammelt man Feigen von Disteln oder von Dornen - wenn man klug ist - noch Weintrauben von Stachelsträuchern. Jene (Frucht) entsteht nämlich immer an dem (Gewächs), zu dem sie gehört ..."

Mt 7 sind nach Heiligenthal Genetivverbindungen mit Abstrakta[165].

So vermag das Verständnis von karpos in Mt 7 die bisherige Interpretation des καρπὸς ἄξιος τῆς μετανοίας in V9 der Umkehrpredigt zu stützen: Die zu erbringende Umkehrfrucht ist "wahrnehmbares Zeichen einer inneren Einstellung"[166]. Geht man zudem von der Annahme aus, daß die von Johannes gespendete Taufe in enger Verbindung mit der geforderten Umkehrfrucht steht, dann läßt sich daraus schließen, daß der Vollzug der Taufe der nach außen hin sichtbare Erweis seiner inneren Umkehrhaltung ist. Vorausgesetzt ist hier allerdings, daß es sich nicht um einen spezifisch matthäischen Sprachgebrauch handelt.

3.3.4. Das Motiv des alles verzehrenden Feuers

Es hat sich gezeigt, daß die dreimalige Verwendung von πῦρ innerhalb der Predigt des Johannes jeweils im Kontext seiner Gerichtsbotschaft steht. Demnach legt es sich nahe, die folgende Untersuchung auf das Feuer als Gerichtssymbol zu beschränken. Auch Stählin weist darauf, daß πῦρ in der Täuferpredigt ein Bild für die μελλούση ὀργή ist[167].

Im AT, insbesondere in den prophetischen Schriften, wird das Feuer verstanden als Mittel des göttlichen Gerichts, welches sowohl die Feinde Israels[168] als auch die Sünder in Israel trifft[169]. Da das Feuer immer in Verbindung mit dem Erscheinen Gottes zum Gericht steht, wird deutlich, daß es sich hierbei um keine reine Naturgewalt handelt, sondern um ein Strafmittel Gottes[170].

An Bedeutung gewonnen hat das so verstandene Feuer in der Apokalyptik. Es hat dort eine doppelte Funktion: Zum einen wird ein escha-

---

165 Vgl. HEILIGENTHAL, aaO, 56. Qualifizierende Genetive begegnen in Phil 1,1; Jak 3,18: Frucht der Gerechtigkeit; Gal 5,22: Frucht des Geistes; Eph 5,9: Frucht des Lichtes.

166 Ebd. 56. Mt 12,33-37 ist ähnlich wie Mt 7,15-23 zu verstehen, nur daß die Frucht nicht das Handeln, sondern das Reden meint.

167 Vgl. STÄHLIN, ThWNT 5, 437. Das Feuer als Bild für den Gerichtszorn findet sich u.a. auch in Jer 4,4; 5,14; 21,22; Ez 21,36; Zeph 1,18; Nah 1,6; Ps 76,5.

168 Vgl. Am 1,4.7.10.12.14; 2,2; Jer 43,12; Nah 3,13.

169 Vgl. Am 2,5; Hos 8,14; Jer 11,16; 17,27; 21,14; 22,7; Ez 15,7; 16,41.

170 Vgl. LANG, ThWNT 6, 937.

tologisches Gericht mit Feuer erwartet[171], wobei hier πῦρ das Mittel der ewigen Höllenpein ist "... und sie (= die heidnischen Völker) werden in das Gericht des Feuers geworfen werden und werden vernichtet durch den Zorn und durch das gewaltige Gericht, das bis in Ewigkeit (reicht)", äthHen 91,8[172].

Zum anderen aber ist das Feuer auch "Kennzeichen der himmlischen Lichtwelt"[173]. Die Engel werden vielfach als Feuerwesen vorgestellt[174].

Auch in Qumran begegnen wir der Erwartung, daß Gott im eschatologischen Gericht die Feinde der Gemeinde im Feuer vernichten wird. In 1QS 2,8 sollen alle diejenigen, die Belial weiter anhangen, in "Finsternis ewigen Feuers" verdammt sein. Insgesamt bleiben die Texte dabei dem apokalyptischen Sprachgebrauch treu[175]. Das Motiv vom Feuergericht kann im AT anhand von drei signifikanten Bildern beschrieben werden: Das erste ist dem Bereich der Erntearbeit entnommen. Nach dem Abernten der Felder wird alles Nutzlose, die Spreu, die Stoppeln, das Unkraut, verbrannt. Hierfür findet sich eine Vielzahl von Belegen[176]. Zweitens wird häufig das Bild vom Waldbrand verwandt. Nutzlose Bäume, die keine Frucht tragen, werden abgeholzt und verbrannt[177]. Die Bilder vom Erntefeuer und vom Waldbrand zeigen, daß das Feuer eindeutig auf die Vernichtung zielt.

Schließlich findet sich auch das Bild vom Metallschmelzen, das im Hinblick auf das Gericht ausgedeutet wird: "ich kehre meine Hand gegen dich, um deine Schlacken im Ofen auszuschmelzen und auszuscheiden all dein Blei", Jes 1,24[178]. Entgegen der oben genannten Funktion des Feuers geht es hier nicht um die Vernichtung, sondern um die Läuterung.

---

171 äthHen 102,1: "in jenen Tagen, wenn er ein heftiges Feuer über euch herabschüttet", vgl. auch syrBar 37,1; 48,39; 4Esr 13,10f; Jub 9,15; 36,10 u.ö.

172 Vgl. äthHen 100,9; 103,8; 4Esr 7,38; syrBar 44,15; 59,2.

173 LANG, aaO, 937.

174 Vgl. slHen 1,5; 29,3; 4Esr 8,21; syrBar 21,6; äthHen 14,9-25; 71,1-12; ApkAbr 19,5-9.

175 Vgl. LANG, aaO, 938.

176 Vgl. Jes 5,24; 10,17; 47,14; Nah 1,10; Ob 18; Mal 3,19 u.ö.

177 Vgl. Jes 10,18f; Jer 21,14; 22,7; Ez 21,2f; Sach 11,1f u.ö.

178 Vgl. auch Mal 3,2f.

Ein Vergleich mit der Johannespredigt zeigt, daß der Täufer die beiden ersten Bilder aufgenommen hat. Dagegen ist die "Metapher von der Feuertaufe ... wohl genuin täuferisch. Der Täufer signalisiert so die konstitutive enge Zusammengehörigkeit seiner Taufe und des Gerichts im Rahmen seiner Verkündigung"[179]. Es legt sich also nahe, in der Johannespredigt πῦρ als Element der Vernichtung, als Strafmittel, zu begreifen.

Nach Schlatter sind zwar die Bilder von der brennenden Spreu und den brennenden Bäumen im Sinne des Strafgerichts zu verstehen, die Feuertaufe hingegen diene der Läuterung. Ähnlich wie verunreinigte Gegenstände mit Wasser gesäubert werden, geschehe dies auch mittels des Feuers durch Ausglühen. Da es im Grunde nicht möglich sei, mit der Wassertaufe die Sünden Israels abzuwaschen, könne erst die Feuertaufe des Kommenden eine endgültige Vernichtung der Sünder und somit eine Reinigung Israels bewirken[180]. Schwierigkeiten in der Argumentation Schlatters bereitet vor allem die Annahme einer unterschiedlichen Bedeutung von πῦρ . Nur weil die Metapher von der Feuertaufe in der Tradition nicht belegt ist und so nicht eindeutig die Vernichtung im Blick hat, wie dies bei den verwandten Bildern der Fall ist, einen unterschiedlichen Sinn anzunehmen, ist vom Text her nicht gerechtfertigt. Viel eher scheint es sinnvoll, gerade aufgrund der zweifachen Verknüpfung von Feuer und Vernichtung auch die Feuertaufe nicht als Läuterungs-, sondern als Strafmittel anzusehen.

Ebensowenig scheint beim Täufer die Vorstellung des höllischen Straffeuers maßgeblich gewesen zu sein[181]. Diese entwickelte sich auf der Basis von Jes 66,24, das Feuer galt als die ewige Strafe für die an einem abgesonderten Ort versammelten Sünder[182]. Soweit dies anhand der bei Johannes verwandten Bilder erkennbar ist, werden die Sünder durch das Feuer vernichtet. Das Verbrennen von Spreu und von abge-

---

179 BECKER, Johannes, 28.

180 Vgl. SCHLATTER, Johannes, 109. Für ein Verständnis des Feuers als Läuterungsfeuer spricht sich auch KRAELING, John, 114-117 aus.

181 Vgl. SCHULZ, Q, 376.

182 Belegmaterial findet sich in BILLERBECK, aaO IV/2, 1075ff.

holzten Bäumen deutet auf eine zeitliche Begrenzung. Dem Auflodern der Flammen folgt unweigerlich das Absterben der Glut zu kalter Asche[183].

Gleichfalls nicht zutreffen dürfte die Vorstellung vom Weltenbrand[184]. Nirgendwo findet sich in der Ankündigung des Feuergerichts ein Hinweis auf eine den gesamten Kosmos umfassende Vernichtung wie dies in 1 QH 3,19ff und in der Apokalyptik belegt ist[185], sondern das Interesse des Täufers gilt allein dem im Unheil lebenden Volk Israel.

So scheinen sowohl die Metapher von der Feuertaufe als auch die Bilder vom Erntefeuer und vom Waldbrand auf ein endgültiges Vernichtungsgericht zu zielen, das den sündigen Menschen in seiner gesamten Existenz umfaßt[186]. Diese Annahme wird nicht nur durch den Aussagegehalt der Bilder selbst gestützt, sondern auch durch die Tatsache, daß der Kommende, als Richter, zum eschatologischen Gericht erwartet wird und mit seiner Feuertaufe die Strafe an den Sündern vollzieht[187].

3.3.5. Der Kommende

Wir haben gesehen, daß sich auf der Ebene der Synchronie die Frage, wer der in der Täuferpredigt angekündigte Richter sei, nicht klären ließ. So erschien es möglich, die Ankunft des Messias, eines eschatologischen Propheten, des Menschensohnes oder Gottes zu erwarten.

Die Predigt Johannes des Täufers läßt einen Rückgriff auf alttestamentliche Heilsverheißungen nicht zu; dies brachte die Diskussion um die Abrahamskindschaft zum Ausdruck. So fehlt ihr auch jegliche nationalpolitische Ausrichtung, die sich auf eine Messiashoffnung stützte, deren

---

183 Vgl. BECKER, aaO, 28.

184 Vgl. MAYER, Vorstellung, 120-136.

185 Vgl. dazu die Stellenangaben bei VOLZ, Eschatologie, 319 und MAYER, aaO, 120-125.

186 Vgl. BECKER, aaO, 28.

187 Neben der den gesamten Menschen umfassenden und vernichtenden Feuerstrafe gibt es die Vorstellung von einer Prüfung der Werke des Menschen durch das Feuer. Diese finden wir sowohl in ApkAbr 13 als auch in 1Kor 3,13-15; vermutlich gehen beide auf eine aus Persien stammende gemeinsame Tradition zurück. Das Besondere gegenüber der Vernichtung des sündigen Menschen durch das Feuer liegt darin, daß es "nicht um die Bestrafung oder Vernichtung durch Feuer, sondern allein um die Prüfung der Taten" geht, HEILIGENTHAL, aaO, 261.

Ziel die Restituierung des davidischen Reiches war. Folglich gibt es keinen Anhaltspunkt, die Gestalt des Kommenden mit dem Messias zu identifizieren[188]. Viel weniger noch verwies Johannes auf die Ankunft eines eschatologischen Propheten. Becker konnte in seiner Untersuchung der fünf Untertypen eschatologischer Propheten deutlich machen, daß wir nirgendwo einer Vorstellung begegnen, die den eschatologischen Propheten als kommenden Richter erwartet[189].

So bleiben nur noch der Menschensohn oder Gott als Interpretationsmöglichkeit übrig.

Für die Annahme, in dem erwarteten ἐρχόμενος den Menschensohn zu sehen, spricht einiges: Während Dan 7,13f noch von einer "Gestalt wie ein Menschensohn" spricht[190], dem, nachdem Gott Gericht gehalten hat, die Herrschaft über das ewige Reich gegeben wird, schildern die Bilderreden des äthHen[191] den Menschensohn bereits als Richter- und Rettergestalt, der Gericht hält über die gefallenen Engel (55,4) und die sündigen Menschen (46,4-6), die Gerechten aber aussondert (51,2) und ihnen das Heil zuteil werden läßt. 4Esr 13 knüpft an Dan 7,13f an, aber ähnlich wie in äthHen wird der Menschensohn ebenfalls als Richter gesehen[192], dessen Strafhandeln mit den Bildern vom "Feuerwogen, Flammenhauch" und dem "Sturm von Funken" (13,10) beschrieben wird. Eine Analogie zur Täuferpredigt ist hier schon deshalb unverkennbar, weil denjenigen, die sich taufen lassen, vom Kommenden das Heil zuteil werden wird.

Die bereits in der synchronen Analyse geäußerte Vermutung, aufgrund der sich anbietenden Substitution ὁ θεός für ὁ ἐρχόμενος den Kommenden mit Gott zu identifizieren, ist gleichfalls nicht von der Hand zu weisen. So finden sich im AT Stellen, in denen vom Kommen Gottes zum Gericht gesprochen wird[193]. Zu erwähnen ist dabei vor allem, daß sowohl in Jes 30,27 als auch in Zeph 1,14-18 neben dem Kommen Gottes der göttliche Zorn und das strafende Feuer genannt werden. Eine ana-

188 Vgl. BECKER, aaO, 34. Vgl. auch insgesamt die Literaturdiskussion bei SCHÖNLE, Johannes, 62f.

189 Ebd. 47-53.

190 Dan 7,13 Theodotion spricht sogar vom υἱὸς ἀνθρώπου ἐρχόμενος.

191 Vgl. äthHen 46-62.

192 vgl. TÖDT, Menschensohn, 19,28; BECKER, aaO, 35f.

193 Vgl. Jes 30,27; Zeph 1,14.15.18.

loge Kombination konnte bereits für die Johannespredigt festgestellt werden, so daß wir hierin ein Indiz für die Identifikation Gottes mit dem Kommenden sehen könnten. Ungeklärt aber bleibt generell die Frage, warum trotz der Nennung von ὁ θεός in V9 des Grundtextes in V11 das mehrdeutige ὁ ἐρχόμενος verwandt wird, wenn nicht letztendlich eine von Gott unterschiedene Richtergestalt, in diesem Fall der Menschensohn, gemeint sein soll.

Bereits Kraeling spricht sich dagegen aus, Gott für den Kommenden zu halten. Er meint, "the fact of the comparison shows, that the person in question is not God, even in the most object humility, would have been presumptuos for any Jew in John's day"[194]. Während Kraeling seine Überlegungen von der jüdischen Religionspraxis her begründet, versucht Brownlee, seine Argumentation von sprachlicher Seite her zu stützen, da nirgends im Judentum Gott als "mightier", sondern immer als "Almighty" beschrieben würde[195]. Auch Becker verneint, daß der Erwartete Gott gewesen sein könne, da ein derartiger Anthropomorphismus, wie er in dem Bild von den Sandalen (Mt 3,11 par Lk 3,16) zum Ausdruck kommt, nirgends im AT für Gott belegt sei[196]. Jedoch gehen die Überlegungen von Brownlee und Becker von einer Voraussetzung aus, die sich als unzutreffend erwiesen hatte: So zeigte sich im Zuge der Rekonstruktion des Grundtextes[197], daß der Spruch vom Stärkeren in den von der Wasser- und Geisttaufe eingeschoben und als Q-Interpretament zu werten ist. Die angeführten Argumente fallen somit für die Klärung der Frage nicht ins Gewicht.

Aufgrund des alttestamentlichen und frühjüdischen Befundes ist es schwierig, eine eindeutige Entscheidung zu fällen. Da Johannes der Täufer von apokalyptischen Voraussetzungen beeinflußt ist, scheint es sich nahezulegen, daß Johannes in der Gestalt des Kommenden den Menschensohn erwartet und sich als dessen Vorläufer verstanden haben könnte. Doch ist dann nicht ganz deutlich, warum die Predigt den für verschiedene Interpretationen offenen Begriff ὁ ἐρχόμενος verwendet und das eindeutige υἱὸς τοῦ ἀνθρώπου vermeidet, zumal sich aufgrund ihrer

---

194 KRAELING, aaO, 54.

195 Vgl. BROWNLEE, John, 79.

196 Vgl. BECKER, aaO, 34f.

197 Vgl. Punkt 1.1.

strikt theozentrischen Ausrichtung eine Identifikation des Kommenden mit Gott nahelegt.

Im Vorgriff auf noch folgende Untersuchungen[198] sei bereits hier auf einen Text verwiesen, der zur Stützung des eben genannten Arguments herangezogen werden kann: Nach Mal 3,1.23 kündet Elia das Kommen Gottes zum Gericht an. "Seht, ich sende meinen Boten, er soll den Weg für mich bahnen. Dann kommt plötzlich zu seinem Tempel der Herr, den ihr sucht (V 1). Bevor aber der Tag des Herrn kommt, der große und furchtbare Tag, seht, da sende ich zu euch den Propheten Elia" (V 23). Wir hatten gesehen, daß die Umkehrpredigt das Bild von Johannes dem Täufer als eschatologischen Propheten vermittelt. Da in Mk 1,2 die Funktion des Täufers mit einem Zitat aus Mal 3,1 beschrieben wird und sich von daher vermuten ließe, ob nicht Johannes als der wiedergekommene Elia dargestellt werden soll, scheint es deshalb sinngemäßer zu sein, den von Johannes angekündeten Kommenden mit Gott zu identifizieren[199], zumal der Elia redivivus traditionell als Vorläufer Gottes gesehen wurde.[200]

3.3.6. Auswertung

Die vorangehenden Abschnitte konnten deutlich machen, daß die in der Täuferpredigt verwandten Motive dem alttestamentlichen und frühjüdischen Vorstellungsbereich entnommen sind. Außer in der johanneischen Umkehrpredigt kommt allerdings der Motivkomplex insgesamt nirgends vor. Zwar begegnet man den Kombinationen einzelner Motive miteinander

198 Vgl. Kapitel 4.

199 Für die Identifizierung des Kommenden mit Gott plädieren MERKLEIN, Botschaft, 29 und HUGHES, John, 195-200, der zwar auch den Spruch vom Stärkeren Johannes selbst zuspricht (Vgl. 196 A1), in ihm aber keine Schwierigkeit für seine Interpretation sieht. Die Argumente, die HUGHES für seine Sichtweise des erchomenos sammelt, entstammen nicht der Umkehrpredigt selbst, sondern sind den alttestamentlichen und frühjüdischen Schriften entnommen: a) sowohl im AT als auch in apokalyptischen Schriften wird Gott als der "Mächtigere" angesehen (196); b) das Bild vom Worfeln ist eine Metapher für die Taten Gottes (Hab 3,12; 4Esr 4,30; 198); c) die Feuertaufe wird als von Gott vollzogene Reinigungstaufe mit Hinweis auf 1QH 3,27-32 interpretiert (199).

200 Vgl. den Exkurs zur Elia-redivivus-Vorstellung.

- so stehen in Hiob 20 die Schlange und das Straffeuer, in Jer 21,14 die Frucht und das Bild vom Waldbrand, in Jub 36,10 und syrBar 85,12 die Abrahamskindschaft und das Vernichtungsgericht zusammen -, im Hinblick auf die restlichen Textstellen bilden sie jedoch die Ausnahme. Im allgemeinen sind die Motive im AT und im Frühjudentum isoliert überliefert. Hauptsächlich begegnet man ihnen in den Prophetenbüchern und in apokalyptischen Texten. Die Kombination der Motive stellt ein Spezifikum der Johannespredigt dar. Da die den gesamten Komplex umfassende Klammer das eschatologische Gericht ist, auf welches die einzelnen Motive intentional hinweisen, ist hierin auch die besondere Funktion der Motivkombination zu sehen. Sie betont ein Doppeltes: Die Apodiktik des Gerichts wird in ihrer ganzen Schärfe zum Ausdruck gebracht; das einzige, was bleibt, ist die Hoffnung auf ein Handeln Gottes.

So vermag nicht allein die für Johannes charakteristische Beziehungslosigkeit zwischen Heil und Geschichte als Hinweis für eine Einordnung des Täufers in die Apokalyptik gelten. Auch die verwandten Motive, denen wir gleichfalls in Apokalypsen begegnen, deuten in diesselbe Richtung.

3.4. Zusammenfassung

Der vorangegangene Großabschnitt stand unter der Grundfrage, wie sich die Botschaft Johannes des Täufers in eine Theologiegeschichte des Frühjudentums einordnen läßt. Auf diesem Hintergrund sollten die Spezifika der johanneischen Umkehrpredigt herausgestellt werden. Der Lauf der Untersuchung hat gezeigt, daß sich Elemente der beiden theologischen Konzeptionen in der Johannespredigt finden, die in der Forschung als dtrGB und apkGB bezeichnet werden.

Von seiner formalen Struktur her konnte der aus Mt 3,7-12 par rekonstruierte Grundtext in die Tradition dtrn Umkehrpredigten eingeordnet werden. Doch stimmen der Täufer und die dtrn Umkehrprediger darüber hinaus auch in ihrem zentralen Anliegen, das Volk Israel zur Umkehr zu rufen, überein. Da Johannes seine "Heils"- und Unheilsansage ausschließlich auf Israel bezieht, dessen Existenz als die permanenten Ungehorsams begreift und von daher die Gerichtsverfallenheit des ganzen Volkes propagiert, konnte in gewisser Hinsicht eine Nähe der Täuferpredigt zur dritten Überlieferungsstufe des dtrGB festgestellt werden.

Allerdings teilt Johannes im Unterschied zur dtrn Geschichtssicht nicht die Auffassung von einer auf Erlösung zielenden Heilsgeschichte, in deren Rahmen die erfolgte Umkehr eine Aussicht auf Heil in sich schließt. In seinen Augen ist die Berufung auf den Abrahamsbund als Garant zukünftigen Heils für Israel nicht mehr möglich. Der Bruch mit der heilsgeschichtlichen Vergangenheit ist radikal, so daß mit der Metanoia keine Heilszusage mehr verbunden wird. Die Umkehr schließt demzufolge nur noch die Anerkenntnis des souveränen Handelns Gottes ein. Sie ist die letzte Möglichkeit, der Gerichsverfallenheit ganz Israels zu entkommen.

Diese im Vergleich zur theologischen Konzeption des dtrGB signifikanten inhaltlichen Unterschiede der johanneischen Umkehrpredigt zeigen nun aber eine deutliche Nähe zu Elementen der apokalyptischen Geschichtssicht.

Die Untersuchung apokalyptischer Texte auf dem Hintergrund des sich - bedingt durch die zeitgeschichtlichen Ereignisse - entwicklenden apkGB vermochten die Grundlage für die bei Johannes charakteristische Beziehungslosigkeit zwischen Heil und Geschichte anzugeben: Im apokalyptischen Denken wird eine Orientierung an der Heilsgeschichte abgelehnt und die Hoffnung allein auf das souveräne Handeln Gottes gegründet. Die Geschichte selbst ist in ein rasendes Gefälle geraten; sie steuert unaufhaltsam ihrem Ende entgegen. Das Heil liegt nicht mehr im Bereich menschlicher Perspektiven, sondern wird nur noch von Gott her gedacht. Demzufolge ist die Umkehr in der Sicht der Apokalyptiker nicht mit einer Heilszusage verknüpft. Vielmehr ist sie eine Haltung des Menschen, die sich unterschiedlich - z.B. als Sündenbekenntnis, als Toraobservanz oder bei Johannes als Taufe - artikulieren kann.

Wir haben gesehen, daß sich zwar die Predigt des Täufers an die formalen Kriterien dtrn Umkehrpredigten orientiert und Johannes selbst als radikaler Umkehrprediger erscheint. Die inhaltlichen Aspekte seiner Botschaft sind jedoch stärker durch apokalyptisches Denken, speziell durch die apokalyptische Geschichtssicht und das entsprechende Umkehrverständnis beeinflußt. Eine definitive Festlegung des Täufers auf die eine oder andere Konzeption ist von daher nicht möglich. Es läßt sich jedoch eine große Nähe zum apokalyptischen Denken feststellen.

Als zusätzliches Indiz für diese Beobachtung mögen die in der Täuferpredigt verwandten Motive - die Anrede "Schlangengezücht", die Abrahamskindschaft, die Baum-Frucht-Metaphorik, das Motiv vom alles verzehrenden Feuer und die Ankündigung des Kommenden - gelten, da sie gerade auch in apokalyptischen Texten vorkommen. In ihrer Kombination allerdings stellen sie ein Spezifikum des Grundtextes dar. Ihre intentionale Klammer bildet dort das eschatologische Gericht.

Die Besonderheit der Täuferpredigt gegenüber den beiden theologiegeschichtlichen Entwürfen liegt freilich einerseits in der Charakterisierung des Täufers als eschatologischer Bote, der den Weg des Kommenden bereitet - Anklänge an prophetische Gestalten sind hier deutlich -, andererseits in der johanneischen Wassertaufe selbst. Ihre unmittelbare Nähe zur Metanoia konnte bereits auf synchroner Ebene herausgestellt werden. Jedoch ist sie nicht nur als äußeres Zeichen eines inneren Wandels verstanden, also als eine - im apokalyptischen Verständnis - Spezifizierung der Umkehrhaltung des Menschen. Ihre enge Beziehung zur Feuertaufe rückt sie darüber hinaus in unmittelbare Nähe zum eschatologischen Gericht. Die von Johannes angebotene Taufe vermag das zukünftige Gericht bereits zu vergegenwärtigen. Johannes als dem Spender der Taufe kommt insofern eine Rolle als "Heilsmittler" zu. Seine Botschaft und seine Taufe stehen im Schnittpunkt des unabwendbaren eschatologischen Gerichts einerseits und dem im Unheil lebenden Israel andererseits. Inwieweit der Taufe selbst sündenvergebende Kraft zukommt, ist im Zusammenhang der Täuferpredigt noch nicht endgültig zu klären. Dazu bedarf es der Berücksichtigung weiterer neutestamentlicher Texte über Johannes den Täufer.

II. TEIL

DIE REZEPTION DER TÄUFERBOTSCHAFT BEI SEINEN JÜNGERN

4. Kapitel

Die Taufe der Umkehr zur Vergebung der Sünden: Mk 1,1-8

Im Zuge der vorangegangenen Untersuchung zur Umkehrpredigt des Täufers zeichnete sich die besondere Bedeutung der Johannestaufe ab. Sie ist nicht nur eine äußere Manifestation der Umkehr; ihre Beziehung zur Feuertaufe des Kommenden setzt sie deutlich in Relation zum eschatologischen Gericht. Wir konnten von daher vermuten, daß im Empfang der Wassertaufe eine Möglichkeit zur Rettung im Endgericht zu sehen ist. Ob und inwiefern die Johannestaufe sündenvergebende Funktion hat, konnte allerdings aufgrund der knappen Ausführungen in Mt 3,7-12 par bisher nicht näher geklärt werden. Dieser Frage wollen wir im folgenden nachgehen.

Markus berichtet über die Johannestaufe im Zusammenhang seiner Darstellung über Auftreten und Verkündigung des Täufers (Mk 1,1-8) und charakterisiert sie als βάπτισμα μετανοίας εἰς ἄφεσιν ἁμαρτιῶν (Mk 1,4). Da die beiden Seitenreferenten Matthäus und Lukas im wesentlichen die mk Aussagen über die Taufe übernehmen (Mt 3,1-6 par Lk 3,3-6), legt es sich nahe, Mk 1,1-8 unter besonderer Berücksichtigung der darin enthaltenen Präzisierungen zur Taufe zum Ausgangspunkt des folgenden Arbeitsgangs zu nehmen.

Zu beachten bleibt dabei freilich, daß auch dieser Bericht über die Johannestaufe im Lichte christlicher Bearbeitung erscheint. Das deutliche Interesse der Evangelisten, die christliche Taufe von der des Johannes abzuheben[1], läßt nicht nur einen ursprünglichen Zusammenhang annehmen[2], sondern gibt zu der Vermutung Anlaß, daß hinter den Darstellungen der Johannestaufe Täufertradition steht. So sind möglicherweise in Mk 1,4 Relikte einer historischen Beurteilung der Johannestaufe zu sehen.

1 Vgl. Mk 1,8 parr; Joh 1,33; Apg 1,5; 11,10; 19,16.

2 Vgl. BARTH, Taufe, 23; LOHFINK, Ursprung, 42f.

Mit Hilfe folgender Kriterien soll die Frage beantwortet werden, ob Mk 1,1-8 Täufertradition zugrundeliegt:
Ausgangspunkt für die Beurteilung von Mk 1,1-8 bezüglich der Frage nach möglicher Täufertradition sind die Resultate, die die Analyse der - authentische Johannestradition wiedergebenden - Umkehrpredigt erzielte. Johannes erschien dort als radikaler, in apokalyptischer und deuteronomistischer Tradition stehender Umkehrprediger, der apodiktisch das eschatologische Gericht und das Kommen des Feuertäufers verkündete und in seiner Taufe - als Ausdruck der Umkehr - die letzte Möglichkeit sah, dem Endgericht entgehen zu können. Finden sich die genannten Elemente in Mk 1,1-8, dann werden wir auch für diesen Text davon ausgehen können, daß er Täuferüberlieferung wiedergibt. Die möglichen noch verbleibenden Differenzen zwischen Mk 1,1-8 und der Umkehrpredigt gehen entweder auf das Konto christlicher Redaktion oder aber wir dürfen, wenn trotz Ausscheidung christlicher Bearbeitung Unterschiede bleiben, annehmen, daß die Mk-Perikope Überlieferung der Johannesjünger wiedergibt.[3] Interessant ist dann vor allem die Frage, ob dieses Bild in Beziehung zum Täufer und seiner Taufe steht und - wenn ja - inwieweit dieses Bild eine Modifikation bzw. Interpretation der in der Umkehrpredigt dokumentierten Täuferdarstellung ist.

4.1. Abgrenzung der Texteinheit

Mk 1,1-13 ist ein zusammenhängender Abschnitt, der sich in drei Szenen gliedert: VV1-8 Johannes der Täufer, VV9-11 Taufe Jesu, VV12-13 Versuchung Jesu[4].

Gegen die Auffassung von Pesch und Gnilka, die die VV14-15 noch dazurechnen[5], lassen sich unter erzählerischem Gesichtspunkt gute Gründe anführen: Durch einen Zeit- und Ortswechsel markiert V14 deut-

---

3 Die Tatsache, daß es Johannesjünger gab, wird nicht nur durch Apg 19,1-7; Joh 1,35ff u.a. bestätigt. Weil es Täuferüberlieferung außerhalb der christlichen Gemeinden gab, kann man dies als hinlänglichen Beweis für die Existenz einer Gruppe ansehen, die dem Johannes nahestand und dessen Verkündigung und Taufe tradierte.

4 Vgl. LOHMEYER, Evangelium nach Markus, 9.

5 Vgl. PESCH, Markusevangelium 71f; GNILKA, Evangelium nach Markus I, 39.

lich, daß eine neue Handlungs- und Erzähleinheit beginnt. Die drei Szenen in den VV1-13 hingegen sind auf textsynchroner Ebene an den Übergangsstellen von V8 zu V9 und V11 zu V12 miteinander verknüpft. V9 wird durch den anaphorischen Hinweis ἐν ἐκείναις ταῖς ἡμέραις mit dem Vorhergehenden verbunden und καὶ εὐθύς in V12 stellt sicher, daß die beiden kurzen Abschnitte (VV9-11 und V12f) zeitlich und sachlich eng aufeinander bezogen sind. Die drei Szenen bilden in sich je kleinere Einheiten, die zwar durch die anaphorischen Elemente in V9.12 miteinander zu einem kohärenten Text verknüpft sind, von ihrer Thematik her aber auch je eine gewisse Eigenständigkeit bewahrt haben, so daß es gerechtfertigt erscheint, für die folgende Untersuchung die VV1-8 aus der Texteinheit Mk 1,1-13 herauszulösen und für sich zu bearbeiten.

4.2. Textkohärenz

Ob und inwieweit es sich in Mk 1,1-8 um einen kohärenten Text handelt, kann anhand syntaktischer und semantischer Beobachtungen entschieden werden.

Als satzeinleitende Konjunktion verbindet καθώς V1 und V2 miteinander[6] und leitet über zu dem in V2bf folgenden Schriftzitat. Dadurch wird das Zitat auf den in V1 genannten Gottessohn bezogen[7], so daß sowohl die Personalpronomen σοῦ (V2b) und αὐτοῦ (V3) als auch das Substantiv κυρίου als Substitution zu Ἰησοῦ Χριστοῦ angesehen werden können.

In V4 markiert ἐγένετο einen deutlichen Einschnitt und stört so die Kohärenz. Doch zeigen andererseits die Wiederaufnahme der Ortsbestimmung ἐν τῇ ἐρήμῳ in V4 und die Möglichkeit, Ἰωάννης als Substitution zu φωνὴ βοῶντος zu verstehen, eine Verknüpfung der beiden Verse, so daß die VV1-3 im Hinblick auf V4ff eine kataphorische Funktion haben können.

Eine besondere Textdichte weisen die VV4-8 auf: Sie sind durch die Partikel καὶ sowie durch Stichwortverbindungen (κηρύσσω V4.7 und

6 Vgl. BLASS-DEBRUNNER, Grammatik, § 453.

7 Vgl. GNILKA, aaO, 44.

βαπτίζω bzw. βάπτισμα V4.5.8.) miteinander verknüpft. Nomen regens in diesem Abschnitt ist Ἰωάννης (V4.6). Der Name wird durch das Personalpronomen αὐτός (V5.6) und die Verbform ἐκήρυσσεν (V7) bzw. εἰμί, ἐβάπτισα (V7f) aufgegriffen.

Auch auf semantischer Ebene zeigt sich eine deutliche Kohärenz in den VV4-8. Johannes, der in V4 eingeführt wird, bildet das Thema; in den folgenden Versen werden ihm verschiedene Rhemata zugeordnet: die Verkündigung der Bußtaufe (V4), seine Tauftätigkeit (V5), die Beschreibung seiner äußeren Gestalt (V6) sowie die Ankündigung des Stärkeren (VV7f).

Aufgrund der vorangegangenen synchronen Untersuchung zur Täuferpredigt wissen wir, daß der eigentliche Ort des in Mk 1,7 Berichteten die Umkehrpredigt des Johannes ist, so daß wir unter diesem Gesichtspunkt davon ausgehen müssen, zwischen V6 und V7 einen Einschnitt anzunehmen.

Die beobachteten Einschnitte zwischen den VV3.4 und den VV6.7 können trotz des Bemühens um sprachliche Verknüpfung als Indizien für ein sekundäres Zusammenwachsen dreier Traditionsstücke gewertet werden (VV1-3; VV4-6; VV7-8), die von daher im folgenden je für sich untersucht werden sollen. Dabei ist die Frage nach möglichen Überresten echter Täufertradition leitend.

4.3. Mk 1,1-3

4.3.1. Ex 23,10 und Mal 3,1 in Mk 1,2

Bei Markus beginnt die Darstellung seines Evangeliums (V1) mit dem Auftreten Johannes des Täufers (VV2-8). Dieser Abschnitt wird eingeleitet durch ein Schriftzitat (VV2f). Aufgrund der engen Anbindung der VV2-3 an V1 kann man davon ausgehen, daß die Schriftzitate christlich redigiert sind, doch erlauben die vergleichsweise geringfügigen redaktionellen Änderungen (σοῦ V2, αὐτοῦ V3) nicht den Rückschluß, die Verse allein als interpretatio christiana zu verstehen. Eine im Hintergrund stehende Täufertradition kann nicht von vornherein ausgeschlossen werden.

Für die Bearbeitung des Mk-Textes erscheint es nicht notwendig, V1 einer genaueren Analyse zu unterziehen. Festzuhalten ist dabei nur, daß der Vers im Sinne einer Überschrift den Inhalt des Markusevangeliums, das Evangelium von Jesus Christus[8], nennt und die durch die Konjunktion καθώς erreichte Verknüpfung der sich anschließenden Verse diese eindeutig dem Evangelium Jesu Christi unterordnet. Von daher werden wir uns im folgenden nur mit V2 und V3 befassen.

Das Schriftzitat, welches durch eine geläufige Zitierformel[9] als Jesajazitat gekennzeichnet wird, erweist sich jedoch näherhin als Mischzitat. Erst in V3 wird der Text aus Jes 40,3 geboten, V2 hingegen stellt eine Kombination aus Ex 23,20LXXX " ἰδοὺ ἐγὼ ἀποστέλλω τὸν ἄγγελόν μου πρὸ προσώπου μου " und Mal 3,1LXX " ἰδοὺ ἐγὼ ἐξαποστέλλω τὸν ἄγγελόν μου καὶ ἐπιβλέψεται ὁδὸν πρὸ προσώπου μου " dar. Im Vergleich mit dem in Mk 1,2 gebotenen Text lassen sich gegenüber Ex 23,20LXX und Mal 3,1LXX einige redaktionelle Änderungen feststellen, die deutlich die Intention des Redaktors aufzeigen: An Stelle des Personalpronomens μοῦ in Ex 23,20/Mal 3,1LXX weist der Mk-Text das Personalpronomen σοῦ auf, so daß, bedingt durch die Anbindung des Schriftzitates (καθώς V2a) an V1 eine Ausdeutung auf Jesus erreicht wird. Σοῦ ist demnach Substitution zu Ἰησοῦ Χριστοῦ.

Ἐπιβλέψεται aus Mal 3,1LXX wird in κατασκευάσει gewandelt. Dahinter ist das Interesse zu vermuten, das Zitat stärker an den masoretischen Text anzugleichen. Während ἐπιβλέπω mehr im Sinne von "sehen nach, sich kümmern um"[10] zu verstehen ist, gibt κατασκευάζω, welches "bereiten, instand setzen"[11] bedeutet, eher das hebräische Verb פנה pi, "den Weg bereiten", wieder[12].

---

8 Vgl. PESCH, aaO, 75. Syntaktisch und semantisch sind zwei Deutungen der Wendung εὐαγγελίου Ἰησοῦ Χριστοῦ möglich: einmal, in dem Ἰησοῦ Χριστοῦ als genetivus subjectivus verstanden wird, Thema der sich anschließenden Verkündigung ist somit die Verkündigung Jesu selbst; zum anderen läßt sich der Ausdruck als genetivus objectivus deuten, Jesus ist demzufolge Inhalt und Objekt des Evangeliums. Aus textinternen Gründen legt es sich nahe, die Bezeichnung Ἰησοῦ Χριστοῦ als genetivus objectivus zu verstehen, da die folgenden Verse nicht Jesu eigene Verkündigung zum Inhalt haben, sondern, indem sie über Johannes berichten, erst das Wirken Jesu vorbereiten; so auch HENGEL, Probleme, 257.

9 Vgl. PESCH, aaO, 77.

10 Vgl. BAUER, Wörterbuch, 525.

11 Ebd., 758.

12 Vgl. SCHÜRMANN, Lukasevangelium, 417 A 62.

Statt der durch καὶ bedingten Parataxe in Mal 3,1LXX findet sich in V2 ein Relativsatz. Damit wird eine stärkere Anbindung des Nebensatzes an den Hauptsatz erreicht, so daß der Bote deutlich als Wegbereiter charakterisiert wird.

Entgegen der Meinung Gnilkas[13], Ex 23,20LXX sei dem Mal-Zitat in Mk 1,2 untergeordnet, läßt sich mit Hilfe eines Vergleichs aufzeigen, daß V2b deutlicher an Ex 23,20LXX angelehnt ist, V2c sich eher an Mal 3,1LXX orientiert (14). Richtig ist, daß die beiden Zitate traditionsgeschichtlich zusammengehören. Sie sind bereits in der LXX textlich aneinander angeglichen worden: aus Ex 23,20 מלאך und Mal 3,1 מלאכי wurde in der LXX τὸν ἄγγελόν μου ; הנני אנבי in Ex 23,20 und הנני in Mal 3,1 faßte die LXX unter ἰδοὺ ἐγώ zusammen (15). Die Kombination von Ex 23,20 und Mal 3,1 schlägt sich schließlich auch in der rabbinischen Exegese nieder (16). Die Zusammenstellung der beiden Zitate läßt sich am ehesten von ihrem jeweiligen Kontext im AT her erklären. In Ex 23,20 wird das Volk Israel angesprochen, dem Gott einen Boten schickt, um es in das Land Kanaan zu geleiten. Der in Mal 3,1 genannte Bote wird von Mal 3,23f her mit Elia identifiziert werden müssen. Elia ist der Bote, der vor dem großen und furchtbaren Tag Gottes, dem Gericht, auftreten wird. "Die Kombination (beider Stellen) will wohl besagen, daß die Ereignisse des Exodus sich in der Endzeit wiederholen werden" (17).

Neben Mk 1,2 findet sich das Mischzitat aus Mal und Ex noch in Mt 11,10 par Lk 7,27 im Kontext von Q-Überlieferung[18]. Auch dort wird das Zitat auf Johannes den Täufer angewandt. Eine leichte Veränderung des Zitats gegenüber dem Mk-Text läßt sich in Q feststellen. Statt τὴν ὁδὸν σου steht dort τὴν ὁδὸν σου ἔμπροσθέν σου . Die Erweiterung in Q betont noch einmal deutlich die Ausrichtung auf Jesus[19].

Wo aber ist der ursprüngliche Ort des Zitates anzusetzen? In Mk, in Q oder aber in einem beiden gemeinsam zugrundeliegenden Traditionsstück? Die Überlieferung des Zitates in Q beweist zumindest, daß seine Anwendung auf das Verhältnis Johannes - Jesus relativ früh bezeugt ist.

---

13 Vgl. GNILKA, aaO, 44.

14 Vgl. LOHMEYER, aaO, 11.

15 Vgl. PESCH, aaO, 78.

16 Vgl. BILLERBECK, Kommentar I, 597.

17 GNILKA, aaO, 44.

18 Mt 11,2-19 par Lk 7,18-35, die Anfrage des Täufers, ist auf Q zurückzuführen, vgl. LÜHRMANN, Redaktion, 24, ebenfalls SCHULZ, Q, 229ff.

19 Vgl. PESCH, aaO, 78.

Da aber eine Abhängigkeit des Mk von Q nicht behauptet werden kann, ist zu vermuten, daß hier bereits eine alte Tradition vorliegt, die Mk und Q gemeinsam ist[20]. Zwei zusätzliche Gründe können für diese Überlegung geltend gemacht werden: So haben bereits Dibelius[21] und in Anlehnung an ihn Lührmann[22] und Schulz[23] Mt 11,10 par als einen interpretierenden Zusatz zu den Versen Mt 11,7-10 par bewertet. Allerdings, so meint Schulz, dürfte die Kombination des Mal/Ex-Zitates mit dem Q-Apophthegma (VV7-9) bereits im "vorredaktionellen Traditionsstadium von Q entstanden ... sein"[24]. Zudem ist die unterschiedliche Stellung des Täufers bei Mk und Q im Rahmen der Heilsgeschichte zu beachten. Während Johannes in Q als der letzte und bedeutenste Gottesbote der vergangenen heilsgeschichtlichen Epoche dargestellt wird[25], der auf die anbrechende Heilszeit hinweist, beginnt im Mk mit dem Auftreten Johannes des Täufers die eschatologische Heilszeit. Die Verbindung zwischen der Überschrift Mk 1,1 mit dem folgenden Bericht bringt dies unmißverständlich zum Ausdruck[26]. Die der Mk- und Q-Überlieferung zugrundeliegende Tradition ist mit großer Wahrscheinlichkeit eine christliche, da auch Q die auf Jesus hinweisenden redaktionellen Änderungen des Zitats aufweist.

Die Verwendung des Schriftzitates aus Mal und Ex in Mk 1,2 bewirkt, daß Johannes der Täufer, bedingt durch den Kontext von Mal 3,1 im AT, mit Elia identifiziert werden kann. Traditionell gesehen ist Elia der Wegbereiter Gottes bzw. des Messias[27]. Daß diese Identifikation von den

---

20 Vgl. auch die Vermutung bei SCHÜRMANN, aaO, 417. So auch LAUFFEN, Doppelüberlieferung 386f. HENGEL, aaO, 235f vertritt die Auffassung, Markus habe die Logienquelle in einer eigenen Form gekannt, nicht jedoch in derjenigen, die Mt und Lk zugrundegelegen habe. Daß Markus auf eine vorhandene Sammlung von Jesussprüchen zurückgreife, zeigt Mk 1,22.27. Beide Verse setzen nämlich bei den Lesern des Mk die Kenntnis einer Lehre Jesu voraus.

21 Vgl. DIBELIUS, Überlieferung, 12.

22 Vgl. LÜHRMANN, aaO, 27.

23 Vgl. SCHULZ, aaO, 230.

24 Ebd.

25 Vgl. Mt 11,9.11 par.

26 Vgl. SCHULZ, aaO, 232 A 371.

27 Vgl. die Belege bei BILLERBECK, Kommentar IV, 764-798.

christlichen Autoren vollzogen wurde, zeigt die relativ häufige Übertragung der Elia-redivivus-Vorstellung auf den Täufer in den Evangelien[28].

Durch die Beziehung von V2 auf das in V1 genannte Evangelium Jesu Christi kommt die Intention, die Markus mit dem Mal/Ex-Zitat verband, unmißverständlich zum Ausdruck: Das Kommen Jesu Christi soll durch den von Gott gesandten Boten vorbereitet werden. Durch die Deutung des auf Johannes wird der Täufer als Vorläufer Jesu dargestellt[29]. Johannes als Elia redivivus ist der Wegbereiter des Messias Jesus[30].

4.3.2. Jes 40,3 in Mk 1,3

Obwohl das Schriftzitat in Mk 1,2f durch V2a insgesamt dem Propheten Jesaja zugeschrieben wird, hat sich gezeigt, daß in V2 ein Mischzitat aus Ex 23,20 und Mal 3,1 voliegt und erst V3 den Text aus Jes 40,3 LXX bietet: φωνὴ βοῶντος ἐν τῇ ἐρήμῳ· ἑτοιμάσατε τὴν ὁδὸν κυρίου , εὐθείας ποιεῖτε τὰς τρίβους τοῦ θεοῦ ἡμῶν . Die Zitation in Mk 1,3 weist nur eine einzige redaktionelle Änderung auf: an Stelle von τοῦ θεοῦ ἡμῶν hat Mk αὐτοῦ . Durch die Setzung des Personalpronomens αὐτοῦ erreicht der Redaktor, daß sich das gesamte Zitat auf den in V1 genannten Jesus Christus bezieht. Hinzu kommt hierbei, daß die Gebräuchlichkeit des Kyrios-Titels für Jesus vorausgesetzt werden konnte[31].

Jes 40,3 steht am Beginn des Buches Deuterojesaja. Dort wird dem Volk die Heimkehr aus dem Exil in Aussicht gestellt (Jes 40,2). Einher mit der Ankündigung der Rückkehr geht die Vergebung der Sünden des

---

28 Vgl. Mk 6,15; 8,28; 9,4.11ff; 15,35; Mt 11,14; Joh 1,21.

29 Vgl. PESCH, aaO, 78.

30 Vgl. WINK, John, 2f.

31 Vgl. HAHN, Hoheitstitel, 118; SCHMITHALS, Mk, 76. Entgegen dem masoretischen Text, der die Ortsbestimmung "in der Wüste" auf die Wegbereitung bezieht, wird bereits in der LXX und dann auch im Mk-Text "in der Wüste" auf die Stimme bezogen. Ob aber der durch die LXX bedingte "neue Text", wenn man davon ausgeht, daß der Ort der Wirksamkeit des historischen Johannes die Wüste war, gerade für eine Übertragung auf den Täufer passend war, wie GNILKA, aaO, 44 vermutet, ist nicht sicher.

Volkes[32] (Jes 40,2). Hat das Volk den Weg Gottes in der Wüste bereitet, dann wird ihm die Herrlichkeit Gottes offenbar werden: καὶ ὀφθήσεται ἡ δόξα κυρίου , καὶ ὄψεται πᾶσα σὰρξ τὸ σωτήριον τοῦ θεοῦ (Jes 40,5LXX).

Neben der Zitation von Jes 40,3 in Mk existieren Parallelüberlieferungen der AT-Stelle in Mt, Lk und Joh. Im Kontext des Auftretens des Täufers beziehen sowohl Mt 3,3 als auch Lk 3,4-6 und Joh 1,23 das Jesaja-Zitat auf Johannes.

Bei Mt und Lk ließe sich die Verwendung des Zitats aufgrund einer literarischen Abhängigkeit vom Mk-Text erklären, zumal beide Evangelisten die redaktionelle Änderung αὐτοῦ in ihrer Zitation verwenden. Doch bleibt zu beachten, daß Lk das Jesaja-Zitat in den VV5f erweitert. Folgender Grund könnte Anlaß zu dieser Erweiterung gewesen sein: Die längere Zitationsform bei Lk, die die Ankündigung des σωτήριον τοῦ θεοῦ (V6) mit einschließt, kann auf die redaktionelle Intention des Evangelisten zurückgeführt werden, Johannes als Heilsbringer darzustellen, da er der Wegbereiter des Christus ist[33]. Die Erweiterung des Zitats paßt somit ingesamt in die lk Heilgeschichte.

Die Auslassung des Mal/Ex-Zitates im Zusammenhang des Auftretens Johannes des Täufers bei Mt und Lk hingegen mag aus folgenden Gründen geschehen sein: Zum einen schreibt die Einleitung des Zitats bei Mk beide alttestamentlichen Zitate dem Propheten Jesaja zu. Dies konnten und wollten Mt und Lk so nicht übernehmen. Zum anderen übernahmen die beiden Evangelisten das Mal/Ex-Zitat in Anwendung auf Johannes im Rahmen der Spruchsammlung, so daß sie es an dieser Stelle fortlassen konnten und nur das Jes-Zitat aus Mk übernehmen brauchten.

Die Funktion des Jes-Zitates in Mk, Mt und Lk ist darin zu sehen, daß es einen Schriftbeweis darstellt für die heilsgeschichtliche Stellung des Täufers als Vorläufer und Wegbereiter Jesu[34].

Diesselbe Aufgabe erfüllt Jes 40,3 auch in Joh 1,23. In Joh 1,19-27 legt Johannes der Täufer Zeugnis ab für Jesus, indem er die Prädikationen Messias (V20), Elia (V21) und Prophet (V21) für seine eigene

---

32 Jes 40,2: ורצה עונה
Jes 40,2LXX: λέλυται αὐτῆς ἡ ἁμαρτία.

33 Vgl. SCHÜRMANN, aaO, 160. Zu den Abweichungen des lk Jes-Zitates vom LXX-Text vgl. ebd. A 100.

34 Vgl. Richter, Elias, 255.

Person ablehnt, sich selbst im Licht von Jes 40,3 versteht (V23) und in seiner Funktion als Wegbereiter auf das Kommen Jesu hinweist (V26f)[35].

Die Zitation von Jes 40,3 beruht nicht auf einer literarischen Abhängigkeit des Joh von den Synoptikern, sondern Joh greift hier auf eine außersynoptische, allen Evangelien gemeinsam zugrundeliegende frühchristliche Tradition zurück[36].

Jes 40,3 begegnet mithin im NT im Rahmen zweier voneinander literarisch unabhängiger Überlieferungen, in Mk und Joh. Man könnte also annehmen, daß die Zitation von Jes 40,3 als Schriftbeweis für die Funktion des Täufers im Sinne des Vorläufers Jesu ein Stück urchristlicher Tradition darstellt. Eventuell greift hier sogar das Urchristentum bereits auf eine Interpretation des Johannes aus dem Kreise seiner Jünger zurück, die ihren Lehrer im Sinne von Jes 40,3 als Wegbereiter Gottes oder des Messias verstanden haben. Durch einige geringfügige Eingriffe in die Zitation - αὐτοῦ statt τοῦ θεοῦ ἡμῶν sowie die Verwendung des Kyrios-Titels für Jesus - und durch die Verknüpfung mit dem entsprechenden Kontext war es der Christengemeinde dann möglich, den Täufer als Vorläufer Jesu darzustellen.

Für die vorangegangene Überlegung von Interesse ist dabei vor allem die Tatsache, daß Jes 40,3 Eingang in die lk Kindheitsgeschichte gefunden hat. In Lk 1,76, innerhalb des Benediktus des Zacharias 1,68-79, wird die Aufgabe des Täufers als προπορεύσῃ ... ἐνώπιον κυρίου ἑτοιμάσει ὁδοὺς αὐτοῦ beschrieben. Daß diesem Vers Jes 40,3 als Grundlage gedient hat, läßt sich mit einem Blick auf den LXX-Text feststellen[37].

Wichtig ist vor allem die Beurteilung von Lk 1,76 im Kontext der lk Kindheitsgeschichte.

Lk 1,5-25.57-66, die Legende von der Geburt des Johannes, ist nach Überzeugung vieler Forscher nicht christliche Bildung, sondern entstammt Täuferkreisen[38]. Durch das Würdeprädikat "groß vor dem Herrn", die Enthaltsamkeit von Wein und die Geistbegabung schon vor

---

35 Näheres zu Joh 1,19-27 in Kapitel 6.

36 Zum Nachweis der Unabhängigkeit des Joh von den Synoptikern sowie der Erarbeitung des Traditionsstücks, vgl. Kap. 6.

37 Vgl. VIELHAUER, Benedictus, 36.

38 Ebd., 29; vgl. THYEN, βάπτισμα, 114.

der Geburt wird Johannes in Lk 1,15 als Prophet charakterisiert[39]. V16f beschreibt seine Aufgabe: In Geist und Kraft wird er Gott den Weg bereiten und viele Söhne Israels zu Gott dem Herrn (κύριον) bekehren. Grundlage zu V17a ist Mal 3,1.23f. Auch wenn Johannes hier nicht dezidiert als Elia redivivus bezeichnet wird, sondern ihm nur Geist und Kraft des Elia zugeschrieben werden, erfüllt er doch die in Mal 3,1 dargestellte Funktion des Elia: "Er ist Herold und Wegbereiter Gottes, indem er das prophetische Amt der Bußpredigt ausübt"[40]. Johannes ist in diesem Kontext eindeutig der Vorläufer Gottes, nicht des Messias.

Gleichfalls Täufertradition zuzurechnen ist das Benediktus des Zacharias[41]. Von Interesse sind dabei vor allem die VV76-79, die eine Weissagung über Johannes enthalten. Johannes wird als "Prophet des Höchsten" (V76) bezeichnet, der im Sinne von Jes 40,3 Vorläufer des Kyrios ist. So dient nicht nur Mal 3,1.23f, sondern auch Jes 40,3 in Täuferkreisen zur Charakterisierung der Rolle des Täufers. Die beide Zitate verbindene Klammer ist die Johannes zufallende Funktion als Wegbereiter Gottes. Inwieweit die Vermutung Vielhauers[42] richtig ist, Mal 3,1 sei auch Grundlage für Lk 1,76, da das Jes-Zitat zwar die Wegbereitung zum Ausdruck bringe, nicht jedoch die Vorstellung vom Vorläufer, läßt sich nicht eindeutig nachweisen, zumal Richter überzeugend gezeigt hat, daß bereits im masoretischen Text Jes 40,3 die קול קורא Bezeichnung des Herolds, des Wegbereiters Gottes sei[43]. Schließt man sich Vielhauer im Blick auf die Herkunft von Lk 1,76-79 aus Täuferkreisen an, dann steht fest, daß die Täuferjünger Johannes im Licht von Jes 40,3 und Mal 3,1.23f als Vorläufer Gottes verstanden haben. Da die Bezeichnungen "Prophet des Höchsten" (V76) und in "Geist und Kraft des Elia" (V17) auf ein und diesselbe Person bezogen werden, läßt sich vermuten, daß auch in der Prädikation προφήτης ὑψίστου ein Elia-Attribut zu sehen ist[44].

---

39 Vgl. VIELHAUER, aaO, 32.

40 Ebd., 33.

41 Vgl. THYEN, aaO, 115; VIELHAUER, aaO, 39f.43f.

42 Vgl. VIELHAUER, aaO, 36.

43 Vgl. RICHTER, aaO, 243.

44 Vgl. VIELHAUER, aaO, 36.

Wie der Täufer den Weg des Herrn bereitet, beschreibt V77: τοῦ δοῦναι γνῶσιν σωτηρίας τῷ λαῷ αὐτοῦ ἐν ἀφέσει ἁμαρτιῶν αὐτῶν. Das erwartete Heil besteht in der Vergebung der Sünden. Johannes scheint demnach eine soteriologische Funktion zuzukommen, er ist Mittler der göttlichen Sündenvergebung[45]. Die Funktionsbeschreibung des Täufers deckt sich mit der in Mk 1,4. Hier wie dort kommt ihm die Aufgabe zu, Sündenvergebung zu vermitteln und beide Stellen sind eng mit dem Zitat aus Jes 40,3 verbunden; auch dort wird die Vergebung der Sünden des Volkes genannt. Ob die Darstellung des Täufers als Heilsmittler erst durch das Jes-Zitat bedingt wurde - Anknüpfungspunkt wäre dann nur seine Funktion als Vorläufer gewesen - oder aber ob sein Auftreten im Sinne eines Heilsmittlers ein zusätzlicher Anhaltspunkt für seine Interpretation im Licht von Jes 40,3 war, kann an dieser Stelle noch nicht beantwortet werden. Dazu bedarf es sowohl einer genaueren Analyse von Mk 1,4 als auch einer Berücksichtigung des Täuferbildes in Lk 1,76-79.

Ein Anhaltspunkt ergibt sich aus der Bezeichnung ἀνατολὴ ἐξ ὕψους in V78. Dabei hat ἀνατολή zwei Bedeutungen, die für Lk 1,76-79 von Interesse sind. Zum einen kann ἀνατολή den Aufgang eines Gestirns meinen oder aber das aufgehende Gestirn selbst. Zum anderen wird es in der LXX im Sinne von "Sproß" als Übersetzung des hebräischen צמח verwandt[46] und ist dann eine im Judentum geläufige Bezeichnung für den Messias[47]. Die zweifache Bedeutung von ἀνατολή hat Konsequenzen für die Interpretation des ὕψος. Entweder bezeichnet ὕψος die Himmelshöhe, in der das Gestirn aufgeht oder aber der Begriff ist eine euphemistische Umschreibung für Jahwe und demnach im Sinne von "Messias Gottes"[48] zu verstehen. Da das Verb ἐπισκέπτεσθαι ein persönliches Subjekt fordert[49], ἀνατολή von V79 her aber eher als 'Gestirn' zu deuten ist, läßt sich vermuten, ob nicht ἀνατολή im Kontext unserer Verse beide Bedeutungen in der Weise vereint, als das aufgehende Gestirn ein Bild für den kommenden Messias ist[50]. Gestützt wird diese Vermutung durch

45 Ebd. 37.

46 Vgl. Jer 23,5; 33,15; Sach 3,8; 6,12.

47 Vgl. BILLERBECK, Kommentar II, 113 mit den dortigen Belegen.

48 VIELHAUER, aaO, 37.

49 Vgl. SCHÜRMANN, aaO, 92 A 81.

50 Vgl. VIELHAUER, aaO, 37.

die der ἀνατολὴ ἐξ ὕψους zukommende Funktionsbeschreibung in V79: Die Wendung τοῦ κατευθῦναι τοὺς πόδας ἡμῶν εἰς ὁδὸν εἰρήνης beschreibt die mit der Messiaserwartung verbundene Hoffnung, daß der kommende Messias den endzeitlichen Frieden bringt.[51] Doch erhebt sich die Frage, wer der dadurch bezeichnete Messias ist. Jesus, als dessen Vorläufer Johannes in den Evangelien dargestellt wird oder Johannes selbst? Die Wendung ἀνατολὴ ἐξ ὕψους bezieht sich nicht auf den in V76 genannten κύριος, da κύριος wie auch ὑψίστος in V76 Substitutionen zu θεός in V78 sind. Johannes ist also Vorläufer Gottes, nicht des Kyrios Jesus. Auch findet sich in den VV76-79 keine Zäsur, die einen Personenwechsel markieren könnte. Nomen regens ist durchgängig προφήτης ὑψίστου. Die in V79 genannte Aufgabe des Messias, "zu leuchten denen, die in Finsternis und Todesschatten sitzen und unsere Füße zu lenken auf den Weg des Friedens", geht nicht über die Vermittlung der Sündenvergebung durch den Täufer hinaus.

Somit weisen die V76-79 keine Subordinationstendenz, wie sie sonst in den Evangelien für das Verhältnis Johannes - Jesus üblich ist, auf. Da der Text keine christliche Interpretation aufzeigt - die Unterordnung des Täufers unter Jesus wurde insgesamt durch die Komposition der lk Kindheitsgeschichte erreicht - können wir hierin zusätzlich ein Indiz für den täuferischen Ursprung sehen[52].

Da es innerhalb des Textes keinen Hinweis darauf gibt, die Wendung ἀνατολὴ ἐξ ὑψους auf eine andere Person zu beziehen als die in V76f genannte, kann ἀνατολὴ ἐξ ὑψους eigentlich nur Johannes meinen. In den VV76.77 wird Johannes als eschatologischer Prophet dargestellt, zu erkennen an seiner Funktion als Wegbereiter Gottes und Mittler der Sündenvergebung. Ab V78 dann scheint er zusätzlich mit messianischen Zügen ausgestattet zu sein.

Auch in der Rede Gabriels, Lk 1,13ff, trägt Johannes eindeutig eschatologische Züge. Ein Vergleich mit der Weissagung des Zacharias, Lk 1,76-79, läßt dies unzweifelhaft erkennen: Das Prädikat "Prophet des Höchsten" (V76) entspricht sachlich dem "groß" in V15. In beiden Texten ist Johannes Vorläufer Gottes (V17a.76). Die Wegbereitung Gottes (V76b) kommt in V17b durch die Bereitung des Volkes für Gott zum Ausdruck. Der Bekehrung Israels (VV16b.17b) korrespondiert die Ver-

---

51 Vgl. HAHN, aaO.

52 Ebd. 38f.

mittlung der Sündenvergebung und die Führung auf den Weg des Friedens (VV77.79b).

Die Zitate Jes 40,3 und Mal 3,1.23f sind durch die Vorläuferfunktion miteinander verbunden. Die Wendung ἀνατολή ἐξ ὕψους - Bild für den kommenden Messias - paßt sich freilich ebenso gut in die Vorstellung vom Elia redivivus ein, dessen Kommen aus dem Himmel, in den er entrückt wurde, erwartet wird[53], zumal der Täufer aufgrund seiner Darstellung als Mittler der Sündenvergebung, Bekehrer Israels und Wegbereiter Gottes in unmittelbare Nähe zu Elia gerückt werden kann. Gerade diese Nähe zu Elia macht es möglich, Johannes als eschatologischen Propheten zu sehen. Die Interpretation des Täufers als eschatologischen Propheten deckt sich grundsätzlich mit dem Bild, welches wir von Johannes aus der Umkehrpredigt haben. Allerdings begegnen wir dort nicht einer ausgeprägten Heilshoffnung. Johannes ist primär Gerichtsprediger und nur implizit - nämlich dadurch, daß die Taufe vor dem Gericht bewahren soll - kann ihr bereits in der Umkehrpredigt sündenvergebende Kraft beigelegt und Johannes somit auch als "Heilsbringer" verstanden werden. Lk 1 hingegen zeigt eine deutliche Akzentverschiebung: Die Funktion des Täufers als Wegbereiter Gottes und Mittler der Sündenvergebung weisen ihn eher als Künder des eschatologischen Heils aus; durch die Wendung ἀνατολή ἐξ ὕψους erhält Johannes sogar Züge, die eigentlich einer messianischen Gestalt zukommen. Doch läßt sich aus dieser Beobachtung nicht schlußfolgern, daß wir in Lk 1,76-79 auf eine messianische Interpretation des Täufers stoßen. Richtig ist, daß sich in Lk 1 eine Deutung des Johannes niederschlägt, die vermutlich auf die Anhänger des Täufers zurückzuführen ist; es ging ihnen aber nicht darum, in Johannes eine messianische Gestalt zu sehen, vielmehr kam es ihnen in erster Linie darauf an, die soteriologische Funktion des Johannes und seiner Taufe zu betonen. Der Rückgriff auf Vorstellungen, die mit dem Messias Gottes verbunden waren, diente zur Unterstreichung bzw. Verdeutlichung der eschatologisch-soteriologischen Bedeutung des Täufers. In diesem eingeschränkten Sinn läßt sich davon sprechen, daß dem Täufer "messianische" Züge beigelegt wurden. Hilfreich war dabei die Vorstellung vom Elia redivivus, denn auch dem wiederkommenden Elia

---

53 Ebd. 40.

können "messianische" Züge beigelegt werden, ohne daß er je als Messias gedeutet wurde; Elia bleibt immer der eschatologische Prophet[54].

Ob die eschatologisch-soteriologische Interpretation des Täufers ein Produkt der Auseinandersetzung der Täuferjünger mit der nachösterlichen Christengemeinde ist[55], wird nicht mit Sicherheit nachzuweisen sein. Doch dürfte sie auf jeden Fall dazu beigetragen haben, daß wir bis ins zweite Jahrhundert hinein auf Täuferverehrung treffen[56]. Für eine eschatologisch-soteriologische Interpretation des Täufers läßt sich folgender möglicher historischer Anknüpfungspunkt eruieren: Hatte die Taufe der Umkehr bereits in den Augen des historischen Johannes einen sündenvergebenden Charakter, bildete also demnach ein Angebot der Rettung vor dem endgültigen Vernichtungsgericht, dann war es für die Jünger des Täufers, nicht mehr schwer, ihren Lehrer als den eschatologischen Heilsboten (Sündenvergebung) zu verstehen und die Gerichtsbotschaft in den Hintergrund treten zu lassen. Inwieweit, so Thyen[57], Johannes selbst einer soteriologischen Interpretation seiner Person Vorschub leistete, indem er zwar nach außen das Gericht propagierte, im Rahmen einer "esoterischen Jüngerbelehrung"[58] jedoch deutlich eschatologisch-soteriologische Züge offenbarte, läßt sich nicht nachweisen. Gegen diese Überlegungen spricht vielmehr, daß Johannes immer ganz Israel im Blick hat und die neutestamentlichen Texte keinen Hinweis darauf erkennen lassen, daß Johannes seine Taufe als Initiationsritus in einen esoterischen Kreis verstanden hat.

Zur Fundierung der eschatologisch-soteriologischen Interpretation des Täufers im Sinne eines Schriftbeweises dienten die Zitate aus Jes 40,3 und Mal 3,1.23f/Ex 23,20. Sie ermöglichten nicht nur eine Sichtweise des Johannes als Wegbereiter Gottes. Der Kontext von Jes 40,3, die in V2 genannte Sündenvergebung und die Offenbarung der Herrlichkeit Gottes in V5, unterstrichen die soteriologische Funktion des Täufers. Seine

---

54 Siehe dazu den Exkurs zur Elia-redivivus-Vorstellung im Frühjudentum.

55 So vermutete HAHN, aaO, 374 und THOMAS, Mouvement, 84ff.

56 Vgl. VIELHAUER, aaO, 42. Direkte Zeugen für die messianische Verehrung des Täufers finden sich in PsClem, Rec I, 54 und in Ephraem (ed. G. MOESINGER, 288). Beide Texte gehen auf eine für den Anfang des 2. Jhrd. n.Chr. zu datierende Quelle zurück, Vgl. THOMAS, aaO, 113-123.

57 Vgl. THYEN, aaO, 120f.

58 Ebd. 120.

"messianischen" Züge verdankt Johannes der durch Mal 3,1.23f bedingten Identifizierung mit Elia, der nicht nur Vorläufer Gottes, sondern wie der Täufer selbst Bekehrer Israels ist. Die Kombination der Schriftzitate aus Ex, Mal und Jes bündelt zudem drei theologische Grundgedanken des AT - Exodus, Rückkehr aus dem Exil und Kommen des Tages Gottes - und deutet sie auf Johannes aus. Mit dem Auftreten des Täufers bricht die eschatologische Heilszeit an, in der sich der Exodus als die Erfahrung göttlicher Befreiung aus Knechtschaft (Ex) und Sünde (Jes) wiederholt.

Für die christliche Gemeinde war es nicht schwer, die Interpretation des Täufers durch seine Jünger in ihren Grundzügen zu übernehmen, indem sie die geringfügig abwandelte und ihren Bedürfnissen anpaßte. Dazu konnte die Elia-redivivus-Vorstellung aus dem Frühjudentum übernommen werden, allerdings in der Modifikation, die Elia als Vorläufer des Messias ansah. Durch diese Änderung bekam Johannes seinen, im christlichen Sinn "richtigen" Platz in der Heilsgeschichte als Vorläufer Jesu[59].

Obwohl Mal 3,1.23f und Jes 40,3 - wie wir gezeigt haben - bereits in Täuferkreisen zur Deutung der Funktion des Täufers geläufig war, ist die Zitatenkombination in der Form, die in Mk 1,2f vorliegt und die die Zitate insgesamt dem Propheten Jesaja zuschreibt, vermutlich christlicher Redaktion zuzuschreiben. Ob hier die Hand des Evangelisten Markus am Werk war oder aber ein vormk Redaktor, läßt sich mit endgültiger Sicherheit nicht klären. Die Beobachtung, daß zwar sowohl eine vorsynoptische Überlieferung existiert, die das Jes-Zitat auf Johannes anwandte (Joh 1, Lk 1, Mt 3,3 par Lk 3,6-9=Q), als auch eine, die Johannes im Licht von Mal 3,1.23f und Ex 23,20 interpretierte (Mt 7 par Lk 11=Q; Lk 1) nirgendwo jedoch - abgesehen von Mk 1 - das Mischzitat in dieser Form geboten wird, mag eher darauf hindeuten, daß es sich bei dieser Zusammenstellung der Zitate um mk Redaktion handelt[60]. Die Verbindung von Jes 40,3 mit dem Bericht über das Auftreten des Johannes wird aber vermutlich bereits Täuferkreisen zuzusprechen sein. Darauf weist das Verhältnis von V3 zu V4 im Sinne eines Kommentars zum Kommentandum.

---

59 Vgl. VIELHAUER, aaO, 44f.

60 Sowohl PESCH, aaO, 72f als auch ERNST, Evangelium nach Markus, 32 rechnen die Kombination der Zitate hingegen der vormk Redaktion zu.

EXKURS: Die Elia-redivivus-Vorstellung im Frühjudentum

Die Vorstellung vom Wiederkommen des Elia ist im Frühjudentum weit verbreitet und hat auch ihren Niederschlag im Neuen Testament gefunden[61]. Ausgangspunkt für die Entwicklung dieser Vorstellung ist zum einen der Bericht über die Entrückung Elias in den Himmel (2Reg 2,11; Sir 48,9.12), zum anderen die Weissagung des Maleachi von der Wiederkehr des entrückten Propheten, Mal 3,23f. Die Verse, die einen sekundären Zusatz zu Mal bilden[62], beziehen sich auf den in Mal 3,1 angekündigten Vorläufer Gottes: Der wiederkommende Elia ist der Wegbereiter Gottes. Dieses Verständnis der Funktion des Elias redivivus als Vorläufer und Wegbereiter Gottes, wie es sich in der ältesten Tradition Mal 3,1.23f niederschlägt, setzt sich in Sir 48,10 und in den rabbinischen Schriften fort[63].

Inhaltlich wird die Aufgabe des Elia auf der Basis von Mal 3,23f als Abwendung des göttlichen Zorns und Umkehrpredigt im Sinne der Friedensstiftung in der Familie - in der LXX erweitert um die Friedensstiftung unter den Menschen insgesamt - beschrieben. Elia bereitet demnach Israel auf den Empfang des Heils vor[64]. Während Mal 3,23f mehr auf die innere Restitution Israels bedacht ist, tritt in Sir 48,10 das Anliegen der äußeren Restitution hinzu. Die Aufgabe des Elia wird um einen national-eschatologischen Aspekt erweitert; er soll die Stämme Israels wiederherstellen. Dabei greift Sir auf Jes 49,6 zurück und überträgt so eine dem deuterojesajanischen Gottesknecht beigelegte Funktion auf Elia. Die Sichtweise Elias als Friedensstifter, Umkehrprediger und Motor der national-eschatologischen Restitution veranlassen Jeremias[65], Richter[66] und Billerbeck[67] den Propheten als messianische Gestalt zu deuten.

Hahn dagegen wehrt sich gegen eine Messianisierung des Elia auf der Basis von Jes 49,6 und Sir 48,10, da seiner Meinung nach in Jes-Text nicht von der spezifischen Aufgabe des königlichen Messias, der Macht-

---

61 Vgl. HAHN, aaO, 354.

62 Vgl. JEREMIAS, ThWNT 2, 932.

63 Vgl. BILLBERCK, Kommentar IV, 780.

64 Vgl. JEREMIAS, aaO, 935.

65 Ebd. 933.

66 Vgl. RICHTER, aaO, 70.

67 Vgl. BILLERBECK, aaO, 780.

ausübung, die Rede sei[68]. Damit weist Hahn auf eine wesentliche Unterscheidung hin. Traditionell wurde als Messias immer der davidische Messias erwartet - mit einer Ausnahme, der Erwartung eines könglichen und hohepriesterlichen Messias in Qumran. Der Messias war demnach immer eine national-politische Größe. Andere Personen, z.B. Elia, tragen zwar messianische Züge und übernehmen demnach einige Aspekte, die dem traditionellen Messias zugeschrieben werden, ansonsten sind und bleiben sie jedoch eschatologische Gestalten, so daß in bezug auf Elia eher von einem eschatologischen Propheten gesprochen werden kann, dem messianische Züge beigelegt wurden, als von einem Messias im traditionellen Sinn.

Daß es diese Sichtweise des Elia gab, zeigt die Täuferüberlieferung in Lk 1, die Johannes den Täufer nicht nur mit elianischen Zügen belegte, sondern ihn gleichzeitig mit messianischen Attributen ausstattete. Die Kombination messianischer und elianischer Elemente in einer Person legt sich jedoch erst dann nahe, wenn innerhalb des Frühjudentums die Interpretation des Elias als eschatologisch-messianischer Prophet im Umlauf war. Dieses spiegelt sich auch in der Täuferbefragung in Joh 1,19-21 wieder. Daß der Täufer es dort ablehnt, sich mit Elia zu identifizieren, wird erst auf dem Hintergrund dieser Darstellung Elias verständlich. Bemerkenswert ist vor allem die im Lk zu beobachtende Tendenz, elianische Züge bei Johannes zu eliminieren. Ausschlaggebend darfür ist vermutlich eine Auseinandersetzung des Evangelisten mit Kreisen, die Johannes als wiedergekehrten Elia verstanden. "Die Annahme, daß die Streichung der elianischen Züge an der Gestalt Johannes des Täufers im Interesse der Bestreitung seiner Messianität erfolgte, gewinnt insofern an Gewicht, als Lukas umgekehrt die Gestalt und das Werk Jesu mit elianischen Zügen ausstattet"[69]. Nicht der Täufer ist der "Elia-Messias", sondern Jesus[70].

---

68 Vgl. HAHN, aaO, 355.

69 RICHTER, aaO, 235f; vgl. Lk 4,25f, dort bezieht sich Jesus direkt auf das Beispiel Elias in 1Reg 17,7ff.

70 Ebd. 254. Anders als RICHTER, der die Darstellung Jesu als Elia-Messias auf die redaktionelle Intention des Evangelisten Lukas zurückführt, geht ROBINSON, Eliah, 265f, soweit zu behaupten, Johannes habe das Kommen Elias angekündigt. Zwei Gründe macht er dafür geltend: Er schließt eine Identifizierung des Täufers mit Elia aus, da Elia nicht der Mann sei, "to operate with water" (265). Vielmehr erweise sich Elia, auf der Basis von 1Reg 18,30-39 als "the man of

Neben der Erwartung des Elia als Vorläufer Gottes existiert auch noch diejenige als Vorläufer des Messias[71]. Dabei handelt es sich jedoch nicht, wie Faierstein überzeugend nachweisen konnte, um eine bereits für das Frühjudentum existierende Vorstellung[72]. Der von Jeremias[73] angeführte Beleg aus äthHen 90,31 spricht nämlich nicht davon, daß Elia vor dem Kommen des Messias erscheint, sondern Elia kommt vor dem Tag des Gerichts, um mit Hilfe der Patriarchen Henoch zu retten[74]. Die übrigen von Jeremias und Billerbeck angeführten Textstellen bei Justin und in den rabbinischen Schriften[75] sind alle jünger als die neutestamentlichen. Da nach Faierstein die Vorstellung vom Elia als Wegbereiter des Messias ein Novum in Neuen Testament ist, wird man davon ausgehen können, daß auch die rabbinischen Texte keine frühjüdische, sondern eine vom Neuen Testament beeinflußte Vorstellung wiedergeben[76].

4.4. Mk 1,4-6

4.4.1. Synchrone Analyse der VV4-5

Bei der Frage nach der Textkohärenz des gesamten Abschnitts Mk 1,1-8 haben wir bereits gesehen, daß ἐγένετο in V4 einen deutlichen Einschnitt markiert. Während die VV2-3 nur unkonkret von einem ἄγγελος bzw. der φωνὴ βοῶντος sprechen, wird in V4 durch Ἰωάννης eine

---

fire par excellence" (265). Der aber, der mit Feuer taufe, ist nicht Johannes, sondern der von ihm angekündigte Kommende. Von daher böte sich eine Identifizierung des Kommenden mit Elia an. Die Schwierigkeit, Johannes daraufhin als Vorläufer des Vorläufers Elia ansehen zu müssen, umgeht Robinson, indem er Elia als Messias bezeichnet. Wir haben zwar gesehen, daß Elia mit messianischen Zügen belegt werden kann, hierin liegt auch nicht das Problem der Deutung Robinsons. Vielmehr unterscheiden sich die Aufgabe des Elia und die des erwarteten Erchomenos voneinander: Im Gegensatz zu diesem führt Elia nicht das Gericht durch, sondern erscheint vor dem Gericht, um die Menschen zur Umkehr zu bewegen. Von daher ist es eher unwahrscheinlich, daß Johannes das Kommen Elias angekündigt haben soll.

71 Vgl. JEREMIAS, aaO, 933; BILLERBECK, aaO, 780f.

72 Vgl. FAIERSTEIN, Scribes, 75-86.

73 Vgl. JEREMIAS, aaO, 931.

74 Vgl. FAIERSTEIN, aaO, 79.

75 Vgl. JEREMIAS, aaO, 931-933; BILLERBECK, aaO, 784-789.

76 Vgl. FAIERSTEIN, aaO, 81-86.

konkrete Person eingeführt. Johannes verkündet in der Wüste die "Taufe der Umkehr zur Vergebung der Sünden". Seine Taufe hat ihm den Beinamen "der Täufer" gegeben[77]. V5 berichtet von dem Erfolg, den die Verkündigung des Johannes hat. Ganz Judäa und Jerusalem ziehen zu ihm hinaus und lassen sich, indem sie ihre Sünden bekennen, von ihm taufen. Die enge Zusammengehörigkeit der VV4-5 ergibt sich nicht nur auf der inhaltlichen Seite, indem in V5 die Reaktion auf die Verkündigung des Täufers beschrieben wird, sondern auch durch syntaktische Merkmale: πρὸς αὐτόν und ὑπ' αὐτοῦ (V5) sind jeweils Substitutionen zu Ἰωάννης, ὁ βαπτίζων/βάπτισμα (V4) wird durch ἐβαπτίζοντο (V5) wieder aufgenommen und ἁμαρτιῶν (V4) durch τᾶς ἁμαρτίας (V5).

Obwohl Ἰωάννης in V6 weiterhin Nomen regens ist, läßt sich nicht eine eindeutige Verbindung zu V4f herstellen, da wir hier einen Wechsel der Aussagerichtung verzeichnen können. War bisher die Wirksamkeit des Täufers vorherrschendes Thema, so steht jetzt die Beschreibung seiner äußeren Erscheinung sowie seiner Nahrungsgewohnheiten im Mittelpunkt. Ohne direkt eine Zäsur zwischen V5 und V6 setzen zu wollen, erscheint es doch aufgrund der unterschiedlichen thematischen Ausrichtung sinnvoll, VV4f und V6 voneinander getrennt zu behandeln.

Als Leitfaden für unsere Analyse von V4f dient die Frage nach möglicher Täufertradition, die diesen beiden Versen zugrundeliegen könnte. Anhaltspunkt ist dabei die zentrale Wendung βάπτισμα μετανοίας εἰς ἄφεσιν ἁμαρτιῶν in V4 und ihre Wiederaufnahme in V5.

Nach Thyen[78] stellen μετάνοια und ἄφεσις ἁμαρτιῶν, die in seinen Augen als Hendiadyoin zu bewerten sind, die W i r k u n g der Taufe dar. Läßt sich diese Auffassung vom Text her vertreten? Der Genetivus qualitatis μετανοίας[79] bindet die Umkehr doch vielmehr ganz

---

77 Vgl. auch Josephus, Ant 18,116. βαπτίζων ist in V4 nicht Partizipialkonstruktion, sondern das im Nestle-Aland eingeklammerte ὁ gehört zu βαπτίζων hinzu. Der Ausdruck ist somit eine Apposition zu Ἰωάννης. Für die Ursprünglichkeit von ὁ βαπτίζων spricht nicht nur die Bezeugung im Codex Vaticanus, sondern auch die sonstige Verwendung in Mk 6,14.24 im Sinne eines Titels analog dem gebräuchlicheren ὁ βαπτίστης, welches sich nicht nur in Mk 6,25; 8,28, sondern auch in Mt 3,1; 11,11f; 14,2.8; 16,14; 17,13 und Lk 7,20.23; 9,19 findet; vgl. PESCH, aaO, 74.

78 Vgl. THYEN, aaO, 98f.

79 Vgl. BLASS-DEBRUNNER, aaO, § 165.

eng an die Taufe[80], so daß die Umkehr nicht als vorlaufender oder nachfolgender Akt gedeutet werden kann. Durch die finale Präposition werden nicht nur Taufe der Umkehr und Sündenvergebung miteinander verbunden[81], sondern die Zielgerichtetheit der gesamten Wendung zum Ausdruck gebracht: W i r k u n g der Bußtaufe ist die Sündenvergebung. Die durch die Taufe bewirkte ἄφεσις ἁμαρτιῶν meint dabei nicht, wie Sahlin[82] behauptet, eine Ablegung der Sünden durch den Menschen, sondern die Vergebung der Sünden durch Gott. Anhand der Verwendung von ἀφίημι und ἄφεσις in der LXX konnte dies bereits Michaelis überzeugend nachweisen[83].

Der Ausdruck "Taufe der Umkehr zur Vergebung der Sünden" besitzt so eine soteriologische Qualität: Durch die im Empfang der Bußtaufe bewirkte Sündenvergebung ist das künftige Heil in Aussicht gestellt. Nur Gott kann die Sünden vergeben und Voraussetzung dieses göttlichen Handelns ist das βάπτισμα μετανοίας. Johannes, als dem Spender der Taufe, kommt insofern eine soteriologische Funktion zu, als er in Verkündigung und Taufe Mittler des göttlichen Heils ist. Diese Sichtweise des Johannes als Heilsmittler überbietet eindeutig die Tendenz des Mk, aber auch des Mt und Lk, Johannes als Vorläufer Jesu zu stilisieren. Dies mag ein Indiz dafür sein, die "Taufe der Umkehr zur Vergebung der Sünden" nicht als christliches Interpretament der Tätigkeit des Täufers zu verstehen, sondern hierin eine Überlieferung aus Täuferkeisen zu sehen, in der sich eventuell Johannes' eigenes Verständnis seiner Taufe niederschlägt[84].

So läßt sich auch indirekt aus der Notiz bei Josephus, Ant 18,116ff, die Johannestaufe habe keine Sündenvergebung bewirkt, ablesen, daß sie eigentlich gerade mit diesem Anspruch gespendet wurde. Inwieweit sich hinter dieser Notiz eine Interpolation eines christlichen Autors versteckt - so Eisler -[85], läßt sich nicht klären. Im Interesse seiner hellenistischen Hörerschaft, die mit der Sündenvergebung nichts anzufangen

---

80 Vgl. BARTH, Taufe, 24.

81 Vgl. BLASS-DEBRUNNER, aaO, § 165; GNILKA, Tauchbäder, 203; SCHÜRMANN, aaO, 159.

82 Vgl. SAHLIN, Studien, 15-17.

83 Vgl. MICHAELIS, Hintergrund, 81-85.

84 Vgl. THYEN, βάπτισμα, 98 A 4.

85 Vgl. EISLER, ΙΗΣΟΥΣ, 59.

wußte, sowie der apologetischen Ausrichtung seiner Darstellung der jüdischen Altertümer liegt Josephus eher an einer Kennzeichnung des Johannes als Tugendlehrer.

V5 ist nicht nur im Sinne eines "Erfolgsberichts"[86] zu verstehen. Sicher hat die Täuferpedigt eine große Wirkung erzielt, dies verbürgt allein schon die Angabe in Josephus, Ant 18,118. Doch noch beachtenswerter als der vermeldete Erfolg ist in V5 die enge syntaktische und semantische Verbindung zum vorhergehenden Vers, durch die die "Taufe der Umkehr zur Vergebung der Sünden" von einem anderen Blickwinkel her beleuchtet und präzisiert wird. Aus V4 wiederaufgenommen wird in V5 durch ἐβαπτίζοντο das βάπτισμα, die ἄφεσις ἁμαρτιῶν findet durch ἐξομολογούμενοι τὰς ἁμαρτίας αὐτῶν ihren Niederschlag, so daß wir ἐβαπτίζοντο ὑπ'αὐτοῦ...ἐξομολογούμενοι τὰς ἁμαρτίας αὐτῶν insgesamt als Entsprechung zu βάπτισμα μετανοίας εἰς ἄφεσιν ἁμαρτιῶν ansehen können; allerdings ist das Geschehen nun aus einem anderen Blickwinkel dargestellt: Während in V4 Taufe und Sündenvergebung auf Johannes und indirekt auf Gott bezogen sind, kommt in V5 die Stellung des Täuflings innerhalb des Spannungsbogens Taufe - Sündenvergebung zum Ausdruck. Der von Johannes angebotenen Taufe begegnet der Täufling, indem er sich von ihm taufen läßt - das mediale ἐβαπτίζοντο drückt dies deutlich aus. Der in Aussicht gestellten Sündenvergebung korrespondiert auf seiten des Taufwilligen das Sündenbekenntnis. Taufe und Sündenbekenntnis sind durch die Partizipialwendung ἐξομολογούμενοι τὰς ἁμαρτίας αὐτῶν eng aneinander gebunden[87].

Auffällig ist, daß die μετάνοια in V5 nicht eigens aufgenommen wird. Darin können wir erneut ein Argument dafür erblicken, daß die Umkehr ganz in der Taufe aufgeht. Demnach würden die Taufe und das damit verbundene Sündenbekenntnis die vom Täufer geforderte Umkehr darstellen.

Die von Johannes gespendete Taufe stellt also nicht bedingungslos das Heil in Form von Sündenvergebung in Aussicht. Mit der Taufe konstitutiv verbunden ist vielmehr das Sündenbekenntnis. Erst Taufe und Sündenbekenntnis als die Ausdrucksformen vollzogener Umkehr ermöglichen die von Gott gewährte Vergebung.

---

86 Vgl. PESCH, aaO, 80.

87 Ebd.

Aus unseren bisherigen Resultaten ergeben sich zwei Anhaltspunkte, die das Vorhandensein von Täufertradition in V4f vermuten lassen: Weil die Taufe, die Johannes spendet, als ihre Wirkung die Sündenvergebung zur Folge hat, kommt dem Täufer eine heilsmittlerische Funktion zu. Er übt eine Funktion aus, die zweifellos dem christlichen Interesse, Johannes als Vorläufer Jesu darzustellen, zuwiderläuft. Betrachtet man unter diesem Aspekt den "Erfolgsbericht" in V5, dann wird die dort berichtete große Resonanz verständlich. Sie gilt nicht dem Vorläufer Jesu, sondern dem Heilsmittler Johannes. Eine Abschwächung des "Erfolgsberichts" war aber für die christlichen Bearbeiter deshalb nicht notwendig, weil im jetzigen Zusammenhang, in dem der Täufer Vorläufer Jesu ist, die Resonanz nicht mehr anstößig erschien.

Doch dürfen wir kaum davon ausgehen, daß die Täufertradition ein festes Traditionsstück in Mk 1,1-8 bildet, welches den christlichen Autoren überliefert wurde und in das diese redaktionell eingreifen konnten. Vielmehr werden wir wohl annehmen müssen, daß sich im Umlauf befindliche Täuferüberlieferung einer christlichen relecture unterzogen wurde. Vermutlich mündliche Täufertradition wurde also von Christen unter christlichem Interesse schriftlich fixiert.

Als Indiz dafür mag das Verb κηρύσσω gelten, da kraft seiner Verwendung die Rolle des Täufers als Heilsmittler gemindert wird. Indem nämlich das Auftreten des Täufers mit diesem Begriff umschrieben wird, rückt Johannes in die Nähe Jesu (Mk 1,14.28f), der Jünger (Mk 3,14; 6,12) und der Glaubensboten (Mk 1,45; 5,20; 7,36) sowie des Evangeliums (Mk 13,10; 14,9)[88]. Dadurch wird Johannes zweifellos dem εὐαγγέλιον zugeordnet. Johannes <u>verkündet</u> nur die Sündenvergebung, vermittelt sie aber nicht. Erst die Jünger Jesu werden kraft des Missionsbefehls des Auferstandenen zu Mittlern der Sündenvergebung[89]. Zusätzlich ermöglicht die Verwendung von κηρύσσω eine enge semantische Bindung von V4f an V3: die "Stimme des Rufenden" findet im κηρύσσω ihren Wiederhall. Hätte, wie Thyen vermutet[90], anstelle von κηρύσσω ursprünglich βαπτίζω gestanden[91], dann wäre der φωνή

---

88 Vgl. GNILKA, aaO, 45. THYEN, aaO, 97 A 3, der κηρύσσω als terminus technicus christlicher Missionssprache versteht.

89 Vgl. Lk 24,47; Apg 10,43 u.a.

90 Vgl. THYEN, aaO, 97 A 3.

91 Vgl. dazu die Wendung βαπτίζω βάπτισμα μετανοίας in Apg 19,4 für die Taufe, die Johannes spendete.

βοῶντος keine Aufnahme im folgenden Vers wiederfahren. Von daher läßt sich vermuten, daß durch die Verwendung von κηρύσσω christlicherseits die heilsmittlerische Funktion des Johannes abgeschwächt und im Gesamtkontext eine Unterordnung unter das Euangelion erreicht werden konnte. Dadurch wird aus dem die Sündenvergebung vermittelnden Johannes eine Verkünder des kommenden Christus.

Da κηρύσσω eine Verbindung zu φωνὴ βοῶντος herstellt, läßt sich überlegen, inwieweit nicht auch die Ortsbezeichnung ἐν τῇ ἐρήμῳ in V4 eine Wiederaufnahme aus V3 darstellt. Demnach würde die Wirksamkeit des Johannes in der Wüste nicht einer möglichen historischen Gegebenheit entsprechen, sondern stellte allein eine Angleichung an V3 dar, um Johannes noch deutlicher mit der φωνὴ βοῶντος zu identifizieren[92]. Doch spricht dagegen, daß Q Johannes den Täufer auch dort in der Wüste lokalisiert, wo diese Ortsbezeichnung nicht auf den Einfluß von Jes 40,3 zurückzuführen ist (Mt 11,7 par Lk 7,24), sondern Johannes, wie wir gesehen haben, im Licht von Ex 23,20 und Mal 3,1.23f interpretiert wird. Von daher dürfte die Wendung ἐν τῇ ἐρήμῳ in V4 bereits Bestand der Tradition sein[93]. Dem widerspricht auch nicht die in V5 berichtete Taufe im Jordan, da die Wüste in der unteren Jordansenke bis an den Fluß heranreicht und demnach dort der Ort des Auftretens des Täufers angenommen werden könnte[94].

Geht man sogar so weit, die Bezeichnung ἐν τῇ ἐρήμῳ als historische Angabe zu werten, dann läßt sich darin ein weiterer Anhaltspunkt für die Interpretation des Täufers seitens seiner Jünger im Sinn von Jes 40,3 und Mal 3,1.23f/Es 23,20 erblicken, da Jes 40,3 als Ort der Wegbereitung die Wüste nennt bzw. die LXX den Rufer in der Wüste auftreten läßt und die Wüste das Gebiet war, in dem Elia Wunder wirkte und zum Himmel auffuhr, so daß auch dort seine Wiederkunft erwartet wurde[95].

Im Vorgriff auf die noch ausstehende Analyse von V6 sei hier bereits darauf hingewiesen, daß die Schilderung der Nahrungs- und Kleidungsgewohnheiten des Täufers Anhaltspunkte dafür sind, in ihm einen Wüstenbewohner zu sehen. Möglicherweise hat Johannes ganz bewußt die Wüste zum Aufenthaltsort gewählt, da diese innerhalb des Frühjudentums

---

92 So vermutet ERNST, aaO, 33.

93 Vgl. PESCH, aaO, 79.

94 Vgl. ERNST, aaO, 33.

95 Vgl. PESCH, aaO, 79.

nicht nur als Stätte der Offenbarung des eschatologischen Heils galt, sondern auch als Ort der Umkehr[96].

Ob die Schriftzitate bereits in der Täuferüberlieferung mit einer Erzählung über das Auftreten des Johannes verbunden waren, muß letztendlich offen bleiben. Dafür spräche,daß die im Kontext von Jes 40,3 stehende Sündenvergebung genug Anlaß geboten hätte, das Zitat sehr früh schon mit dem Bericht über das Auftreten des Täufers zu verbinden; Lk 1,76-79 wäre dafür ein treffendes Beispiel. Sicherlich wird man aber davon ausgehen müssen, daß sich in der Anwendung des Jes-Zitates auf Johannes eine Interpretation seiner Jünger niederschlägt und kaum annehmen können, hier auf das Selbstverständnis des Täufers zu treffen[97].

Der historische Kern wird sich letztendlich hinter den VV4-5 verbergen. Daß Johannes getauft und zur Umkehr aufgerufen hat, wird durch seine Umkehrpredigt bestätigt. Darüber hinaus ist hier Johannes aber in seiner heilsmittlerischen Rolle dargestellt. Kann dieser Darstellung des Täufers gerade im Hinblick auf die Umkehrpredigt historische Wahrscheinlichkeit zukommen?

4.4.2. Diachrone Analyse: Umkehr und Sündenvergebung im AT und Frühjudentum

Bevor wir uns der traditionsgeschichtlichen Fragestellung zuwenden, soll kurz aufgezeigt geklärt werden, welche Verben die LXX synonym für ἀφίημι gebraucht, um dadurch eine breitere Basis für die Wortfelduntersuchung zur Sündenvergebung zu erhalten.

---

96 Vgl. BECKER, aaO, 20f.

97 Anders PESCH, aaO, 83, der davon ausgeht, in Jes 40,3 habe sich durchaus das Selbstverständnis des Johannes niedergeschlagen.

4.4.2.1 ἀφίημι/ἄφεσις und Synonyma

ἀφίημι und ἄφεσις begegnen in der LXX als religiöser Terminus. In diesem Sinne steht das Verb vor allem für נשא[98] und סלח[99]. Daneben bezeugt die LXX für נשא und סלח aber auch die Übersetzungen ἵλεως εἶναι/γίγνεσθαι und ἱλάσκομαι[100].

In Num 14,18f wird deutlich, daß man zumindest im Blick auf ἀφίημι und ἵλεως γίγνεσθαι von einem synonymen Sprachgebrauch der LXX ausgehen kann[101].

Aufgrund der Tatsache, daß סלח sowohl mit ἀφίημι wie auch mit ἱλάσκομαι wiedergegeben werden kann[102], wird man auch ἱλάσκομαι als Synonym für ἀφίημι anzusehen haben.

Einen eigentlichen terminus technicus für "vergeben" kennen weder der masoretische Text noch die LXX[103]. Dieser Befund trifft freilich nicht für den Spezialfall der kultischen Sühnepraxis zu. Hier entspricht dem hebräischen כפר in der LXX fast durchgängig ἐξιλάσκομαι[104]. Für das Sühneritual selbst steht ἀφίημι zwar nie, jedoch gehört die Sündenvergebung auch mit in den kultischen Kontext: Auf den priesterlichen Sühneakt hin (כפר /ἐξιλάσκομαι) schenkt Gott Vergebung der Sünden סלח /ἀφίημι(τὴν ἁμαρτίαν)[105]. Bemerkenswert ist dabei,

---

98 Gen 4,13; Ex 32,32; 24,18; 31,5; vgl. STOLZ, THAT 2, 109-114.

99 Lev 4,20; 5,10.13; Num 14,19; 15,25f; Jes 53,7; vgl. STAMM, THAT 2, 151.

100 Vgl. BÜCHSEL, ThWNT 3, 300.315f und die dortigen Stellenangaben.

101 Dem parallelen Gebrauch von נשא und סלח in Num 14,18f entspricht in der LXX die synonyme Verwendung von ἀφίημι und ἵλεως γίγνεσθαι . Gibt V18 im griechischen Text die Wendung נשא עון mit ἀφαίρων...ἁμαρτίαν wieder, so steht in V19 ἄφες τὴν ἁμαρτίαν für das hebräische סלח בא לעון die Form נשאתה wird im selben Vers durch ἵλεως αὐτοῖς ἐγένου übersetzt.

102 Vgl. dazu die Stellenangaben bei BULTMANN, aaO, 500 und BÜCHSEL, aaO, 315f.

103 Doch trifft man am häufigsten auf das Verb סלח ; vgl. STAMM, aaO, 151.

104 Vgl. LANG, ThWAT 4, 306-308. Eine Ausnahme bildet allerdings Jes 22,14. Dort wird כפר mit ἀφίημι übersetzt, כפר steht jedoch nicht für "entsühnen", sondern bedeutet hier "vergeben".

105 Vgl. Lev 4,20.26.31.35; 5,6.10.13.16 u.ö. Zur alttestamentlichen Sühnevorstellung vgl. insgesamt JANOWSKI, Sühne.

daß die LXX auch dort die Sündenvergebung als den der Sühnepraxis korrespondierenden Akt einträgt, wo der masoretische Text nur von der Sühnehandlung des Priesters berichtet (Lev 5,6).

Der Gebrauch von ἀφίημι in der LXX macht mithin zweierlei deutlich:

- ἱλάσκομαι und ἵλεως γίγνεσθαι/εἶναι sind als Synonyma für ἀφίημι im religiösen Sinn zu betrachten. Dies ist bei der Wortfelduntersuchung zu ἀφίημι in Rechnung zu stellen.
- Einen Spezialfall bildet die Verbindung von ἐξιλάσκομαι und ἀφίημι, die nicht im Sinne der Synonymität, sondern lediglich als enge Korrespondenz beschrieben werden kann. Sündenvergebung hat ihren Ort im Sühnegeschehen, aber eben nicht nur dort.

4.4.2.2. Die Sündenvergebung im Kontext ihres semantischen Feldes

Im folgenden werden wir versuchen, den semantischen Gehalt von ἄφεσις ἁμαρτιῶν durch die Beschreibung der sprachlichen Felder zu ermitteln[106], in denen die Wendung ihren festen Ort hat. Dabei sind auch solche Texte mitzubedenken, die für ἀφίημι κτλ. ἵλεως γίγνεσθαι/ εἶναι und ἱλάσκομαι aufweisen.

Sühne und Sündenvergebung

Ausgangspunkt unserer Überlegungen ist zunächst die Beobachtung, daß die Sündenvergebung ein fester Topos des Sühnerituals ist[107]. Daß dabei der semantische Gehalt von Sündenvergebung durch die Sühnevorstellung bestimmt wird, zeigt ihr Vorkommen innerhalb eines gemeinsamen semantischen Feldes. Bei den Belegen handelt es sich hauptsächlich um Texte aus der priesterschriftlichen Literatur. Diese lassen folgende Grundstruktur der Sühnehandlung erkennen: Anlaß eines Sühnehandelns

---

106 Zur Methode der Wortfelduntersuchung vgl. BERGER, Exegese, 137-141.

107 Vgl. WILCKENS, Römer, 238; vgl. Lev 4,20.26.31.35; 5,6.10.13; 16,30.

ist die Existenz eines Spannungsverhältnisses zwischen Mensch und Gott, welches durch ein fehlerhaftes Verhalten hervorgerufen wurde. Dies hat zur Folge, daß der Sünder aufgrund seines Vorgehens vom Kult und damit von der Heilsgabe Gottes ausgeschlossen ist[108]. Zur Beseitigung dieses Spannungsverhältnisses und zum erneuten Zugang zum Kult bedarf es eines Priesters, der durch ein Opfer Sühne für die begangene Tat bei Gott erwirkt[109]. Damit ist wieder ein spannungsfreies Verhältnis zwischen Mensch und Gott hergestellt. Der Entsühnte ist danach wieder berechtigt, am Kult teilzunehmen. In seiner Sühnepraxis erweist sich der Priester gegenüber dem Sünder als Repräsentant Gottes, da die dem Sünder als Wirkung der Sühne zugesprochene Vergebung nur von Gott gewährt werden kann. Von einer Einwirkung des Priesters oder Sünders auf die göttliche Vergebungspraxis kann im alttestamentlichen Sühnekult nirgends gesprochen werden. Sühne und Sündenvergebung bleiben immer an das freie Handeln Gottes gebunden[110]. Sprachlich bezeichnet כפר bzw. ἐξιλάσκομαι die priesterliche Sühnehandlung, סלח bzw. ἀφίημι (τὴν ἁμαρτίαν) die göttliche Vergebung.

Die folgende Graphik gibt eine Übersicht über die einschlägigen Texte und das Vorkommen der zum Wortfeld "Sühne - Sündenvergebung" gehörenden Elemente.

108 Ebd. Eine detaillierte Darstellung der priesterschriftlichen Sühnevorstellung findet sich bei JANOWSKI, aaO.

109 Vgl. LANG, aaO, 306f.

110 Vgl. WILCKENS, aaO, 236f.

	Störung des Verhältnisses Mensch-Gott durch Sünde	Sühne	durch Priester	bes. Person	durch Opfer	durch Gebet	Sündenvergebung
			als Mittler				
Ex 32,30.35	x	x		x		x	x
Lev 4,22-26	x	x	x		x		x
4,27-35	x	x	x		x		x
5,1-13	x	x	x		x		x
5,14-19	x	x	x		x		x
5,20-26	x	x	x		x		x
19,20-22	x	x	x		x		x
Num 15,22-26	x	x	x		x		x
Dtn 21,1-9	x	x	x	x	x	x	x
Jer 18,23	x	x		x		x	keine x

Die graphische Darstellung des Wortfeldes "Sühne - Sündenvergebung" erfaßt solche Texte nicht, die zwar eine Sühnehandlung berichten, nicht aber von einem durch Sünde gestörten Verhältnis zwischen Mensch und Gott ausgehen. Dort wo die Kultfähigkeit durch Krankheit gestört ist (Lev 14,1-32; 15,1-32; Num 6,11-12) oder wo Kultgegenstände bzw. -stätten (Ex 30,10; Ez 43,18-27; 45,18-20) von Verunreinigung befreit werden sollen, gehört die Sündenvergebung durch Gott nicht in den Kontext des Sühnegedankens. Die aufgeführten Texte hingegen setzen immer eine Verfehlung des Menschen voraus. Wir haben es hier also nur mit einem Ausschnitt der alttestamentlichen Sühnevorstellung zu tun.

Der semantische Gehalt von Sündenvergebung in diesem kultischen Kontext läßt sich beispielhaft an Lev 4,22-26 beschreiben. Hier geht es um die Entsühnung eines Sippenhauptes, das durch unwissentlich begangene Verfehlungen Schuld auf sich geladen hat. Die Sühnehandlung umfaßt die Darbringung eines Opfertieres, Handauflegung und Schlachten durch den Sünder am Brandopferaltar, einen priesterlichen Blutritus (Bestreichen der Hörner des Altars) sowie die Verbrennung des Opfertierfetts[111]. Ob die eigentlich entsühnende Funktion dem Verbrennen des Fetts oder dem Blutritus zukommt, läßt sich von dieser Stelle her nicht eindeutig klären. Von der Grundstruktur des alttestamentlichen Sühnegedankens her wird man jedoch im Blutritus die entscheidende Sühnehandlung zu sehen haben[112]. Denn der Gedanke der kultischen Sühne geht wesentlich von zwei Voraussetzungen aus: Konstitutiv ist der Tun-Ergehen-Zusammenhang, wonach die Folge einer sündigen Tat der Tod des Sünders ist. Dieser Konsequenz kann der Sünder nur dann entgehen, wenn die Folge seines Tuns an einem anderen zur Wirkung kommt, d.h. stellvertretende Lebenshingabe schafft Sühne. Konstitutiv für die Vorstellung von der kultischen Stellvertretung ist die Identifizierung des Sünders mit dem sterbenden Opfertier: Weil der Sünder durch Auflegen seiner Hand auf das sterbende Opfertier an dessen Tod realiter teilhat, indem er sich durch die symbolische Geste mit dem Tier identifiziert, geht es letztlich beim Tod des Tieres um den vom Opfertier stellvertretend übernommenen Tod des Sünders[113]. Da nach alttestamentlicher Vorstellung das Blut Träger des Lebens ist (Lev 17,11), kann nur im Blutritus des Priesters der eigentlich sühnende Akt gesehen werden. Nach Lev 17,11 ist das Blut als Sühnemittel Gabe Gottes, das im Blut enthaltene Leben Grundlage für das Sühnegeschehen. Erst dadurch, daß das Leben des Sünders im stellvertretenden Opfertod symbolisch hingegeben wird, kann der Sünder entsühnt werden. Doch bleibt die Anerkenntnis der stellvertretenden Lebenshingabe als Sühne für eine sündige Tat allein Gott vorbehalten; der Priester ist immer nur Mittler des göttlichen Sühnehandelns, indem er den Sühnevorgang kultisch vollzieht[114]. Im Zuspruch der göttlichen Sündenvergebung, der der Sühnehandlung folgt, geht es um eine Konstatierung durch Gott: der Sünder ist frei von der

---

111 Vgl. JANOWSKI, aaO, 199.

112 Ebd. 229f; vgl. LANG, aaO, 312. Die in Lev 4,22-26 vorhandene Grundstruktur der kultischen Sühnehandlung findet sich auch in Lev 4,27-35; 5,1-13.14-19.20-26; Num 15,22-26; 19,20-22; Dtn 21,1-9.

113 Vgl. JANOWSKI, aaO, 218-221.

114 Vgl. WILCKENS, aaO, 236f; JANOWSKI, aaO, 133-135.

Konsequenz seiner sündigen Tat. Sühne ist demnach "die von Gott her ermöglichte, im kultischen Geschehen Wirklichkeit werdende und ... dem Menschen zugute kommende Aufhebung des Sünde-Unheil-Zusammenhangs"[115].

In drei Texten unseres Wortfeldes treten an die Stelle bzw. neben den sühnemittelnden Priester besonders hervorgehobene Personen: Mose (Ex 32,30-35), die Ältesten (Dtn 21,1-9)[116] und Jeremia (Jer 18,23). Bezeichnenderweise wird von ihnen auch keine Opferhandlung berichtet. An die Stelle des Opfers tritt hier das Gebet um Sühne (bzw. die Verweigerung der Sühne, Jer 18,23). Daß es sich dabei schon um eine Spiritualisierung des Opfergedankens handelt, wie wir sie aus frühjüdischer Zeit kennen, ist wenig wahrscheinlich. Ex 32,30-34[117] berichtet von der Ankündigung des Mose an das Volk Israel, daß er bei Gott um Vergebung der Sünden Israels bitten werde (V30). Israel nämlich hatte die Anwesenheit des Mose auf dem Sinai dazu benutzt, ein Götterbild zu fertigen und es zu verehren (32,1ff). Mose kehrt zu Jahwe auf den Sinai zurück, um seine Ankündigung zu realisieren (V31). Die Vergebungsbitte (V32a) folgt als Reaktion, daß Gott Mose mitteilt, daß er die für Israel bestimmte Strafe nicht aufhebt, jedoch hinauszögert (V33f).

Im Unterschied zu Lev 4,22-26, wo Sühne durch stellvertretende Lebenshingabe erwirkt werden soll, versucht Mose durch seine Vergebungsbitte bei Gott Sühne für Israel zu ermöglichen. Doch ist der Gedanke der Stellvertretung auch für Ex 32,30-34 - und die übrigen genannten Stellen - konstitutiv: Mose versucht, die Sünde des Volkes durch seine auf Gottes Vergebung gerichtete Interzession zu sühnen[118]. Der "Grundstruktur interzessorischen Handelns zufolge ist der Interzessor ein Mittler, der stellvertretend in den durch moralische, religiöse oder rechtliche Verschuldung zwischen Gott und Mensch entstandenen 'Riß' tritt ..., in der Absicht, durch sein 'Dazwischentreten' den Vernichtungswillen Jahwes abzuwenden ... und so ein heilvolles Gott-

---

115 JANOWSKI, aaO, 359.

116 Während der masoretische Text in Ex 32,30-35 und Dtn 21,1-9 sowohl Sühne als auch Sündenvergebung durch כפר zum Ausdruck bringt, differenziert die LXX bereits zwischen ἐξιλάσκομαι (Sühne) und ἀφίημι τὴν ἁμαρτίαν bzw. ἵλεως γίγνομαι (Vergebung).

117 Zur Literarkritik von Ex 32 vgl. JANOWSKI, aaO, 142f.

118 Ebd. 142-144.

Mensch-Verhältnis zu ermöglichen"[119]. Insofern wird der bereits umrissene semantische Gehalt der Sündenvergebung im Kontext der Sühnehandlung durch diese Texte bestätigt.

Fragen wir nun danach, ob die johanneische Taufe der Umkehr zur Vergebung der Sünden im Kontext des Sühnerituals verstanden werden kann so ist folgendes festzuhalten:
Im Kontext der Johannesüberlieferung findet sich kein terminus technicus der Sühnevorstellung. Die begriffgeschichtliche Untersuchung hatte gezeigt, daß ἀφίημι/ἄφεσις niemals für כפר im Sinne von "entsühnen" gebraucht wurde.

Die Taufe selbst läßt sich nur schwer als Substitut der Opferhandlung verstehen, da ansonsten - dies zeigten die Texte aus Lev und Num - immer die Bluthandlung konstitutiv für die mit dem Opfer verbundene Sühnepraxis ist. Mit der Bluthandlung einher geht der Gedanke der Stellvertretung vor dem Hintergrund des Tun-Ergehen-Zusammenhangs. Der Gedanke der Stellvertretung ist jedoch bei Johannes in keiner Weise angedeutet. Zudem spielt auch das zentrale Ziel des Sühneritus, die Wiedererlangung der Kultfähigkeit, beim Täufer keine Rolle. Von daher wird es kaum möglich sein, die mit der Johannestaufe verbundene Sündenvergebung im Zusammenhang mit der alttestamentlich-kultischen Sühnevorstellung zu verstehen.

Sündenvergebung im Kontext von Sündenbekenntnis, Umkehr und Erbarmen Gottes

Die Vorstellung der Sündenvergebung ist aber auch im nicht-kultischen Kontext belegt. In diesem nicht-kultischen Bereich sind neben der Sündenvergebung Umkehr und Sündenbekenntnis konstitutiv, zwei Elemente, die auch im Zusammenhang mit der Johannestaufe in Mk 1,4f genannt werden.

Für die Verwendung der Sündenvergebung außerhalb des Kultes können wir auf ein von A.v.Dobbeler erstelltes Wortfeld zurückgreifen, welches eine alttestamentlich-frühjüdische Tradition repräsentiert, in der die Sündenvergebung kraft des göttlichen Erbarmens aufgrund von Sünden-

---

119 Ebd. 150.

bekenntnis und Umkehr gewährt wird[120]. Unter Berücksichtigung unserer speziellen Fragestellung nach dem semantischen Gehalt von ἄφεσις ἁμαρτιῶν wurde das vorhandene Textmaterial neu gesichtet. Einige Texte fielen heraus, andere kamen hinzu. Auch die charakteristischen inhaltlichen Elemente des semantischen Feldes wurden überprüft und im Sinne der Leitfrage reduziert.

Aus dem verwandten Textmaterial läßt sich eine Grundstruktur ableiten, deren Eckpfeiler auf seiten des Menschen die Bereitschaft zur Umkehr und auf seiten Gottes das Erbarmen sind. Menschliche Voraussetzung für die Sündenvergebung ist die Anerkenntnis der eigenen sündigen Existenz (Sündenbekenntnis) und die daraus resultierende Neuorientierung des Handelns (Umkehr). Die Sündenvergebung bleibt aber auch dann dem Erbarmen Gottes anheimgestellt. Wie auf menschlicher Seite das Sündenbekenntnis Ausdruck des Willens zur Umkehr ist, so wird die Sündenvergebung verstanden als die konkrete Form des göttlichen Erbarmens.
Die folgende graphische Darstellung gibt eine Übersicht über die einschlägigen Texte und die Grundelemente des Wortfeldes.

120 Vgl. VON DOBBELER, Glaube, 150.

	sündige Existenz	Sündenbekenntnis (Bitte um Vergebung)	Umkehr	Vergebung der Sünden	Erbarmen Gottes
*1Reg 8,33f.46-53	x	x	x	x	x
*Neh 9	x	x	x	x	x
*2Chr 6,21-42	x	x	x	x	x
Ps 32(31),1-5	x	x		x	
Ps 51(50),1-21	x	x			x
*Ps 78(77)	x	x		x	x
*Ps 79(78)	x		x	x	x
Ps 130(129), 1-8	x	x		x	x
Jes 1,16-20	x		x	x	
Jer 36(43),3	x		x	x	
Ez 18,21f	x		x	x	
OrMan 7	x	x	x	x	x
*Bar 2f	x	x	x		x
*Tob 13,2-8	x		x		x
*PsSal 9,6f	x	x	x	x	x
Sir 5,6f	x		x	x	x
Sir 17,25-29	x		x		x
*Dan 9,1-19	x	x		x	x
*Dan 3,24-45 (Gebet Asarjas)	x	x	x	x	x
*Jub 5,17f	x		x	x	x
Jub 41,23-25	x	x	x	x	
TestAbr A 14	x	x	x	x	x
JosAs 12-14	x	x	x		x
*TestJud 23,5	x	x	x		x
*TestIss 6,3f	x		x		x
*TestSeb 9,7f	x		x	1	x
*TestDan 5,9	x		x		x
*TestNaph 4,3	x		x		x
Sib IV 165		x	x	x	2
*4QDibHam I-VII	x	x		x	x

1 = Schuld wird nicht angerechnet (tritt in Ps 32(31), 1-5; 130 (129), 1-8; Jes 1,16-20; Ez 18,21f zur Sündenvergebung hinzu)

2 = Zorn Gottes abgewendet (tritt in 2Chr 6,21-42; Ps 78 (77); 79 (78); OrMan 7; Sir 5,6f; 4QDibHam I-VII neben das Erbarmen Gottes)

An 2Chr 6,36-39 läßt sich beispielhaft Umfang und Struktur des skizzierten semantischen Feldes darstellen, da dieser Text alle Grundelemente enthält (121). In diesem Abschnitt aus dem Tempelweihgebet Salomos wird in einer rückblickenden Geschichtsschau die Sünde des Volkes als Ursache für Niederlage, Gefangenschaft und Deportation benannt (V36). Weil Israel im Land seiner Feinde seine Sünden bekannte, sich zu Gott bekehrte und sein Erbarmen anrief (V37f), gewährte Gott dem Volk die Vergebung seiner Sünden (סלח /ἵλεως εἶναι). Sündenbekenntnis und Umkehrbereitschaft schaffen mithin die menschliche Voraussetzung für das erbarmende Handeln Gottes sowie die Gewährung der Umkehr durch Gott, welche sich in der Vergebung der Sünden äußern.

Unsere graphische Übersicht zeigt, daß nicht in allen Texten die vier Grundelemente des Wortfeldes (Sündenbekenntnis, Umkehr, Erbarmen Gottes, Sündenvergebung) vorkommen[122]. Wenn es richtig ist, daß Sündenbekenntnis und Umkehr einerseits und Erbarmen Gottes und Sündenvergebung andererseits so eng zusammengehören, daß man z.B. in der Sündenvergebung die Grundlage der Umkehr zu sehen hat, dann kann man davon ausgehen, daß selbst in Texten, die nur zwei der vier Grundelemente bieten[123], die fehlenden mitassoziert wurden. Dies gilt vor allem deswegen, weil die Grundstruktur immer gewahrt bleibt. In keinem der Texte fehlen Sündenbekenntnis und Umkehr bzw. Erbarmen Gottes und Sündenvergebung. Werden z.B. in Ps 32,1-5 nur Sündenbekenntnis und Sündenvergebung genannt, so wird man annehmen dürfen, daß dies als Ausdruck von Umkehrbereitschaft und erbarmendem Handeln Gottes verstanden wurde[124].

---

121 Vgl. auch 1Reg 8,33f.46-53; Neh 9,5-37; OrMan 7; PsSal 9,6f; Dan 3,24-45; TestAbr A 4.

122 So wird in Ps 79; 130; Dan 9,1-19; 4QDibHam I-VII die Umkehr nicht explizit genannt; das Sündenbekenntnis fehlt in Ps 78; Sir 5,6f; Jub 5,17f, die Sündenvergebung in Bar 2f; JosAs 12-14; TestJud 23,5, der Hinweis auf das Erbarmen Gottes in Jub 1,23-25; Sib IV 165.

123 Vgl. Ps 32,1-5; 51,1-21; Sir 17,25-29; TestIss 6,3f; TestSeb 9,7f; TestDan 5,9; TestNaph 4,3.

124 Daß in Jes 1,16-20, Jer 36,3 und Ez 18,21f weder ein Sündenbekenntnis noch das göttliche Erbarmen erwähnt wird, kommt daher, daß es sich in allen drei Stellen um einen "Spruch Gottes" handelt, dessen Ziel darin besteht, Israel wieder zu Gott zu bekehren.

Für unsere spezielle Fragestellung nach dem semantischen Gehalt von ἄφεσις ἁμαρτιῶν ist folgendes festzuhalten: Im nichtkultischen Kontext ist die Sündenvergebung als eine konkrete Form des göttlichen Erbarmens zu verstehen, mit der sich Gott den Sündern zuwendet, die ihre Sünden bekennen bzw. von ihrem sündigen Weg umkehren.

Daß der Bericht über das Auftreten des Täufers in Mk 1,4f im Kontext dieses Wortfeldes zu sehen ist, ergibt sich einerseits durch die Übereinstimmung der inhaltlichen Charakteristika: Auch wenn das Erbarmen Gottes nicht ausdrücklich genannt ist, sondern nur Umkehr, Sündenbekenntnis und Sündenvergebung, so können wir doch aufgrund der vorangegangenen Überlegungen davon ausgehen, daß das Erbarmen auch hier als Grundlage der Sündenvergebung durch Gott mitgedacht ist.

Besonders interessant ist aber für die Frage nach dem traditionsgeschichtlichen Hintergrund von Mk 1,4f vor allem, daß ein Großteil der Texte des Wortfeldes das dtrGB repräsentieren[125] - die betreffenden Texte sind in der graphischen Darstellung durch * gekennzeichnet.

So ist z.B. im großen Bußgebet des Volkes, Neh 9,5-37, eine relativ frühe Stufe dieser Geschichtskonzeption zu sehen (126). Die für diese Überlieferungsstufe des dtrGB kennzeichnenden Grundelemente (127) sind hier in der Weise aufgenommen, daß zunächst die Anklage (A) durch eine Gegenüberstellung der göttlichen Heilstaten und der Sünde des Volkes zum Ausdruck gebracht wird (VV5-29). Charakteristisch für diesen Geschichtsüberblick ist die Opposition 'Bundestreue Gottes - Bun-

---

125 1Reg 8,33f.46-53; Neh 9; 2Chr 6,21-42; Ps 78; 79; Bar 2f; Tob 13,2-8; PsSal 9,6f; Dan 3,24-45; 9,1-19; Jub 5,17f; TestJud 23,5; TestIss 6,3f; TestSeb 9,7f; TestDan 5,9; TestNaph 4,3; 4QDibHam I-VII.
Schwierigkeiten bereitet die Datierung von Dan 9,1-19, zumal es sich hier um ein durch das dtrGB geprägtes Bußgebet innerhalb eines apokalyptischen Buches handelt. So gibt auch STECK, aaO, 113f A 10 zu, daß das Gebet aus dem Juda der Exilszeit stammen könnte, obwohl er selbst sich für eine Datierung in der seleukidischen Zeit ausspricht. Da sich ein Bezug des Gebets auf die Ereignisse zur Zeit Antiochus IV nur durch den mittelbaren Kontext ergibt, muß die Datierung Stecks nicht zwingend sein. Dies ist gerade dann nicht gegeben, wenn wir unsere Überlegungen zur Entstehung des apkGB berücksichtigen. Gerade die Religionsverfolgung unter Antiochus IV bedingte die Entstehung einer neuen Geschichtssicht, die in apokalyptischen Kreisen die des dtrGB ablöste. Von daher ist die Rezeption des dtrGB innerhalb von Dan nur dann denkbar, wenn es sich um die Aufnahme einer älteren Tradition handelt. Dies gilt auch für das Gebet Asarja, Dan 3,24-45, welches ursprünglich ein selbständiges Gebet des Volkes war, das erst später in das Danielbuch interpoliert wurde, vgl. STECK, aaO, 119 A 10.

126 Vgl. STECK, aaO, 113.

127 Vgl. Kapitel 3, Abschnitt 3.1.

desbrüche Israels'. Die Sündengeschichte des Volkes bildet den Hintergrund für das Gericht (B), die Beherrschung Israels durch Fremdvölker (V30). Unter dem Eindruck der Vernichtung der staatlichen Eigenständigkeit bekennt Israel seine Sünden vor Gott (V33) und zeigt damit die Bereitschaft zur Umkehr (C) (128). Eine Heilszusage (D), die Aussicht auf Rettung, ist in Neh 9 nur dadurch angedeutet, daß Israel das Erbarmen Gottes anruft (V31) (129). Daß darin der Wunsch nach Vergebung der Sünden seinen Ausdruck findet, zeigt der parallele Gebrauch von göttlichem Erbarmen und Sündenvergebung (סלח) in V17 (130).

Auch eine jüngere Überlieferungsstufe des dtrGB wird von Texten des Wortfeldes repräsentiert. Ein Beispiel dafür ist PsSal 9,6f: Das Anliegen des Beters besteht darin, eine drohende Gefahr (V8) abzuwenden, die - durch die Sünden des Volkes (V1f) hervorgerufen (A) - als Erweis der Andauer des Gerichts von 587 (B) verstanden wird (V2). Aufgrund von Sündenbekenntnis (ἐν ἐξομολογήσει, V6) und Umkehrbereitschaft [ἐν μεταμέλεια, V7 (131)] (C), hofft der Beter auf die Vergebung der Sünden (ἀφήσεις ἁμαρτίας, V7) als Ausdruck des Erbarmens Gottes (ἔλεος, V7), also auf ein erneutes Heilshandeln Gottes (D).

Diese beiden Textbeispiele zeigen, daß sich die Vorstellung der Sündenvergebung im nicht-kultischen Bereich in unterschiedlichen Überlieferungsstufen des dtrGB findet. Man könnte demnach annehmen, daß das dtrGB einen Überlieferungsträger der semantischen Verknüpfung von Sündenbekenntnis und Umkehr, Erbarmen Gottes und Sündenvergebung darstellt.

Zumindest aber paßt sich die Struktur des semantischen Feldes in das heilsgeschichtliche Denken des dtrGB ein[132]. Sie markiert den für dieses Geschichtsbild charakteristischen Wendepunkt zwischen Unheilsstatus und Wiederherstellung der heilsgeschichtlichen Ordnung durch Gott. Konstitutiv für das dtrGB ist dabei die konditionale Verknüpfung von Umkehr

---

128 Vgl. dazu auch STECK, aaO, 124 A 1, der an mehreren Texten zeigen kann, daß das Sündenbekenntnis in dtrn Tradition Ausdruck der Umkehr ist.

129 Das Fehlen einer konkreten Heilszusage ist nach STECK, aaO, 185f Kennzeichen dieser frühen Überlieferungsstufe des dtrGB; die Eindrücke der Ereignisse von 587 waren noch zu frisch.

130 סלח aus dem masoretischen Text wird in der LXX Esdra II, 19,17 nicht übersetzt, nur חנון ורחום V17 gibt die LXX durch ἐλεήμων καὶ οἰκτίρμων wieder.

131 Der Unterschied von μεταμέλεια und μετάνοια ist zwar nicht unerheblich, jedoch übernimmt die LXX zum Teil die nahezu synonyme Verwendung der beiden Begriffe in der hellenistischen Literatur, vgl. MICHEL, ThWNT 4, 631.

132 Besonders deutlich zu sehen an den Geschichtsüberblicken 1Reg 8,33f.46-53; Neh 9,5-37; 2Chr 6,21-42; Ps 78(77); 79 (78); Bar 2f; 4QDibHam I-VII.

und Heil, so daß Sündenvergebung in diesem Zusammenhang als die direkte Wirkung von Exhomologese und Metanoia anzusehen und konkret in der Restitution des heilvollen Verhältnisses zwischen Israel und Gott, z.B. in der Rückführung aus dem Exil, erfahrbar ist.

Welche Relevanz hat der skizzierte Sachverhalt für die Interpretation von Mk 1,4f? Zum einen ist hier deutlich das semantische Feld (Sündenvergebung im nicht-kultischen Kontext) aufgenommen. Andererseits finden sich keine Hinweise für die Rezeption des dtrGB. Aus der Analyse der Umkehrpredigt wissen wir jedoch, daß das dtrGB eine Wurzel des theologischen Denkens des Täufers ist. Allerdings läßt sich dort das semantische Feld nicht nachweisen; im Unterschied zu allen einschlägigen Texten ist in der Täuferpredigt zwar von Umkehr und intentional auch vom Sündenbekenntnis die Rede. Wir hatten gesehen, daß Johannes das dtrGB insofern gebrochen rezipiert, als die konditionale Verknüpfung von Umkehr und Heil bei ihm aufgesprengt ist. Hier zeigt sich der Einfluß apokalyptischen Denkens. Während es nämlich im dtrGB um die Wiederherstellung der heilsgeschichtlichen Ordnung, also um eine restitutio, geht, lehnt genau dieses das apkGB ab: Eine Rückbesinnung auf die Heilsgeschichte ist nicht mehr möglich, folglich wird das von Gott erhoffte Heil auch nicht als restitutio gedacht. Doch wäre es verfehlt anzunehmen, daß die Apokalyptik keine Heilsvorstellung kenne. In jeder Apokalypse finden sich in schillernsten Farben ausgeführte Vorstellungen vom kommenden Heil, doch ist das Heil nicht mehr für den Menschen verfügbar. Es bleibt allein Sache Gottes und entspringt seinem freien Willen. Der sündige Mensch hat nur noch die Möglichkeit, seine Schuld und die Rechtmäßigkeit des göttlichen Gerichts anzuerkennen.

Im Kontext dieses Vorstellungszusammenhangs ist die Umkehrpredigt bzw. die von Johannes gespendete Taufe zu sehen. Umkehr und Taufe sind Anerkenntnis des souveränen Handelns Gottes. Die Taufe ermöglicht, der Gerichtsverfallenheit zu entkommen; eine Heilszusage wird jedoch damit nicht verbunden.

In Mk 1,4f begegnet zwar die Struktur, die mit den Texten des dtrGB tradiert wird (Sündenbekenntnis / Umkehr - Sündenvergebung / Erbarmen Gottes), aber das dtrGB wird hier nicht vollständig rezipiert: Zwar wird das Heil eng an die Umkehrtaufe gebunden, jedoch ist hier die Taufe der Umkehr nicht wie die Metanoia im dtrGB auf eine restitutio angelegt, da das Ziel der Umkehrtaufe nicht die Wiederherstellung der heilsgeschichtlichen Ordnung ist, sondern die Sündenvergebung bzw. das erbarmende Handeln Gottes.

Die Täuferjünger griffen das Denken des Johannes aus der Umkehrpredigt auf, indem sie die dem dtrGB typische Verknüpfung von Heil und Geschichte ablehnen. Sie wandeln aber insofern das johanneische Denken ab, als sie den Schwerpunkt auf die soteriologische Funktion des Täufers und seiner Taufe verlagern. Im Zentrum steht jetzt nicht mehr das kommende Gericht, sondern die Taufe mit ihrer soteriologischen Konsequenz (Sündenvergebung).

Johannes hat vermutlich selbst bereits die Sündenvergebung als Wirkung seiner Taufe gepredigt, da man annehmen kann, daß dem Verständnis der Taufe in seiner Jüngerschaft Anhaltspunkte in der johanneischen Botschaft selbst zugrunde liegen.

4.4.3. Mk 1,6

Die unterschiedliche inhaltliche Ausrichtung der Verse 4f und 6 hat uns veranlaßt, V4f für sich zu behandeln. Nun wollen wir V6 näher in den Blick nehmen.

Auf christliche Bearbeitung werden wir hier vermutlich kaum treffen, da die Beschreibung des Täufers wenig Anlaß zu Veränderung geboten haben wird.

Die Beschreibung der äußeren Erscheinung des Täufers sowie seiner Nahrungsgewohnheiten trennt zweifellos den Bericht über das Auftreten des Täufers in V4f von der Ankündigung des Stärkeren in V7f. Man könnte hierin einen Hinweis auf unterschiedliche Traditionsstücke sehen, die erst später zusammengefügt wurden. Daß V7f erst sekundär mit den VV2-6 verbunden wurde, zeigt ein Blick auf die Parallelüberlieferung in Q, die den Spruch vom Stärkeren im Kontext der Umkehrpredigt des Täufers wiedergibt[133].

133 Vgl. Kapitel 1, Abschnitt 1.1.

Ob allerdings auch V6 ein ursprünglich eigenständiges Traditionsstück darstellt, welches erst später mit dem Bericht über das Auftreten des Johannes kombiniert wurde, läßt sich erst beantworten, wenn das Interesse, das mit dieser Notiz verbunden gewesen sein könnte, einsichtig wird.

Die Kleidung des Täufers, der Mantel aus Kamelhaar und der lederne Gürtel sowie die Beschreibung seiner Nahrung, Heuschrecken und wilder Honig, sind einerseits typische Kennzeichen von Wüstenbewohnern[134]. Außerdem kann der Hinweis auf den Genuß von Heuschrecken und Honig auf eine asketische Lebensweise des Täufers deuten. Heuschreckenfleisch gilt wegen seiner Blutlosigkeit - wie auch Fisch - nicht eigentlich als Fleisch. Das Honigwasser wird vielfach anstelle des "dämonisch" machenden Weins getrunken. Fleisch- und Weinverzicht aber sind typische Kennzeichen eines Asketen (vgl. auch Lk 1,15)[135].

Der eigentliche Sinn des Verses ergibt sich jedoch erst aus dem Kontext der VV2-6. Mehrere Deutungsmöglichkeiten können dabei in Frage kommen. So vermutet Pesch[136], daß Johannes in Verbindung mit dem Mal/Ex-Zitat in V2 durch seine äußere Beschreibung als Elia redivivus gekennzeichnet werden soll. Anknüpfungspunkte für diese Identifizierung sind nach Pesch der Kamelhaarmantel und der lederne Gürtel, die Anspielungen auf 2Reg 1,8 und Sach 13,4 darstellten. Doch konnte bereits Vielhauer[137] anhand sprachlicher und sachlicher Beobachtungen nachweisen, daß keine der alttestamentlichen Stellen, die die Bekleidung des Elia erwähnen, ihm einen härenen Mantel zulegten, sondern nur allgemein vom Mantel des Elia sprechen. Auch der lederne Gürtel besitzt bei Elia keine Entsprechung. Nach 2Reg 1,8 trug Elia nämlich einen Lendenschurz. Wichtig ist aber vor allem die Feststellung Vielhauers, daß weder Mantel noch Lendenschurz als Kennzeichen des Elia im AT und Frühjudentum galten. Sie spielten also für die Elia-redivivus-Erwartung keine Rolle[138].

---

134 Vgl. PESCH, aaO, 81; GNILKA, aaO, 46f.

135 Vgl. BÖCHER; Aß Johannes, 91. Auch Lk 1,15 spricht in Bezug auf Johannes davon, daß dieser keinen Wein trinken werde. Dahinter ist auch die Tendenz zu vermuten, Johannes als Asketen darzustellen, vgl. VIELHAUER, Benedictus, 32.

136 Vgl. PESCH, aaO, 81.

137 Vgl. VIELHAUER, Tracht, 50-52.

138 Ebd. 52.

Demnach gibt es also weder terminologisch noch sachlich eine Beziehung zwischen der Kleidung des Täufers und der des Elia.

Kleidungs- und Nahrungsgewohnheiten des Täufers, die ihn ausdrücklich als Wüstenbewohner darstellen, passen zu seinem Auftreten ἐν τῇ ἐρήμῳ. Von daher äußern sowohl Vielhauer[139] als auch Thyen[140] die Vermutung, der Täufer knüpfe an die alttestamentliche Wüstentypologie an, deren Erwartung sich auf eine Offenbarung der von Gott herbeigeführten eschatologischen Heilszeit in der Wüste bezieht.

Hinzu kommt, daß die vegetarische und abstinente Lebensweise Charakteristika jüdischer Propheten sind, so daß "der Täufer ... sich auch durch seine Nahrung - nicht anders als durch Wüstenaufenthalt und tierische Kleidung - als eine echte jüdische Prophetengestalt (erweist)"[141]. Darüber hinaus gelang Windisch der Nachweis, daß die äußere Beschreibung des Johannes wesentlich zum "Bios" eines Propheten hinzugehört[142]. In der Antike hoben sich Gottesmänner vielfach durch äußere Besonderheiten (Nahrung und Kleidung) von den anderen ab; dies diente hauptsächlich der Unterstützung ihrer Verkündigung[143].

Unter Berücksichtigung des Kontextes (VV2ff) war es möglich, die Frage zu beantworten, welchen Sinn die Notiz über Tracht und Speise des Täufers im Zusammenhang mit dem Bericht über sein Auftreten gehabt haben kann. Die beiden Ausdeutungen von V6, die Rezeption der Wüstentypologie sowie die Charakterisierung des Johannes als Prophet, widersprechen sich nicht, sondern ergänzen einander im Hinblick auf die Interpretation des Täufers als die φωνή βοῶντος aus Jes 40,3 LXX und bringen die besondere Stellung des Täufers zum Ausdruck: Während Deuterojesaja nur das Kommen der Heilszeit in der Wüste ankündet, erscheint Johannes als der eschatologische Prophet und Heilsbringer. Auf der Basis dieser Beobachtungen wird man wohl annehmen dürfen, daß die äußere Beschreibung des Täufers den christlichen Autoren aus der Täuferüberlieferung bekannt war und vermutlich dort bereits mit dem Bericht über das Auftreten des Johannes tradiert wurde[144].

---

139 Ebd. 53f.

140 Vgl. THYEN, Studien, 137 A 3.

141 BÖCHER, aaO, 91, so auch DIBELIUS, aaO, 48.

142 Vgl. WINDISCH, Notiz, 65-78.

143 Ebd. 78.

144 Vgl. PESCH, aaO, 81.

4.5. Mk 1,7-8

In den VV7-8 kündet Johannes das Kommen eines Stärkeren an. ἐκήρυσσεν (V7) nimmt κηρύσσω aus V4 auf und schafft so eine Verbindung zu den VV2-6. Ähnlich wie in V4 wird auch hier κηρύσσω auf die φωνὴ βοῶντος aus V3 Bezug nehmen, so daß in V7 vermutlich gleichfalls christliche Bearbeitung vorliegt[145]. Durch die so geschaffene Verknüpfung der Verse miteinander wird erreicht, daß der Bericht über das Auftreten Johannes des Täufers mit der Ankündigung des Stärkeren zusammenfällt.

Die Subsummierung der VV2-8 unter die Überschrift V1 ermöglicht eine Identifizierung des nicht näher bezeichneten ἰσχυρότερος : Der Komparativ ὁ ἰσχυρότερος sowie das Personalpronomen αὐτοῦ in V7 bzw. αὐτός in V8 sind so zweifellos als Substitutionen zu Ἰησοῦ Χριστοῦ in V1 zu verstehen. Der vom Täufer angekündigte kommende Stärkere ist Jesus. Dies bestätigt auch ein Blick auf V9. Dort findet die Wendung ἔρχεται ὁ ἰσχυρότερος aus V7 im ἦλθεν Ἰησοῦς ihre Wiederaufnahme[146]. Die Tendenz von V7f in diesem Kontext ist offensichtlich. Johannes soll als Vorläufer Jesu dargestellt werden. Seine ihm gegenüber untergeordnete Stellung wird in drei Vergleichen ausgedrückt: - Der Kommende wird als ἰσχυρότερος bezeichnet. Jesus ist der gegenüber Johannes Stärkere. - Die Niedrigkeit des Täufers kommt insbesondere im Bild vom Lösen der Sandalriemen zum Ausdruck. Textlich führt das Partizip κύψας die Distanz der beiden Personen vor Augen. - Die eigentliche Stärke des Stärkeren wird durch die Gegenüberstellung der Taufen ausgedrückt. Die Wassertaufe gehört bereits der Vergangenheit an (ἐβάπτισα), für die Zukunft wird die Geisttaufe erwartet (βαπτίσει), die vermutlich als eschatologische Geistausgießung verstanden werden kann[147].

V7f offenbart die Funktion des ab V2 beginnenden Berichts über den Täufer im Rahmen des Mk. Die gesamte Erzählung dient der Vorbereitung

---

145 Vgl. LOHMEYER, aaO, 17.

146 Vgl. GNILKA, aaO, 47, der ἔρχεται gegenüber dem ὁ ἐρχόμενος aus Q als historisierend bewertet, sicherlich auch im Hinblick auf V9. Der unmittelbare Übergang zur Jesusgeschichte wird durch die Verbalform erleichtert.

147 Ebd.

des Auftretens Jesu in V9, indem bereits der Täufer auf Jesu Kommen hinweist und als sein Vorläufer fungiert[148].

Bei der Rekonstruktion des Grundtextes der Umkehrpredigt (Mt 3,7-12 par Lk 3,7-10.16f), hatte sich bei einem Vergleich mit Mk 1,7f gezeigt, daß in V8 Täufermaterial vorhanden ist. Täuferischen Ursprungs ist die Gegenüberstellung zweier Taufen, allerdings der Wasser- und der Feuertaufe, nicht der Wasser- und der Geisttaufe wie bei Mk. Das Logion vom Stärkeren ist ebenso wie die Geisttaufe christliches Interpretament. Im Vergleich mit der Q-Überlieferung des Logions erweist sich der Mk-Text als sekundär. Die Verschränkung des Logions mit dem Taufspruch in Q ist gegenüber der Mk-Fassung ursprünglicher[149].

Beiden Texten in Q und Mk liegt eine gemeinsame frühchristliche Überlieferung zugrunde. Auch Joh. 1,26f bietet den Taufspruch des Johannes "ich taufe euch mit Wasser" und den Verweis auf den Kommenden, dessen Schuhriemen zu lösen Johannes nicht würdig ist. Wie im Fall des Zitates aus Jes 40,3, das bereits vorsynoptische christliche Tradition auf den Täufer anwandte, auf die Mk, Q und Joh zurückgriffen, dürfte auch hier die Ankündigung des Stärkeren sowie der Taufspruch Bestandteil der vorsynoptischen Überlieferung sein, die eventuell sogar identisch ist mit derjenigen, die Jes 40,3 christologisch umdeutete und dadurch Johannes zum Vorläufer Jesu werden ließ. Mk, Q und Joh haben dann jeweils den Stoff gemäß ihrem redaktionellen Interesse interpretiert und in ihr Konzept eingepaßt. Dies mag auch mit ein Grund dafür sein, daß uns in Mk - und ebenfalls im Joh - der Umkehrruf in Verbindung mit der Gerichtsansage des Täufers nicht begegnet. Unwahrscheinlich ist die Überlegung, Mk und Joh hätten die Umkehrpredigt nicht gekannt, sondern nur einzelne Täuferlogien.

Viel eher ist eine Streichung von Umkehrruf und Gerichtsansage unter Berücksichtigung der redaktionellen Intention des Evangelisten Markus einsichtig: Im Kontext der VV1-8 soll Johannes als Vorläufer Jesu dargestellt werden, dessen erfolgreiches Wirken (V5) den Weg des Christus vorbereitet und der selbst dessen Ankunft vorhersagt. Bis hin zur Schilderung vom Tod des Täufers (Mk 6,14-29; 9, 11-13) macht Mar-

---

148 Ebd. 48f.

149 Zur Begründung vgl. Kapitel 1 Abschnitt 1.1; vgl. auch PESCH, aaO, 83.

kus Johannes ganz und gar zum Vorläufer Jesu[150]. Jesus kündet nicht das Gericht an, sondern das Evangelium (Mk 1,14), deshalb kann auch Johannes kein Gerichtsbote sein, sondern nur ein Freudenbote. In diese eindeutige Intention des Evangelisten paßt die Ankündigung der radikalen Gerichtsverfallenheit aller nicht mehr hinein, so daß sich die Botschaft des Täufers auf den Anspruch der mit Jesu Auftreten verbundenen Heilszeit reduziert[151].

Für Q hingegen gab es keinen Anlaß zur Streichung der Gerichtsansage des Täufers, da Jesus - wenn auch nicht in dem Maße wie Johannes - hier auch als Verkündiger des Gerichts stilisiert ist[152].

4.6. Zusammenfassung

Ausgehend von der Umkehrpredigt Johannes des Täufers in Mt 3,7-12 par Lk 3,7-10.16f, in der die Taufe die Möglichkeit eröffnete, dem eschatologischen Gericht zu entgehen, erhob sich die Frage, ob der Johannestaufe eine soteriologische Funktion zuzusprechen sei. Zur Beantwortung dieser Frage bot es sich an, Mk 1,1-8 einer genaueren Analyse zu unterziehen. In diesem Abschnitt nämlich wird als Wirkung der Taufe die Sündenvergebung genannt.

Dabei ist vor allem die Tatsache von Bedeutung, daß sich hinter Mk 1,2-8 Täufertradition verbirgt. Allerdings liegt hier kein zusammenhängendes Traditionsstück zugrunde, vielmehr greifen die christlichen Autoren auf vermutlich mündlich tradierte Täuferüberlieferungen zurück, die als Elemente das Mal/Ex-Zitat in V2, das Jes-Zitat im Zusammenhang mit dem Bericht über das Auftreten und die Beschreibung der Kleidung und Nahrung des Täufers in den VV3-6 sowie die Ankündigung des Kommenden und das Wort über die Wassertaufe V7f enthielt. Von Interesse waren dabei insbesondere die VV2-6, da in ihnen neue Informationen über Johannes und seine Taufe enthalten sind. V7f war vor allem im Zusammenhang der Rekonstruktion der Umkehrpredigt relevant. Für unsere spezielle Fragestellung tragen diese beiden Verse nichts aus.

---

150 Vgl. PESCH, aaO, 86.

151 Ebd. 85 A 49. Dasselbe gilt auch für das Johannesevangelium. Die Aufgabe des Täufers besteht dort nur darin, für Jesus Zeugnis abzulegen.

152 Vgl. Mt 5,21ff par; 7,1f par; 7,15-20 par.

Die VV2-6 stellen Johannes nicht nur in seiner Rolle als Wegbereiter dar. Indem seine Taufe Sündenvergebung bewirkt, kommt ihm als dem Spender der Taufe heilsmittlerische Funktion zu. Diese Sichtweise des Täufers ist durch zwei Faktoren bedingt:

Bereits in den Stücken der Täufertradition aus Lk 1 wird Johannes als eschatologische Heilsgestalt dargestellt. Mit Hilfe der Zitate aus Mal 3,1 und Jes 40,3 wird Johannes messianisch-soteriologisch interpretiert. Er ist dort nicht nur Wegbereiter Gottes, sondern Mittler der Sündenvergebung, Bekehrer Israels sowie Bringer des Friedens.

In Mk 1,2-6 werden nicht nur diesselben alttestamentlichen Zitate auf Johannes angewandt, es deckt sich auch die Darstellung des Täufers als Heilsgestalt. Die Beschreibung der äußeren Erscheinung und der Nahrungsgewohnheiten des Johannes in V6 dienen zur Unterstützung dieser Darstellung. Wie in Lk 1 so spiegelt sich auch in Mk 1,2-6 die Interpretation des Täufers durch seine Jünger wieder.

Die Tatsache, daß Sündenbekenntnis und Taufe als ihre Wirkung die Sündenvergebung zur Folge haben, ist das Resultat einer Aufnahme des semantischen Feldes 'Sündenvergebung im nichtkultischen Kontext' in V4f, welches an das dtrGB als Überlieferungsträger gebunden ist. Allerdings hält die Grundaussage dtrn Denkens, die konditionale Verknüpfung von Umkehr und Heil, nicht Einzug in die Täuferüberlieferung. Zwar hat die Taufe soteriologische Auswirkung und dem Täufer kommt eine heilsmittlerische Funktion zu, doch bleibt die Sündenvergebung weiterhin an das freie Handeln Gottes gebunden. Das apokalyptische Denken des Johannes tritt somit nicht in den Hintergrund. Eher können wir eine Schwerpunktverlagerung beobachten. Während sich für Johannes die Forderung nach Umkehr und Taufe aus der Apodiktik des Gerichts ergab, verbinden seine Jünger mit der Taufe stärker die Hoffnung auf das erbarmende Handeln Gottes. Wer sich taufen läßt und seine Sünden bekennt, dem wird die Vergebung seiner Sünden in Aussicht gestellt.

Bevor wir uns jedoch damit näher befassen, wollen wir uns kurz dem Problem der religionsgeschichtlichen Einordnung der Johannestaufe zuwenden:

Zur Frage der religionsgeschichtlichen Ableitung der Johannestaufe gibt es eine Fülle von Literatur (153), doch war es bisher nicht möglich, eine eindeutige Antwort zu geben.

---

153 Vgl. dazu die bei SCHÜRMANN, Lukasevangelium 154 aufgelistete Literatur.

Aus der Diskussion von vornherein auszuschließen sind dabei die hellenistischen Mysterienkulte, da diese von der religionsgeschichtlichen Schule nur zur Klärung des Ursprungs der christlichen Taufe herangezogen wurden (154).

Gegen eine Herkunft der johanneischen Taufe aus den alttestamentlichen Reinigungsriten (155) bzw. der Proselytentaufe (156) spricht vor allem deren Zielsetzung: das (Wieder)-Erlangen kultischer Reinheit für Juden bzw. für übergetretene Heiden. Eines Mittlers bedarf es hierbei nicht, beide Formen sind jeweils Selbsttaufen. Mit der Zielsetzung einher geht konsequenterweise das Fehlen jeglicher eschatologischer Ausrichtung. Obwohl die Proselytentaufe aufgrund ihrer Einmaligkeit - im Gegensatz zu den Reinigungsriten, die wiederholbar waren - gerne als Vorbild der Johannestaufe bemüht wird, ergibt sich grundsätzlich ein Datierungsproblem. So sind nicht nur die gravierenden inhaltlichen Unterschiede zur Johannestaufe, sondern die Tatsache, daß die Proselytentaufe erst ab der zweiten Hälfte des ersten nachchristlichen Jahrhunderts praktiziert wurde, stichhaltige Argumente für eine Unabhängigkeit beider Taufformen (157).

Einen unmittelbaren Zusammenhang zwischen den qumranischen Waschungen und der Johannestaufe wird man ebenfalls trotz einiger Gemeinsamkeiten - der Verbindung von Taufe und Umkehr, sowie einer eschatologischen Erwartung - kaum annehmen können (158). Dafür sind die

---

154 Vgl. die Zusammenstellung derjenigen Vertreter der religionsgeschichtlichen Schule, die für eine Ableitung der christlichen Taufe aus hellenistischen Mysterienweihen plädieren bei CLEMEN, Erklärung, 161. Eine ausführliche Wiederlegung findet sich bei BERNER, Initiationsriten, 15ff.

155 Zur Darstellung der alttestamentlichen Reinigungsriten vgl. BRANDT, Baptismen, 13-30; THOMAS, Mouvement, 341-356. Deutlich gegen eine Ableitung spricht sich BARTH, Taufe, 30 aus.

156 Vgl. BÖCHER, Wasser, 202; LEIPOLDT, Taufe, 26; OEPKE, ThWNT 1, 534f; JEREMIAS, Proselytentaufe, 312-320, die alle für die Proselytentaufe als Grundlage der Johannestaufe plädieren.

157 Jedoch versucht nicht nur BÖCHER, aaO, 202, die Entstehung der Proselytentaufe in die spätprophetische Zeit zu datieren, sondern auch JEREMIAS, Ursprung, 318f. In der Deutung von 1Kor 10,1f, wo von einer Taufe der Wüstengeneration in Wolke und Meer gesprochen wird, als ein "rabbinisches Theologumenon", welches "dem Bestreben erwachsen ist, der Proselytentaufe die fehlende biblische Grundlage zu verschaffen" (318f), sieht Jeremias ein Indiz für die Praxis der Proselytentaufe in der ersten Hälfte des ersten nachchristlichen Jahrhunderts, indem er dabei die jüdische (rabbinische) Herkunft des Paulus in Rechnung stellt. MICHAELIS, Hintergrund, 94ff führt, in Auseinandersetzung mit Jeremias, den Beweis, daß ein derartiges Theologumenon bei den Rabbinen nicht existiert habe und somit 1Kor 10,1f nicht als Hinweis für die Existenz der Proselytentaufe vor der Zeit des Paulus gelten könne (99).

158 Mit der Meinung BETZ', Proselytentaufe, 222, der eine Verbindung der Johannestaufe mit den qumranischen Waschungen annimmt, setzten sich GNILKA, Tauchbäder, 189-191 und BRAUN, Qumran II, 1-29 auseinander. Beide plädieren für eine Unabhängigkeit, vgl. auch THYEN, Studien, 134f.

Unterschiede zu gravierend. Generell sind die Waschungen der Qumrangemeinde wiederholbar, vor allem aber kennt die Gemeinde weder einen Täufer noch eine sündenvergebende Wirkung ihrer Waschungen und Bäder. Diese ist allein dem Geist Gottes zugesprochen (159).

Ganz allgemein wird sich feststellen lassen, daß die Taufe des Johannes im Rahmen der heterodoxen syrisch-palästinensischen Taufbewegung zu verstehen ist. Die darüber erhaltenen Berichte sind sehr spärlich, als Quellen stehen dabei nur die christlichen Häreseologien (160) und Flavius Josephus (161) zur Verfügung. Somit erfahren wir außer der Tatsache, daß sich diese Gruppen täglichen Tauchbädern unterzogen haben, so gut wie gar nichts über sie. Auch die Mandäertaufe, die vermutlich ein späterer Ableger der jüdischen Taufbewegungen ist, wird kaum im Zusammenhang mit der Johannestaufe zu sehen sein (162). Diese jüdischen Taufbewegungen sind also nur ein Indiz dafür, daß sich im ersten nachchristlichen Jahrhundert ein gesteigertes Interesse an Tauchbädern, Reinigungsriten feststellen läßt (163).

Auf dem Boden dieser Gruppen wird man die Taufe des Johannes als eine "originale Schöpfung" zu werten haben (164). Ihre eigentliche religionswissenschaftliche Analogielosigkeit aber läßt sich an drei Faktoren festmachen: An ihrer Einmaligkeit und Unwiederholbarkeit, an der aktiven Rolle des Täufers und an ihrer eschatologischen Ausrichtung (165).

Das Verhältnis von Umkehrpredigt und Täuferüberlieferung in Mk 1,2-6 ist nicht durch einen Bruch gekennzeichnet. Durch die eindeutige Beziehung zur Feuertaufe ist die Wassertaufe in der Umkehrpredigt eng mit dem eschatologischen Gericht verbunden. Indem sie im Schnittpunkt des eschatologischen Gerichts einerseits und dem im Unheil lebenden Israel andererseits steht, ist hier bereits in der Weise eine soteriologische Funktion der Taufe angelegt, als sie die einzige noch verbleibende Möglichkeit darstellt, der endgültigen Vernichtung zu entgehen. Auch wenn eine positive Heilszusage bei Johannes mit der Taufe noch nicht verbunden ist, so ist doch bereits dadurch eine heilsmächtige Funktion der Taufe intentional angelegt, als sie zumindest aus der alle umfassen-

---

159 Vgl. auch THYEN, aaO, 134f A 7.

160 Vgl. Eusebius, Hist.eccl. IV 22,7; PsClem Recogn I,44ff; ApostConst VI,6; Epiphanius, Haer. 17,1 berichten über Hemerobaptisten und Masbotheer; vgl. auch THOMAS, aaO, 85-88; RUDOLPH, Mandäer I, 222-252.

161 Vgl. den Bericht des Josephus, Vit 11, über Bannus, der sein Eremitenleben mit mehrmaligen täglichen Waschungen verband.

162 Vgl. dazu die Auseinandersetzung mit der These REITZENSTEINS, Vorgeschichte, 152ff, der einen direkten Zusammenhang der Mandäertaufe mit der Johannestaufe sieht, bei RUDOLPH, aaO, 222ff.

163 Vgl. BARTH, aaO, 33.

164 THYEN, aaO, 136; vgl. auch RUDOLPH, aaO, 76 A 5; BÉNÉTREAU, Baptêmes, 107; BARTH, aaO, 34ff.

165 Vgl. MERKLEIN, Umkehrpredigt, 37 A 46.

den Gerichtsverfallenheit zu befreien vermag und das eschatologische Gericht abwendbar werden läßt. Von da aus war dann der Schritt, den die Täuferjünger vollzogen haben, nicht mehr schwer. Was schon intentional vorhanden war, konnte aufgegriffen und ausgeführt werden: Mit der Umkehrtaufe konnte jetzt eine konkrete Heilszusage, die Sündenvergebung, verbunden werden. Demnach zeigt die Täuferüberlieferung in Mk 1,2-6 eine kongeniale Wiedergabe der in der Umkehrpredigt angedeuteten soteriologischen Funktion der Johannestaufe. Erst dieser Schritt hat vermutlich dazu beigetragen, daß die Täufergemeinde nach dem Tod des Johannes nicht untergegangen ist, sondern neben den sich entwickelnden christlichen Gemeinden über einen längeren Zeitraum hinweg existiert hat, indem sie Johannes als Heilsbringer verehrte und seine Taufe praktizierte.

5. Kapitel

Der Tod des Täufers: Mk 6,17-29

Im Zuge der Analyse von Mk 1,1-8 zeigte sich, daß die dort vorhandene Täufertradition bereits Resultat einer Wirkungsgeschichte des Johannes war. Anders als in der Umkehrpredigt begegnete der Täufer nicht als radikaler Gerichtsprediger, sondern als eschatologisch-soteriologische Gestalt. Diese von den Johannesjüngern vorgenommene Interpretation ihres Meisters war durch dessen Tod bedingt. Da durch diesen nämlich die gesamte johnneische Verkündigung sowie seine Taufe infrage gestellt werden konnten, war es für die Anhänger des Johannes erforderlich, sich mit dem Täufertod und dessen Konsequenzen auch im Blick auf die Weiterexistenz der eigenen Gruppe auseinanderzusetzen. Zwei Möglichkeiten boten sich dabei an: Eine Deutung des Todes selbst - und damit zusammenhängend - eine postmortale Interpretation des Täufers wie sie in Mk 1,1-8 vorliegt.

Der ausführlichste Bericht über den Tod des Johannes findet sich in Mk 6,17-29. Er bildet die Grundlage für die folgende Untersuchung. Leitmotiv ist dabei, auch im Sinne einer Anknüpfung an die in Mk 1,1-8 erzielten Ergebnisse, die Art und Weise der Darstellung des Täufertodes. Diese Verengung hat in bezug auf die Textanalyse methodische Konsequenzen. So geht es nicht um eine umfassende Erarbeitung des Textes auf synchroner Ebene. Im Zentrum steht vielmehr die Suche nach dem Text zugrundeliegenden Deuteschemata, die auf eine theologische Auseinandersetzung mit dem Tod des Johannes hinweisen können.

5.1. Mk 6,17-29

5.1.1. Tradition und Redaktion

Ein genauer Blick auf die VV17-29 läßt keinen Hinweis darauf erkennen, daß hier in theologisch erheblichem Maße christlich redigiert wurde[1]. Zwar läßt sich als stilistischer Markinismus die Verwendung von ὁ βαπτίζων in V24 ausmachen (vgl. auch 1,4; 6,14)[2], V25 bietet aber das traditionelle ὁ βαπτιστής, welches Markus nicht ausgeglichen hat[3]. Sicherlich redaktionell ist V20c aufgrund der Übereinstimmung mit 12,37[4]. Ob Markus auch V17f bearbeitet hat, indem er einige Umstellungen vornahm, um damit einen Anschluß an die VV14-16 zu erreichen[5], ist nicht mit Sicherheit festzustellen. Möglicherweise waren die VV17-29 bereits auf einer vormk Traditionsstufe mit den VV14-16 verbunden[6]. Die Beobachtungen zu Mk 6,17-29 lassen insgesamt kaum redaktionelle Eingriffe erkennen, so daß es sich bei der Perikope vom Tod des Johannes um ein vorchristliches Traditionsstück handeln könnte[7]. Gestützt werden kann diese Annahme zusätzlich noch durch die von Hoehner[8] in Anlehnung an Black[9] nachgewiesen Semitismen.

Im Vergleich zu MK 6,17-29 findet sich in den VV14-16 zweifellos christliche Tradition. Dies ist nicht nur aufgrund der thematischen Ausrichtung evident - verschiedene Meinungen über Jesus werden referiert -, sondern wird durch die Beobachtung bestätigt, daß uns in Mk 8,28

---

1 Vgl. GNILKA, Martyrium, 81; PESCH, Das Markusevangelium, 337.

2 Vgl. SCHENK, Gefangenschaft, 486; GNILKA, Das Evangelium nach Markus, 245.

3 Vgl. PESCH, aaO, 342 A 20.

4 Vgl. GNILKA, aaO, 245.

5 So GNILKA, ebd.

6 Vgl. PESCH, aaO, 337.

7 PESCH, ebd.; GNILKA, Martyrium, 81; anders SCHENK, aaO, 470, der gar nicht von einer Vorlage im Sinne eines kohärenten Textes sprechen möchte, sondern die Perikope insgesamt als Konstruktion des Markus auf der Basis einer umlaufenden Erzählung über den Täufertod versteht.

8 Vgl. HOEHNER, Herod, 118f A 3.

9 Vgl. BLACK, Muttersprache, 96-100.114f. Als Semitismen zu werten sind u.a. das 'überflüssige' Personalpronomen αὐτός in V7, der Gebrauch von πολλά in V20.

fast diesselbe Überlieferung noch einmal begegnet. Allerdings fehlen hier im Vergleich zu Mk 6,14-16 zwei entscheidende Elemente: Weder spielt Herodes Antipas eine Rolle noch wird Jesus dezidiert als der auferstandene Johannes der Täufer bezeichnet. Ersteres hat im Rahmen von Mk 6,14-16 wohl die Funktion, auf die folgenden VV17-29 vorzubereiten[10], so daß eine Verknüpfung der VV14-16. 17-29 durch die Nennung des Herodes in V14.16 erreicht wird.

Das Fehlen eines besonderen Hinweises auf die Tatsache der Auferstehung hängt vermutlich damit zusammen, daß dies bereits aus 6,14b bekannt ist. Da Mk 8,28 insgesamt im Vergleich zu Mk 6,14bf knapper, verkürzter wirkt, wird wohl Gnilka zuzustimmen sein, daß in 6,14bf die ältere Überlieferungsgestalt vorliegt[11]. Pesch geht sogar soweit, in den drei referierten Meinungen eine alte Tradition mit historischer Glaubwürdigkeit zu erblicken, die aufgrund ihrer "christlich-christologischen Unangemessenheit"[12] nicht "christliche(r) Erfindung"[13] zuzuschreiben ist. Inwieweit Pesch mit seiner Behauptung Recht hat, wird erst im Zuge der traditions- und motivgeschichtlichen Untersuchungen nachprüfbar sein.

Bemerkenswert ist die Stellung der Perikope Mk 6,14-29 im Kontext des Mk zwischen Aussendung der zwölf Apostel und ihrer Rückkehr. Es hat den Anschein, als ob der Bericht über den Tod des Täufers dazu diene, die dazwischenliegende Zeit zu überbrücken[14]. V14 verknüpft das Folgende nur sehr lose mit dem Vorangegangenen und es scheint, daß sich ἤκουσεν...῾Ηρῴδης, φανερὸν γὰρ ἐγένετο τὸ ὄνομα αὐτοῦ eher auf Mk 6,1-6 (Jesus in Nazareth) bezieht, als auf die Aussendung der Zwölf, VV7-13. Zwischen 6,20 und 6,30 besteht überhaupt keine Verknüpfung, vielmehr nimmt V30 (Rückkehr der Jünger) Bezug auf VV7-13. Die nur sehr lose Verbindung mit dem Kontext kann als zusätzliches Argument dafür angesehen werden, daß es sich bei den VV14-29 insgesamt um ein älteres Traditionsstück handelt, welches erst sekundär in den jetzigen Kontext eingepaßt wurde.

---

10 Vgl. PESCH, aaO, 332.

11 Vgl. GNILKA, Markus, 245.

12 PESCH, aaO, 335.

13 Ebd.

14 Vgl. WOLFF, Bedeutung, 860; GNILKA, aaO, 252; anders SCHENK, aaO, 471, der Mk 6,14-29 insgesamt als redaktionelle Einheit sieht, gebildet unter der Aufnahme von Material aus Mk 8,28.

Ein Blick in die Parallelüberlieferung zum Tod des Johannes in Mt 14,1-12 zeigt, daß dort der Kontext im Gegensatz zu Mk verändert ist: V1 schließt direkt an den Bericht über den Besuch Jesu von Nazareth an (13,53-58), 14,13ff fährt fort mit der Schilderung von der großen Speisung. Zwar folgt Matthäus im Ganzen der Mk-Abfolge (vgl. Mk 6,1-6/Mt 13,53-58 und Mk 6,32ff/Mt 14,13ff), er übernimmt hier jedoch nicht den Bericht von der Aussendung und Rückkehr der Zwölf. Aufgrund dieser Beobachtung läßt sich vermuten, daß Mt die Mk-Vorlage gekannt und wohl auch genutzt hat[15]. Entgegen dem Mk-Bericht tritt bei Matthäus aufgrund redaktioneller Bearbeitung deutlich das theologische Interesse des Evangelisten zutage. Insgesamt nämlich ist der Mt-Text wesentlich kürzer. Das Geschehen wird durch die fehlende Gastmahlszene sowie durch die nur einmalige Zusage des Herodes deutlicher auf den Tod des Johannes hin zentriert. Intention des Matthäus sei dabei, so Trilling, nicht nur eine Parallelisierung zwischen Johannes und Jesus zu erreichen, sondern die seit Jahrhunderten in Israel ablaufende "Gesetzmäßigkeit der Prophetenverfolgungen"[16] auch am Beispiel des Täufers aufzuzeigen. Johannes und später auch Jesus ereilt ein Schicksal, welches immer wieder dazu dient, die Schuld und somit die Gerichtsverfallenheit Israels offenkundig zu machen[17]. Von daher werden wir eher davon ausgehen können, im Mk-Text die ursprünglichere Tradition vorliegen zu haben, so daß für die folgende Untersuchung die Mk-Version die maßgebliche sein wird. Hinzu kommt, daß es aufgrund der unterschiedlichen inhaltlichen Ausrichtung sinnvoll ist, die VV17-29 getrennt von den VV14-16 zu behandeln, da wir nur in ihnen auf eine Deutung des Täufertodes treffen.

---

15 Vgl. DIBELIUS, Johannes, 80-84; TRILLING, Täufertradition, 272f; demgegenüber plädieren sowohl HOEHNER, aaO, 115-117 als auch LOHMEYER, Matthäusevangelium, 233 A 1 für eine Unabhängigkeit des Mt-Textes vom Mk-Text. HOEHNER versucht dies mittels Wortstatistik nachzuweisen, während LOHMEYER dies vor allem auf dem Wege der Stiluntersuchung vornimmt, doch konnte hier vor allem KLOSTERMANN, Matthäusevangelium, 126-128 zeigen, daß gerade Stil und Wortwahl typisch mk sind.

16 TRILLING, aaO, 274.

17 Ebd. 274.287-289. STECK, Israel, 61ff; vgl. auch MEIER, John, 399f.

5.1.2. Die Frage nach der Historizität

Neben den synoptischen Berichten finden sich außerhalb des Neuen Testaments noch zwei weitere Texte, die über den Tod des Täufers berichten: Justin, Dial 49,4f und Flavius Josephus, Ant 18,116-119. Da Justin von der synoptischen Überlieferung abhängig ist, wird eine Berücksichtigung dieses Textes für die Frage nach dem historischen Kern wenig austragen[18]. Für Josephus gilt dies allerdings nicht[19]. In den Antiquitates berichtet er, daß Johannes von Herodes aus machtstrategischen Gründen als politischer Unruhestifter hingerichtet wurde. Historisch ist nach dem Zeugnis des Josephus weiterhin, daß Herodes seine Schwägerin Herodias heiraten wollte und dadurch in Konflikt geriet mit dem Vater seiner ersten Frau, Aretas. Dieser bestraft seinen Schwiegersohn, wird jedoch alsbald von Herodes mit Hilfe der römischen Schutzmacht enthauptet[20].

Die Tatsache, daß selbst Josephus beide Geschehnisse - Hinrichtung des Johannes, Heirat des Herodes mit Herodias -, wenn auch nicht in einem kausalen Verhältnis zueinander wie Mk, berichtet, legt die Vermutung nahe, daß die Motive des Herodes für die Tötung des Täufers schon früh in dessen illegaler Verbindung mit Herodias bzw. in der angenommenen Opposition dagegen gesehen wurden. Von daher wird als historischer Kern nicht allein die Tatsache gelten, daß Herodes Johannes hinrichten ließ[21], sondern vermutlich auch die Kritik des Täufers an der ungesetzlichen Heirat des Herodes[22]. Dabei brauchen die bei Josephus stärker betonten politischen Beweggründe nicht als Gegensatz zu der Darstellung des Markus verstanden werden. "John denounced Antipas on moral grounds, however, and it was only because of the political consequences of this that Antipas was forced to arrest him as a potential re-

---

18 Vgl. GNILKA, Martyrium, 90.

19 Für die Unabhängigkeit des Josephus von der synoptischen Tradition sprechen sich aus: GOGUEL, Au seuil, 17-19; WINK, John, 109; HOEHNER, aaO, 122f. Nur SCHÜTZ; Johannes, 17f plädiert in neuester Zeit für eine Abhängigkeit.

20 Zu den Schwierigkeiten der Chronologie innerhalb der Herodesfamilie vgl. SCHENK, aaO, 459-463; SAULNIER, Hérode Antipas, 363-373.

21 So GNILKA, aaO, 91.

22 Vgl. SAULNIER, aaO, 375.

volutionary ..."[23]. Diese politischen Konsequenzen mögen zum einen in der Reaktion Aretas liegen, zum anderen jedoch vermag die am König geäußerte Kritik zu Unruhe im Volk insbesondere dann führen, wenn die Botschaft des Täufers vom Kommen Gottes und vom baldigen Gericht bekannt war.

5.1.3. Deutekategorien für den Tod des Täufers

5.1.3.1. Die Vorstellung vom gewaltsamen Geschick der Propheten im Rahmen des dtrGB

Die Bearbeitung von Mk 1,1-8 hatte uns gezeigt, daß die Johannesjünger ihren Meister im Lichte der Tradition des dtrGB interpretiert haben. Deshalb wird zu bedenken sein, ob und inwieweit auch der Tod des Johannes von dieser Tradition her gedeutet werden konnte.

Ein erster möglicher Hinweis findet sich in dem Verb ἀποκτείνω (V19), welches nach Pesch mit Verweis auf Steck an "die Tradition vom gewaltsamen Geschick der Propheten" erinnert[24].

Steck wies nach, daß die Vorstellung vom gewaltsamen Geschick der Propheten in die Überlieferungsgeschichte des dtrGB gehört. Ältester dafür belegbarer Text ist Neh 9,26. Dort wird im Rahmen eines auf das vorexilische Israel bezogenen Geschichtsüberblicks (Neh 9,6-37) die Ablehnung und Ermordung der Propheten Jahwes summarisch als Reaktion Israels auf die dem Volk von Gott bereiteten Wohltaten dargestellt[25]. Der Grund für die Entwicklung der von Steck als deuteronomistische Prophetenansage (dtrPA) bezeichneten Vorstellung ist ein theologischer. Nicht um der Propheten willen, sondern als Ausdruck des Gipfels der Halsstarrigkeit Israels wurde sie formuliert, so daß sie "deshalb genauer als die Vorstellung von Israel als dem Täter eines generell gewaltsamen Geschicks der Propheten zu fassen" sei[26]. Gekennzeichnet ist die dtrPA durch die Zweiteiligkeit der Aussage - dem kontinuierlichen Wirken der Propheten korrespondiert die stete Abweisung des halsstarrigen Israels -, durch eine feststehende Formulierungsstruktur und das sie umgebende

---

23 SCOBIE, John, 184.

24 PESCH, aaO, 339; STECK, aaO, 102.

25 Vgl. STECK, aaO, 61.

26 STECK, aaO, 80.

Wortfeld. Konstitutive Strukturelemente sind dabei die Sichtweise der Propheten als Gesetzes- und Umkehrprediger, die Sendung der Propheten durch Gott, Adressat ist dabei immer Israel sowie vom Verhalten Israels aus gesehen die Tatsachen, daß die Täter Subjekte, die Propheten als Betroffene jeweils Objekte sind und ihr Geschick in transitive Verben gefaßt wird. Zum Wortfeld zählen die Anklage des Volkes und das Gerichtselement[27].

Die Überlieferung der dtrPA bleibt gattungsmäßig gebunden an Texte aus der Gebetstradition (Bußgebete/Sündenbekenntnisse des Volkes) oder der Verkündigungstradition[28]. Ihre Geschichte läßt sich bis in die neutestamentliche Zeit hinein verfolgen. Dabei ist vor allem im Blick auf Mk 6,17-29 von Interesse, daß im Frühjudentum nicht mehr generell von den Propheten gesprochen wird, sondern daß die dtrPA auch auf Einzelpersonen übertragen werden kann[29]. Ansonsten aber werden die charakteristischen Merkmale der dtrPA nicht verändert.

Fragen wir nun danach, ob der Tod des Täufers mit Hilfe der dtrPA gedeutet wurde und vergleichen wir die von Steck erarbeiteten Elemente mit Mk 6,17-29, so können folgende Übereinstimmungen festgehalten werden: Johannes wird in V18 als Gesetzesprediger ausgewiesen, da er sowohl gegen den durch Ex 20,17 verbotenen Ehebruch als auch gegen die nach Lev 20,21 als Blutschande zu wertende Verbindung des Herodes mit der Frau seines Bruders angeht[30]. Zwar finden wir im Mk-Text nicht das die dtrPA umgebende Worfeld, doch zeigt ein Blick auf die Umkehrpredigt des Täufers, daß sowohl das Gerichtselement wie auch das Element der Anklage vorhanden sind.

Insgesamt jedoch sind die Unterschiede weitaus größer: Es finden sich bei Markus weder die Zweigliedrigkeit der Prophetenansage noch deren Formulierungsstruktur. Besonders auffällig ist dabei, daß nicht mehr Israel als Täter gesehen wird, sondern eine Einzelperson, Herodes. Dies hätte zur Folge, daß die eigentlich theologische Aussageintention der

---

27 Ebd. 72f.100f.

28 Ebd. 193.

29 In 1QS I 3; 1QS VIII 15f und 4Esr 7,129f wird die dtrPA auf Mose bezogen, in 4Esr 7,129f zusätzlich noch auf Esra und in Mk 12,6-8 innerhalb des Gleichnisses von den bösen Winzern auf den Sohn des Weinbergbesitzers. Zur genaueren Analyse der frühjüdischen Texte vgl. STECK, aaO, 193-195.

30 Vgl. GNILKA, Markusevangelium, 249.

dtrPA, der Aufweis des Ungehorsams Israels gegen Gott, die die Ausprägung der Vorstellung vom gewaltsamen Geschick bedingte, hinfällig geworden wäre; die dtrPA wäre demnach ihrer eigentlichen Funktion beraubt. Hinzu kommt, daß die Perikope über den Täufertod bei Markus von ihrer Gattung her weder ein Gebet noch ein Verkündigungstext ist, da nirgends Adressaten angesprochen werden.

Aufgrund dieser Beobachtung wird es kaum möglich sein, davon auszugehen, daß der Tod des Johannes mit Hilfe der dtrPA gedeutet wurde. Wenn man zudem unterstellt, daß es den Täuferjüngern möglicherweise aufgrund pragmatisch-missionarischer Überlegungen um eine Interpretation des Todes ging, dann war gerade die dtrPA im Sinne einer Deutekategorie denkbar ungeeignet. Sie entstand gerade nicht, um die Ermordung der israelitischen Propheten theologisch zu bewältigen, sondern ihr Schwerpunkt liegt darin, die andauernde Schuld Israels umfassend darzustellen, ein Interesse, welches in Mk 6,17-29 nirgends zu finden ist.

5.1.3.2. Frühjüdische Märtyrerberichte

Versucht man eine Gattungsbestimmung von Mk 6,17-29 vorzunehmen, so trifft man in der Forschung auf erhebliche Divergenzen. Bultmann sieht in dieser Perikope eine nichtchristliche Legende, die, aus hellenistisch-jüdischer Tradition stammend, ein Hinweis für die Spuren des Täufertums auf hellenistischem Boden sein könnte[31]. Jedoch wird man, da Johannes im Mk-Text nicht alleiniger Träger der Handlung ist, kaum von einer Legende sprechen können[32]. Lohmeyer hingegen rechnet den Text der Gattung "antike Novelle" zu, da seiner Meinung nach merklich distanziert von den Geschehnissen berichtet wird und von jüdischer oder frühchristlicher Frömmigkeit nichts zu spüren ist. Für die Entstehung verantwortlich seien demnach jüdische Kreise in Rom, die sich an die hellenistische Umwelt angepaßt hätten[33]. Einen Grund für die Entstehung der Novelle bzw. einen Sitz im Leben kann Lohmeyer allerdings nicht angeben, seine Gattungsbestimmung bleibt somit beziehungslos zum verarbeiteten Thema.

---

31 Vgl. BULTMANN, Geschichte, 328f.

32 Vgl. GNILKA, Martyrium, 85; DIBELIUS, Johannes, 80.

33 Vgl. LOHMEYER, Markusevangelium, 121.

Stärker von der inhaltlichen Seite her versucht Dibelius den Text zu bestimmen. Demnach liege die Pointe der Perikope darin, daß der geleistete Schwur Herodes zum Verhängnis wurde, indem er etwas erfüllen muß, was er nicht beabsichtigt habe. Von daher handele es sich hier nicht um eine Legende über Johannes, sondern eine Anekdote über Herodes[34].

Demgegenüber hat Haenchen mit Recht betont, daß zwar der Täufer nicht Träger der Handlung sei, jedoch letztendlich im Zentrum des Interesses stehe[35].

Der in Mk 6,17-29 enthaltene Konflikt Herodes - Johannes weist letztendlich den Weg zu einer überzeugenden Gattungsbestimmung: So vergleicht Gnilka den Text mit heidnischen Märtyrerakten und jüdischen Märtyrerberichten[36].

Wichtigstes Merkmal der heidnischen Märtyrerakten ist der Protokoll-Stil. Im Zentrum stehen somit die Vorgänge vor Gericht, das Verhör und die Verteidigung des Angeklagten[37]. Dieses Merkmal begegnet uns jedoch nicht in Mk 6,17-29, so daß hier kaum die Gattung der heidnischen Märtyrerakten vorliegen dürfte[38].

Im jüdischen Märtyrerbericht wird gerade auf die Darstellung des Prozesses verzichtet. Im Mittelpunkt steht vielmehr der Tod des Märtyrers. Charakteristische Elemente sind dabei die konkrete Benennung der Märtyrer[39], die Anführung des Widersachers, meist in Person

---

34 Vgl. DIBELIUS, aaO, 79f.

35 Vgl. HAENCHEN, Weg, 241.

36 Vgl. GNILKA, aaO, 85.

37 Vgl. BERGER, Formgeschichte, 334f; GNILKA, aaO.

38 Vgl. GNILKA, aaO, 85.

39 In 2Makk 6,18-31; 4Makk 5,1-6,30 ist Eleasar, der Schriftgelehrte, der Märtyrer; in 2Makk 7,1-41; 4Makk 8,1-12,20 sind es sieben Brüder sowie ihre Mutter; in Dan 3,8-30 sind es die drei Männer Schadrach, Meschach und Abed Nego; in MartJes 2f wird Jesaja grausam getötet und in 2Chr 24,20f Sacharja.

des Königs[40], das Eintreten des Märtyrers für das Gesetz, die Schilderung der Qualen, des Todes[41] sowie der Bestattung[42].

Es gibt im Rahmen der jüdischen Märtyrerberichte einige, die vor allem die Unbeugsamkeit einzelner gegenüber den Forderungen, das Gesetz zu übertreten, in den Mittelpunkt stellen. Sowohl Eleaser in 2Makk 6,18-31; 4Makk 5,1-6,30 als auch die sieben Brüder in 2Makk 7,1-41; 4Makk 8,1-12,20 erleiden das Martyrium, weil sie sich weigern, Schweinefleisch bzw. Unreines zu essen. Die drei Männer in Dan 3,8-30 sollen sterben, weil sie nicht dazu bereit sind, sich vor dem König Nebukadnezar niederzuwerfen. In den Berichten also, in denen es darum geht, daß der Tod um des Gesetzes willen erlitten wird, dient die Darstellung des Martyriums dazu, die Größe und Einzigartigkeit des Gesetzes und somit die Vorrangstellung Gottes zu betonen[43].

Daneben gibt es die Form der Märtyrerberichte, die den gewaltsamen Tod eines Propheten auf den Konflikt mit einem König oder Fürsten zurückführen, wobei dieser Konflikt durch die anklagende oder mahnende Botschaft des Propheten ausgelöst wird. In 2Chr 24,20-22 tritt der Prophet Sacharja dem Volk Israel und seinem König Joasch entgegen; er hält ihnen ihre Gebotsübertretungen vor und wird daraufhin auf Befehl des Königs gesteinigt. In MartJes 3.5 wird Jesaja auf Befehl des Königs deshalb zersägt, weil er wider Jerusalem, die Städte Judas und den König selbst geweissagt hat (vgl. 3,6). Ein ähnliches Schicksal wie die genannten Propheten ereilt auch Jesus. In dem in Mk 14,55-64 geschildeten Verhör Jesu vor dem Hohenpriester[44] legitimiert Jesus seine Botschaft dadurch, daß er sich auf Gott beruft; dies ist für den Hohen Rat Anlaß genug, Jesus wegen Gotteslästerung verurteilen zu lassen[45]. Funktion

---

40 Vgl. die in Anm. 39 genannten Stellen. In MartJes 2f werden neben dem König zusätzlich auch noch die Fürsten genannt.

41 In Dan 3,8-30 wird das Martyrium nicht zuende geführt, die Frommen werden gerettet, der König Nebukadnezar bekehrt sich.

42 Nicht alle Märtyrerberichte enden mit dem Bericht über die Bestattung, vgl. BECKER, aaO, 334.
Vgl. insgesamt zu den Elementen der Märytrerberichte GNILKA, aaO, 85; PESCH, aaO, 338f; BERGER, aaO, 334-337; SURKAU, Martyrium, 74-76.

43 Vgl. SURKAU, aaO, 76f.

44 Im mk Passionsbericht treffen wir auf eine Mischform von hellenistischen Märtyrerakten und jüdischem Märtyrerbericht, Vgl. BERGER, aaO, 338.

45 Ebd. 336.

dieser Art von Märtyrerberichten ist nicht, die Einzigartigkeit des Gesetzes hervorzuheben. Hier geht es vielmehr um die Gültigkeit der Verkündigung über den Tod des Propheten hinaus. So verkündet z.B. Sacharja dem Joasch in 2 Chr 24,20: "Weil ihr den Herrn verlassen habt, wird er euch verlassen". Diese Prophezeiung geht nach dem Tod des Propheten in Erfüllung. In V24 heißt es: "Mit nur wenigen Kriegern war das Heer der Aramäer gekommen, aber der Herr gab ein sehr großes Heer in ihre Gewalt, weil die Israeliten den Herrn, den Gott ihrer Väter, verlassen hatten. So vollzogen die Aramäer an Joasch das Strafgericht". Durch die Schilderung des göttlichen Strafgerichts wird die Gültigkeit der prophetischen Verkündigung plastisch vor Augen geführt. Die Erzählung vom gewaltsamen Tod dient also letztlich zur Legitimation der Sendung und der Botschaft des Propheten durch Gott.

Die konstitutiven Elemente dieser Form des jüdischen Märtyrerberichts finden sich auch in Mk 6,17-29: Johannes, eine prophetische Gestalt (vgl. V20b, aber auch Mk 1,1-8) gerät in Konflikt mit dem König Herodes (V17) aufgrund seiner gegen den König und dessen Frau gerichteten Anklage (V17f). Er wird gefangengesetzt (V17) und auf Betreiben der Herodias hin läßt ihn der König enthaupten (V27b). Seine Jünger holen seinen Leichnam und bestatten ihn (V20).

Aufgrund dieser Beobachtung können wir die Schlußfolgerung ziehen, daß Mk 6,17-29 der Gattung nach dem jüdischen Märtyrerbericht zuzurechnen ist[46]. Gnilka geht sogar so weit, daß er mit Hilfe der VV17f.27b.29 eine Grundüberlieferung rekonstruiert, die die Kurzform eines jüdischen Märtyrerberichts repräsentiere und als Ausgangsbasis für den Bericht in Mk 6,17-29 anzusehen sei[47]. Die zusätzlich berichtete Gastmahlszene sei aus "folkloristischer Tradition hinzugewachsen"[48]. Um die von Gnilka vertretene These angemessen beurteilen zu können, ist es erforderlich, die Gastmahlszene selbst und ihr Verhältnis zum Märtyrerbericht genauer zu analysieren.

---

46 Vgl. PESCH, aaO, 338; BERGER, aaO, 334; GNILKA, Markusevangelium, 246. Anders WINK, John, 13, der in Mk 6 keine Märtyrertradition zugrundeliegen sieht, "but simply the suffering of John".

47 Vgl. GNILKA, Martyrium, 86f.

48 GNILKA, aaO, 87.

5.1.4. Die Gastmahlszene

Verflochten und ausgeschmückt ist der Märtyrerbericht durch eine Hofgeschichte[49] (VV21-28), die die Handlungsweise des Königs zu erklären sucht. Anläßlich eines Geburtstages des Herodes gelingt es der Herodias, ihren seit langem gehegten Wunsch[50], Johannes den Täufer zu töten, in Erfüllung zu bringen. Sie bedient sich der Reize ihrer Tochter[51], durch die sich der König verleiten läßt, jeden von seiner Stieftochter gehegten Wunsch zu erfüllen (VV21-26).

Der von Herodes geleistete Schwur, seiner Stieftocher alles bis zur Hälfte des Königsreichs zu geben, erinnert an Est 5,3 und 7,2. Auch das vom König veranstaltete Gastmahl hat eine Analogie in Est 1,3. Die Bezeichnung ὁ βασιλεύς, die im Mk-Text ab V22 mit Beginn der Gastmahlszene für Herodes verwandt wird, ist insbesondere für das Buch Esther (183 mal!) charakteristisch[52]. Die vorhandenen Gemeinsamkeiten zwischen Est und Mk 6,21-28 werden vermutlich darauf zurückzuführen sein, daß beide Texte der Gattung 'Hofgeschichte' angehören.

Im Motiv von der rachsüchtigen und ränkeschmiedenden Frau klingt neben paganen Parallelen[53] deutlich die Auseinandersetzung zwischen Achab und Elia an. Der Prophet tritt König Achab wegen Isebels Tat - Isebel wollte die Propheten Jahwes töten - entgegen (1Reg 18,13.17f)[54]. Treibende Kraft in diesem Konflikt ist Isebel, Achabs Frau, die Elia nach dem Leben trachtet (1Reg 19,1f). Ein Vergleich mit dem Mk-Text zeigt, daß Herodias Züge der Prophetenmörderin Isebel trägt[55]. Anlaß für die

---

49 Vgl. BERGER, aaO, 334. Weitere Hofgeschichten im biblischen Bereich: Dan 3f; Esther, 3Esr 3f.

50 Vgl. die Imperfektformulierung ἤλθεν ἀποκθεῖναι in V19.

51 Der Tanz einer Königstochter vor geladenen Gästen ist ohne Parallele. Zwar verweist WINDISCH, Beiträge, 73-75 auf Athenaeus, Deipnosophistarum lib 13,35f. Dort werde berichtet, daß der orientalische König Homastes seine Tochter zu seinem Gastmahl hereinruft, jedoch nicht zu dem Zweck, vor den Gästen zu tanzen, sondern sich einen Gemahl auszusuchen. Parallel zum Mk-Bericht ist demnach nur, daß die Tochter vor den Gästen des Königs erscheint; der Tanz bleibt weiterhin exzeptionell.

52 Vgl. PESCH, aaO, 339.

53 Herodot IX, 109.111; Plutarch, Artaxerxes 17; vgl. dazu WINDISCH, aaO, 76f; PESCH, aaO, 339.

54 Auch in 1Reg 21,17-26; 2Chr 21,12-19 und MartJes 2,14-16 wird davon berichtet, daß Elia vor Könige tritt, um sie zu schelten.

55 Vgl. PESCH, aaO, 339.

Gesetzesmißachtung des Achab und des Herodes sind jeweils die (Ehe)-frauen. Achab wendet sich von der Jahweverehrung ab und huldigt dem Baal, weil seine Frau Isebel Anhängerin des Baalkultes ist (1Reg 16,31-34). Herodes begeht Ehebruch, um die Frau seines Bruders heiraten zu können (Mk 6,17). Demnach sind also beide Male die Frauen ausschlaggebend für die Handlungsweisen des Achab und des Herodes (1Reg 16,31; Mk 6,17). Sowohl Isebel als auch Herodias gehen gegen Propheten vor, sie sind die treibenden Kräfte, die die Tötung bzw. die Vertreibung der Propheten forcieren, ihre Männer halten sich eher im Hintergrund (1Reg 18,13; 19,1f; Mk 6,19,21-28).

Gnilka hingegen sieht keinen Anhaltspunkt dafür, daß Elia und Isebel als Typoi für Johannes und Herodias gedient hätten. Er begründet seine Auffassung mit dem Verweis darauf, daß die Anlässe für die Auseinandersetzungen bei Elia und Johannes je verschieden seien und es Isebel auch nicht gelinge, Elia zu töten. Herodias versinnbildliche einfach die rachsüchtige Frau, die in vielen Hofgeschichten eine Rolle spiele[56].

In seiner Ablehnung der Elia-Typologie beachtet Gnilka allerdings zu wenig die Identifizierung des Täufers mit Elia. Davon zeugt nicht nur Mk 9,11-13[57]. Die Parallele in 1Reg 18f ist gerade im Blick auf die bereits mehrfach festgestellte Identifikation des Täufers mit dem Elia redivivus durch seine Jünger bedeutsam[58]. Von daher wird man in der Gestaltung der Hofgeschichte bei Markus eher eine bewußte Angleichung an Elia und Isebel zu erblicken haben.

5.1.5. Die Kombination von Märtyrerbericht und Hofgeschichte

Die bisherige Untersuchung von Mk 6,17-29 hat gezeigt, daß es sich bei diesem Text gattungsmäßig um eine Mischform handelt, jüdischer Märtyrerbericht und Hofgeschichte sind miteinander kombiniert[59]. Die außergewöhnliche Mischform gibt zu der Überlegung Anlaß, ob diese Art der Darstellung speziell etwas für die Deutung des Täufertodes austragen kann.

---

56 Vgl. GNILKA, Markusevangelium, 249.

57 Vgl. PESCH, aaO.

58 Vgl. Mk 1,1-8; Lk 1,17.76-79.

59 Vgl. auch BERGER, aaO, 334; ERNST, Markusevangelium, 182.

Nach Gnilka stellt das Martyrium Johannes des Täufers den Grundbestand der Erzählung dar, welche folkloristisch ausgeschmück ist durch die Gastmahlszene[60]. Die gesamte Überlieferungseinheit verfolge das Ziel, "das gottlose Treiben der Mächtigen und konkret des Herodes Antipas und seines Hofes durch die Erinnerung zu brandmarken"[61]. Bei dieser Sichtweise Gnilkas tritt der Tod des Johannes merklich in den Hintergrund, denn der Bericht über das Martyrium ist dann nicht Zentrum der Geschichte, sondern nur noch Exemplum für die Vorgehensweise des Herodes.

Auch Pesch sieht in der Gastmahlszene folkloristische Züge, doch urteilt er anders als Gnilka, indem er hier nicht eine volkstümliche Erzählung vermutet, sondern Überlegungen zu dahinterstehenden historischen Ereignissen anstellt. Der Tanz von Herodias Tochter vor den Gästen des Geburtstagsfestes, der in keinem anderen Text eine Parallele hat, sei gerade aufgrund seiner Außergewöhnlichkeit vermutlich keine Erfindung, so daß der Bericht über den Geburtstag und die Intrige der Herodias möglicherweise historisch sei[62]. "Die Vermischung des Erzählziels"[63], über das Martyrium des Täufers zu berichten, mit anderen, nicht offensichtlich mit dem Erzählziel zusammenhängenden Daten, hat demzufolge nach Pesch ihren Grund in den historischen Gegebenheiten.

Mit dem Verweis auf die Historizität macht Pesch deutlich, daß Mittelpunkt der Überlieferungseinheit der Tod Johannes des Täufers ist und nicht, wie Gnilka meint, das gottlose Treiben am Hof des Herodes.

Die von Pesch vorgetragene Überlegung vermögen zwar historische Anhaltspunkte für eine Kombination von Märtyrerbericht und Hofgeschichte zu geben, inwieweit jedoch dadurch eine besondere Deutung des Täufertodes ermöglicht wird, läßt sich auf dieser Ebene nicht klären. Dafür ist es notwendig, die mit der Hofgeschichte verknüpften Motive zu beachten.

Durch die in der Hofgeschichte verwandten Motive wird nämlich Johannes nicht nur in die Reihe der gewaltsam getöteten Propheten gestellt, sondern in enge Verbindung mit Elia gesetzt. Berücksichtigen wir, daß Johannes von seinen Anhängern als Elia redivivus gesehen wur-

60 Vgl. GNILKA, Martyrium, 87.

61 Vgl. GNILKA, Markusevangelium, 264.

62 Vgl. PESCH, aaO, 343.

63 Ebd.

de, dann können wir das Interesse erkennen, welches sich hinter der Kombination von Märtyrerbericht und Hofgeschichte verbirgt: Das Martyrium Johannes des Täufers wird als das Martyrium des Elia redivivus dargestellt. Herodes ließ demnach nicht irgendeinen Propheten töten, sondern den eschatologischen Propheten, der als Vorläufer Gottes galt.

Auf der Basis dieser Überlegungen wird man kaum noch der Behauptung Gnilkas folgen können, Mk 6,17-29 liege eine knappe Überlieferung zugrunde, die folkloristisch ausgeschmückt worden sei. Viel eher wird man wohl davon ausgehen können, daß Märtyrer- und Hofbericht zusammen konzipiert wurden.

Von Interesse in diesem Zusammenhang ist die von Berger vorgelegte Untersuchung zu Offb 11,3-13[64]. Dort nämlich wird von zwei Zeugen, die Berger als Henoch und Elia identifiziert, berichtet, daß sie ihre Wunder in der Endzeit wiederholten (V5f) und, nachdem sie ihr Zeugnis vollendet haben, vom Tier aus dem Abgrund getötet werden (V6f). Dreieinhalb Tage lang werden sie unbestattet auf der Straße liegen und die Bewohner der Erde freuen sich über ihren Tod (VV8-10). Dann aber werden sie von Gott auferweckt und auf der Wolke zum Himmel aufsteigen (V11f).

Viele sehen in Offb 11,3-13 ein frühchristliches Dokument[65], Berger hingegen hält den Abschnitt für ein jüdisches Traditionsstück, da seiner Meinung nach die Verse keine Elemente enthalten, die einzig aus christlicher Tradition zu erklären seien. Demnach liege hier also keine christliche, sondern eine ursprüngliche jüdische Auferstehungsaussage vor[66], die in Verbindung zur Märtyrertradition stehe[67]. Ziel des Abschnitts in Offb 11,3-13 sei nach V13 die Bekehrung eines Restes, so daß von daher auch die Intention der Auferweckungsaussage deutlich werde: Sie sei Legitimation des prophetischen Wirkens, Verurteilung des Widersachers und Demonstration der göttlichen Macht[68].

64 Vgl. BERGER, Auferstehung, 22-125.

65 Vgl. stellvertretend MICHEL, Zeuge und Zeugnis, 29.

66 Vgl. BERGER, aaO, 28f, ebenfalls WILCKENS, Auferstehung, 100f; PESCH, aaO, 333f.

67 BERGER, aaO, 34. 109-124 verweist dabei auf frühjüdische und frühchristliche Martyrien.

68 Vgl. BERGER, aaO, 115f.

Sowohl Berger[69] als auch Wilckens[70] und Pesch[71], die sich Bergers These zu Offb 11 anschließen, erblicken in Mk 6,16 eine relativ große Nähe zu der Tradition über die Auferweckung von Henoch und Elia in Offb 11, so daß wir im Folgenden Mk 6,14-16 in die Deutung des Täufertodes miteinbeziehen wollen.

5.2. Mk 6,14-16

In Mk 6,14-16 werden Volksmeinungen über Jesus referiert. Deutlich hervorgehoben ist hier die Identifikation Jesu mit dem auferstandenen Johannes. Sie rahmt die beiden anderen Deutungen - Jesus sei Elia bzw. ein Prophet -, wobei V16 sogar betont, daß Herodes auch in Kenntnis der beiden anderen Volksmeinungen bei seiner Ansicht blieb, Jesus sei der auferstandene Johannes und könne deshalb die Machttaten vollbringen, die von ihm berichtet werden.

Welche Funktion aber haben nun die VV14-16 im Blick auf die VV17-29?

Schenk faßt Mk 6,14-29 insgesamt als eine redaktionelle Einheit (72), in der die VV17-29 nur als "illustrative Fußnote" (73) zu den VV14-16 zu werten seien. Zentrum der Einheit im Sinne eines Höhepunktes sei V16. Dort stehen sich die Schuld des Herodes (Enthauptung) und die Tat Gottes (Auferweckung des Johannes) gegenüber. In Anlehnung an Berger sieht Schenk hier ein aus der weisheitlichen Tradition übernommenes Schema zugrundeliegen, welches auf die Rechtfertigung des verfolgten Gerechten durch Gott abziele (74). Dabei geht Schenk noch einen Schritt über Berger hinaus, indem er die Einbettung der Hinrichtungsaussage in das Legitimationsschema mit einer spezifischen Funktion be-

---

69 Ebd. 116.

70 Vgl. WILCKENS, aaO, 102.

71 Vgl. PESCH, aaO, 333f.

72 Nach SCHENK, Gefangenschaft, 471 ist Mk 6,14-29 aus folgenden Gründen eine redaktionelle Einheit: 1. Mk 6,14-16 ist unter Aufnahme von Material aus Mk 8,28 gebildet; 2. der invertierte Relativsatz in V16 ist typisch mk; 3. das dreimalige γάρ in den VV17-20 charakterisiert die Verse als Kommentarsätze zu V16.

73 SCHENK, ebd.

74 Ebd. Vgl. BERGER, aaO, 17. Kennzeichnend für die Struktur des Schemas ist nach BERGER die antithetische Gegenüberstellung "Töten und Auferwecken, Menschen ... und Gott, Erniedrigung und Erhöhung". Das Legitimationsschema findet sich: Gen 50,20; Ps 18,19; Jes 52,13-53,12; äthHen 103, 1-4.9-15; 104,1-6; Sap 2,10ff; 3,1-3; 5,1-16; Apg 7,35; SapSal 11,14 u.a.

legt: Oberstes Ziel nämlich sei es, Herodes als umkehrbereit und reuig darzustellen. Zur Stützung seiner These berücksichtigt Schenk die Stellung von Mk 6,14-29 im Kontext des Mk zwischen Aussendung (VV7-13) und Rückkehr (V30ff) der Apostel. Dabei lehnt er zwei in der Forschung vertretene Meinungen entschieden ab: Demnach diene Mk 6,14-29 weder, wie Wolff annimmt (75), als "Lückenfüller" zwischen Aussendung und Rückkehr, noch als Vorverweis auf den gewaltsamen Tod Jesu (76), da diese Funktion Mk 9,11-13 erfülle (77). Vielmehr stehe die Passage genau am richtigen Ort, weil sie nämlich als Wirkung der von den Aposteln gepredigten Metanoia (Mk 6,12) anzusehen sei. Schenk versucht, die sprachliche Verzahnung der Perikopen durch das ἀποστέλλω (VV7.17.27) und das Substantiv ἀπόστολοι (V30) nachzuweisen (78).

Schenks These ist allein aufgrund der spezifischen Interpretation von Mk 6,16 aufrecht zu erhalten. Nur deshalb ist es möglich, die VV17-29 als Kommentierung von V16 zu verstehen und eine Einheit der VV14-16 zu postulieren.

Sieht man jedoch in Mk 6,17-29 eine eigenständige Überlieferung, die den Versuch einer Deutung des Täufertodes darstellt, dann erscheint das Verhältnis der VV14-16 und 17-29 in einem anderen Licht.

Nach Wolff ist der Abschnitt Mk 6,14-16 als Einleitung zu den VV17-29 anzusehen. Dabei gingen V14a und V16 auf redaktionelle Arbeit des Evangelisten zurück mit dem Ziel der Verbindung von Jüngeraussendung (VV7-13) und Täufertod. Mk 6,14bf hingegen sei traditionell, zu erkennen am Subjektwechsel in V14b (ἔλεγον), der erneuten Erwähnung des Herodes in V16 sowie der Beobachtung, daß die Aussage von V15 in diesem Kontext keine Funktion habe, sondern allein als Vorbereitung auf Mk 8,28 anzusehen sei (79).

Ebenfalls mit Verweis auf Mk 8,28 spricht Gnilka von einer eigenständigen Überlieferungseinheit, die Markus - in V14a.16 zu erkennen (80) - redaktionell bearbeitet hat, um eine Verbindung des Traditionsstücks mit dem Bericht über den Tod des Täufers zu erreichen (81).

Pesch sieht zwar auch Spuren von Redaktion in den VV14-16 (82), insgesamt aber hält er den Abschnitt für eine vormk Jesustradition, die bereits in einem sehr frühen Überlieferungsstadium mit der Täufertradition in den VV17-29 verbunden worden sei (83). In der jetzigen Kompo-

---

75 Vgl. WOLFF, Bedeutung, 860; so auch GNILKA, Markusevangelium, 252.

76 Vgl. GNILKA, ebd.; PESCH, aaO, 337; WOLFF, ebd.

77 Vgl. SCHENK, aaO, 471.

78 Ebd. 472.

79 Vgl. WOLFF, aaO, 859f.

80 Vgl. GNILKA, aaO, 244 A 1: V14a im Sinne eines Begründungssatzes ist typisch mk, ebenfalls der Gebrauch des Verbs ἀκούω.

81 Ebd. 244f.

82 Die Begriffe 'Täufer' und 'König' in V14 entstammen mk Redaktion, da sie in V17 vorausgesetzt werden, vgl. PESCH, aaO, 332.

83 Ebd. 332.337.

sition des Mk dienten die referierten Volksmeinungen als Negativfolie zur schärferen Konturierung der Messianität Jesu (84), wie dies in Prophetenviten häufig geschieht (85). Es sei aber kaum anzunehmen, daß es sich bei den vorgetragenen Meinungen lediglich um christliche Erfindung handele. Vielmehr sei wahrscheinlich, daß diese Meinungen von Zeitgenossen Jesu geteilt wurden. Nicht nur sprachliche Anzeigen (86), sondern auch die "christlich-christologische ... Unangemessenheit" (87) wiesen auf das Alter der Tradition. Demzufolge läßt sich nach Pesch den referierten Meinungen historisch folgendes entnehmen:

Das Auftreten Jesu forderte nach Deutung seiner Person. Dazu boten sich für Jesu Zeitgenossen unterschiedliche Kategorien und Erwartungshorizonte an, von denen eine "die Erwartung von Martyrium und Auferweckung eschatologisch-prophetisch-messianischer Gestalten" (88) war. Hier lehnt sich Pesch an die Ergebnisse Bergers zu Offb 11 und anderen Texten an; nur auf der Basis dieser Tradition sei die Vorstellung von Jesus als dem auferweckten Johannes verständlich (89).

Die miteinander konkurrierenden Deutungen Jesu und des Täufers als Prophet, eschatologischer Prophet und Elia redivivus bedurften eines Ausgleichs, der nicht erst durch die christliche Bearbeitung von Täufertradition versucht, sondern vermutlich bereits zur Zeit Jesu in Angriff genommen wurde.

Die vom Volk vertretene Meinung, in Jesus den Johannes redivivus zu erblicken, könne, auch wenn Herodes sie selbst nicht geteilt habe, seitens des Königs nicht unbeachtet geblieben sein. Nach Josephus hatte Antipas den Täufer als Unruhestifter töten lassen; ein wiedererstandener Johannes bedeutete demnach eine erneute Gefahr. Daß Herodes Jesus nach dem Leben trachtete, zeigt unmißverständlich Lk 13,31 (90).

Ob allerdings auch die Johannesjünger Jesus als den auferstandenen Täufer gesehen haben, läßt sich letztendlich nicht nachweisen. Zwar spräche dafür die Tatsache, daß sowohl Jesus als auch Johannes konkurrierend als Elia redivivus verstanden wurden[91] und diese Konkurrenz durch die Identifikation Jesu mit dem auferstandenen Elia/Johannes ausgeglichen werden konnte. Im Rückgriff auf die zumindest in einigen Texten mit der Vorstellung vom eschatologischen Propheten verbundene gewaltsame Tötung und Auferstehung könnten die Täuferjünger das Auftreten Jesu als das Wiedererscheinen des Märtyrers Johannes vor seinem

---

84 Ebd. 337.

85 Vgl. BERGER, Gattungen, 1262.

86 Das Alter der Tradition läßt sich anhand sprachlicher Beobachtungen festmachen: der unpersönliche Plural ἔλεγον in V14, εἷς statt τις in V15 und der casus pendens in V16 können als Semitismen gewertet werden, vgl. PESCH, aaO, 335 A 13.

87 Ebd. 335.

88 Ebd. 336.

89 Ebd. 333f.

90 Ebd. 336.

91 Vgl. Mk 6,14-15; 9,9-13; Mt 11,14.

Mörder Herodes im Sinne einer Rechtfertigung durch Gott verstanden haben. Für diese Überlegung könnte zusätzlich der aus den Evangelien bekannte Konflikt Jesu mit Herodes sprechen[92]. Jedoch finden sich keine eindeutigen Hinweise in dem zur Verfügung stehenden Textmaterial, so daß keine stichhaltige Schlußfolgerung gezogen werden kann.

Hinzu kommt, daß eine derartige Deutung Jesu nur solange haltbar wäre, wie sich die Anhänger Jesu einer Identifikation ihres Meisters mit dem hingerichteten Täufer nicht widersetzten. Die synoptische und vorsynoptische Tradition spiegelt jedoch überaus deutlich die Bestrebungen einer strikten Trennung von Täufer und Jesus wieder. Akzeptiert wird aus christlicher Warte lediglich die Sicht des Täufertodes im Sinne eines Prophetenmartyriums sowie die Vorausschau auf das Geschick Jesu durch seinen Vorläufer Johannes. Auch die Sicht des Täufers als Elia wird nicht grundsätzlich abgelehnt, wie Mk 9,11-13 und Mk 1,2f zeigen, doch wird sie beschränkt auf die Rolle als Vorläufer des Messias Jesus. Was Markus und die vormk Kombination von VV14-16 und VV17-29 deutlich machen wollen ist: Nicht Johannes, sondern Jesus ist der Auferstandene. Die Geschichte des Täufers endet mit seiner Grablegung durch seine Jünger (V29).

Festhalten läßt sich im Blick auf die VV14-29 für die Frage nach der Interpretation des Täufertodes nur, daß dieser im Rahmen der Prophetenmartyrien als die Ermordung des wiedergekommenen Elia verstanden wurde.

Würde man jedoch Mk 6,16 mit Berger dahingehend interpretieren, daß der Vers aufgrund der von Herodes angenommenen Auferstehung des Täufers zum einen die Schuld des Herodes zum Ausdruck bringt, zum anderen die Auferweckung als Rechtfertigung und Legitimation deutet[93], dann ließe sich für Mk 6,14-16 unschwer eine relativ große Nähe zu der in Offb 11 zugrundeliegenden Tradition folgern[94]. "Wenn das richtig ist, so hebt sich hinter der urchristlichen Überlieferung eine täuferische ab, die in Johannes die eschatologische Rückkehr des Propheten Elia behauptete, seinen Tod in einer Reihe mit dem gewaltsamen Geschick aller Propheten sah und von ihm - in Übernahme eines Motivs aus jüdischer

92 Vgl. Lk 13,31; 23,8-12.

93 Vgl. BERGER, Auferstehung, 17f.

94 So BERGER, aaO, 116 und WILCKENS, aaO, 102f.

Eliasüberlieferung - verkündigte, er sei vom Tode auferstanden"[95]. Die hier von Wilckens in Anlehnung an Berger gezogene Schlußfolgerung geht jedoch von zwei Prämissen aus, die nicht ohne weiteres Gültigkeit beanspruchen können: Die erste Prämisse besteht darin, die Vorstellung von der Tötung und Auferweckung eschatologisch-prophetischer Gestalten bereits für die Zeit der Ermordung des Johannes als existent anzunehmen. Dies ist allerdings nicht eindeutig nachzuweisen, da die von Berger als Belege für diese Tradition verwandten Texte alle späteren Datums sind[96]. Die zweite Prämisse beruht darauf, für Mk 6,14-16 ebenfalls Täufertradition anzunehmen. Dafür lassen sich aber im Text gerade auch im Blick auf Mk 8,28 keinerlei Anhaltspunkte ausfindig machen. Vielmehr wird man bei den VV14-16 von einer christlichen Tradition auszugehen haben, die über V16 - Stichwort ἀπεκεφάλεια - mit den VV17-29 verbunden wurde[97].

5.3. Auswertung

Die Analyse von Mk 6,17-29 hat gezeigt, daß der Tod Johannes des Täufers von seinen Jüngern im Rahmen der jüdischen Märtyrertheologie gedeutet wurde. Da bei genauerer Durchsicht der Perikope keine einschneidende christliche Bearbeitung festgestellt werden konnte, lag die Vermutung nahe, hier eine Tradition vorliegen zu haben, die aus Täuferkreisen stammen könnte. Stützen ließ sich diese Vermutung durch die innerhalb des Berichts verwandten Motive, speziell die Aufnahme der

---

95 WILCKENS, ebd. 103.

96 Vgl. die bei BERGER, aaO, 66-99 bearbeiteten Texte. NÜTZEL, Schicksal, 59-94 unterzieht die Belege, auf die sich BERGER und PESCH, Entstehung, 222f, zur Fundierung ihrer These stützen, einer kritischen Sichtung. Dabei kommt er zu dem Ergebnis, daß ein Großteil der herangezogenen Texte nachneutestamentlicher Zeit entstamme, ApkElia 31,5-44,1 und Apk 11,3-13 hingegen ältere Traditionen enthielten, so daß die Vorstellung vom Kommen der eschatologischen Propheten Elia und Henoch, die getötet und auferweckt werden, bereits im Frühjugentum bekannt zu sein scheint. Da diese Tradition textlich jedoch nur sehr schmal bezeugt ist, könne nicht mit einer weiten Verbreitung der Vorstellung zu rechnen sein, so daß diese Vorstellung für die Täuferüberlieferung allenfalls eine Interpretationsmöglichkeit biete.

Elia-Typologie im Rahmen des Hofberichts konnte als Indiz gewertet werden. Aus den der Täufertradition entstammenden Passagen in Mk 1,1-8 und Lk 1,17.76-79 wissen wir bereits, daß Johannes von seinen Jüngern als Elia redivivus gesehen wurde, so daß wir in der Aufnahme des Elia-Motivs in Mk 6 eine Verwandtschaft zur Täufertradition in Mk 1 und Lk 1 sehen können, die Anlaß zu der Annahme gibt, hinter den VV17-29 ebenfalls Täufertradition zu erblicken. Demnach wurde der Tod Johannes des Täufers von seinen Jüngern als das Martyrium des wiedergekommenen Elia gedeutet. Daß die Johannesjünger eine Auferstehung ihres Meisters annahmen, wird allerdings kaum wahrscheinlich sein.

Sowohl formal als auch sachlich bot sich als Deuteschema der jüdische Märyrerbericht an. Wir konnten in Mk 6,17-29 nicht nur die konstitutiven Elemente jener Ausprägung des jüdischen Märtyrerberichts nachweisen, die für pophetische Gestalten verwandt wurde. Auch von der Sache her kam den Johannesjüngern der jüdische Märtyrerbericht gerade deswegen entgegen, weil die Sichtweise des Täufertodes als Martyrium die Möglichkeit einer theologischen Deutung bot: Der Tod des Johannes sowie das Ausbleiben des vom Täufer angekündeten Gerichts stellten seine Anhänger vor das Problem, wie sowohl die Gültigkeit der johanneischen Verkündigung als auch die soteriologische Funktion der Taufe aufrecht erhalten werden konnten. Mit Hilfe der Deutung des Todes als Martyrium wurde ein Zweifaches erreicht. Verkündigung und Taufe des Johannes verloren durch seinen Tod nicht an Bedeutung, sondern wurden dadurch - gerade auch hinsichtlich ihrer Weiterexistenz - legitimiert. Zudem gab der Märtyrerbericht den Johannesjüngern eine Basis, auf der der Bestand der eigenen Gruppe weiterhin möglich war und die Taufe des Johannes mit ihrer soteriologischen Ausrichtung praktiziert werden konnte.

Wir hatten bei der Bearbeitung von Mk 1,1-8 ausfindig machen können, daß die Täuferanhänger durch Verstärkung einer bereits bei Johannes selbst angelegten Richtung ihren Lehrer postmortal im Rahmen des dtrGB als eschatologischen Heilsmittler interpretierten. Von daher erhebt sich die Frage, warum des Täufers Tod nicht auch innerhalb der Tradition des dtrGB als gewaltsames Geschick gedeutet wurde? Mehrere Gründe sprechen gegen eine Beziehung der dtrPA auf Johannes:

---

97 Vgl. PESCH, aaO, 336.

Innerhalb des Frühjudentums gibt es keinen Text, der die Tötung eschatologischer Propheten in Verbindung mit der dtrPA setzt. Vielmehr tritt dort das Motiv des endzeitlichen Widersachers auf[98].

Bedenkt man weiterhin, daß den Johannesjüngern daran gelegen war, den Tod des Johannes zu deuten, so läßt sich dieses Anliegen mit dem der dtrPA gerade nicht vereinbaren. Die dtrPA hat nämlich kein Interesse an der Sinndeutung des persönlichen Schicksals des Getöteten, sondern ihr geht es darum, die Schuld Israels offenkundig zu machen und das Volk für seine Taten anzuklagen. Demnach bot sich für die Täuferanhänger als Deutekategorie allein die Märtyrertheologie an, welche allerdings mit der dtrPA nicht vereinbar war[99].

Zuletzt wird man auch noch eine historische Überlegung anführen können: Wie Josephus und die drei Evangelisten übereinstimmend berichteten, wurde Johannes von König Herodes getötet, so daß es sich auch von dieser historischen Konstellation her (vgl. die formalen Elemente jüdischer Märtyrerberichte) anbot, den Tod als Martyrium zu deuten.

Inhaltlich läßt sich jedoch kein Widerspruch zum dtrGB feststellen. Die mit Hilfe des Märtyrerberichts erreichte Legitimation des Täufers und seiner Botschaft korrespondiert gut mit seiner Deutung als eschatologischem Heilsmittler.

---

98 Vgl. STECK, aaO, 242. Als Texte führt STECK hier Offb 11 und die koptische Eliaapokalypse an.

99 Ebd. 252-254.

6. Kapitel

Messias, Elia, Prophet? Johannes der Täufer in Joh 1,1-34 und Mt 11,7-13 par Lk 7,24-28

Innerhalb des vierten Kapitels konnte im Rahmen der Bearbeitung der Schriftzitate aus Jes 40,3 und Mal 3,1 in Mk 1,2f bereits kurz darauf hingewiesen werden, daß an noch zwei weiteren Stellen des Neuen Testaments Jes 40,3 und Mal 3,1 im Blick auf den Täufer zitiert werden: Das Q-Stück Mt 11,10 par Lk 7,27 wendet Mal 3,1 auf Johannes an, Joh 1,23 sieht ihn im Licht von Jes 40,3. Anhand von Mk 1,2f konnte nachgewiesen werden, daß die alttestamentlichen Zitate bereits in Täuferkreisen auf Johannes angewandt wurden. Dort dienten sie zur Fundierung der Interpretation des Täufers als eschatologischem Prophet mit messianisch-soteriologischen Zügen. Während Jes 40,3 stärker für die Deutung des Johannes als Heilsmittler in Anspruch genommen wurde, diente Mal 3,1.23f aufgrund der Identifizierung mit dem erwarteten Elia dazu, dem Täufer eschatologisch-soteriologische Züge beizulegen.

Für unsere folgende Untersuchung ist es deshalb von besonderem Interesse, ob sich diese Sichtweise des Täufers auch in Mt 11,7-13 par und Joh 1,1-34 wiederfindet. Letztendlich geht es also um die Frage, inwieweit wir bei den genannten Textstellen ebenfalls mit Täufertradition rechnen können.

Auf eine Rekonstruktion möglicher Täufertradition wird jedoch insgesamt verzichtet. Für Mt 11,7-13 par Lk 7,24-28 wird es kaum möglich sein, noch hinter einen rekonstruierten Q-Text zurückzugehen, da wir in dieser Passage nur Äußerungen Jesu über den Täufer begegnen und von daher durchgängig mit christlicher Redaktion rechnen müssen. Demnach stoßen wir in diesem Q-Stück allenfalls auf Fragmente von Täufertradition, nicht jedoch auf einen zusammenhängenden Text. Gleiches gilt für Joh 1,1-34. Die überaus schwierige Quellenlage läßt ebenfalls keine Textrekonstruktion zu[1].

Für die Beantwortung unserer Frage nach möglicher Täufertradition bietet sich als methodische Vorgehensweise am ehesten eine Überprüfung der bisherigen Ergebnisse am jeweils vorliegenden Text an. Findet sich eine ähnliche Darstellung des Johannes in Mt 11,7-13 par und Joh 1,1-34, dann können wir auch für diese Passagen Täufertradition als Grundlage annehmen.

6.1. Jes 40,3 im Kontext von Joh 1,1-34

Die Zitation von Jes 40,3, die im Joh dem Täufer selbst in den Mund gelegt ist, steht im Kontext des Zeugnisses Johannes des Täufers über die Messianität Jesu. Während Johannes in den VV19-28 mehr indirekt Zeugnis vor dem offiziellen Judentum ablegt, bekennt er sich in den VV29-34 vor ganz Israel zu Jesu als dem präexistenten Messias (vgl. auch 1,15), der als Lamm Gottes die Sünden vergibt und der Welt Heil bringt. Dem Zitat aus Jes 40,3 in Joh 1,23 vorgeschaltet sind drei an den Täufer herangetragene Deutungen als Messias, Elia oder Prophet (VV20-22), die dieser kategorisch ablehnt.

Wie bereits in anderem Zusammenhang erwähnt, wurde im Frühjudentum der wiedergekommene Elia mit messianischen Zügen belegt[2], so daß hier im Joh die Ablehnung der Messias- und Eliaprädikationen für den Täufer einer messianischen Interpretation seiner Gestalt wehren sollte. Schwieriger verständlich allerdings scheint die Zurückweisung des Prophetentitels. Während hinter der Ablehnung der ersten zwei Titel das

---

1 Innerhalb der Forschung wird die Quellenlage außerordentlich kontrovers diskutiert. Während SCHNACKENBURG, Johannesevangelium, 273, speziell für Joh 1,19-34 von einem einheitlichen Text ausgeht, geht BULTMANN, Evangelium des Johannes, 58, davon aus, daß sowohl die Hand des Evangelisten als auch die kirchliche Redaktion am Werk waren. BOISMARD, Traditions, 5-25, meint, daß zwei Texte, von denen der zweite eine "relecture" des ersten sei, ineinandergearbeitet worden seien, BECKER, Evangelium des Johannes, 89-91, vermutet eher das Ineinandergehen von Evangelisten und Semeiaquelle.

2 Vgl. dazu in Kapitel 4 den Exkurs zu Elia-redivivus-Vorstellung im Frühjudentum.

christliche Interesse erkennbar wird, Jesus und nicht Johannes den Täufer als den erwarteten Messias auszuweisen, scheint auf den ersten Blick die Bezeichnung als Prophet kaum in Konkurrenz zum Messias Jesus zu stehen. Auffällig ist jedoch bei einem Blick in den Text, daß der bestimmte Artikel ὁ προφήτης verwandt wird, also nicht von irgendeinem Propheten gesprochen wird.

ὁ προφήτης steht parallel zu ὁ χριστός in V20 und Ἠλίας in V21; es ist demnach wohl eine ganz bestimmte, eventuell sogar identifizierbare Person gemeint. Aufgrund der Parallelität zu 'Christus' und 'Elia' läßt sich vermuten, daß 'der Prophet' ebenfalls eine eschatologische Heilsgestalt bezeichnet[3], die jedoch vom Messias und von Elia unterschieden ist.

Ein Versuch, diese Vermutung mittels frühjüdischer Belege zu stützen, stößt alsbald auf Schwierigkeiten, da sich für das Frühjudentum eine Hoffnung auf den Propheten durchgängig nicht nachweisen läßt[4]. Allerdings, so Bultmann und Becker[5], existiert im Frühjudentum neben der Elia-redivivus-Vorstellung in Anlehnung an Dtn 18,18f die Erwartung der Wiederkunft des Mose, der als Prophet schlechthin galt. Von daher verberge sich möglicherweise hinter der Erwartung des Propheten diejenige der Wiederkunft des Mose[6]. Schnackenburg verweist dabei zusätzlich noch auf die Qumran-Texte. In 1QS 9,11 wird neben dem Erscheinen der Gesalbten von Aaron und Israel auch das Kommen eines Propheten erwartet. Alttestamentliche Grundlage dafür sei ebenfalls Dtn 18,18. Auf der Basis dieser Textstelle sowie aufgrund der Parallelität zu den Gesalbten sei der Prophet als messianische Heilsgestalt zu deuten. Diese Vorstellung liege demnach auch Joh 1,21 zugrunde[7].

Inwieweit sich hinter der Bezeichnung ὁ προφήτης in V21 die Vorstellung vom Mose redivivus verbirgt, wird mit letzter Sicherheit kaum geklärt werden können. Am ehesten wird man davon ausgehen können, daß damit ebenfalls eine eschatologische Heilsgestalt gemeint war. Dies läßt sich zusätzlich auch noch aus dem Joh selbst bestätigen. Dort nämlich wird der Täufer nie προφήτης genannt, wohl aber Jesus, der da-

3 Vgl. BECKER, aaO, 94f; RICHTER, Elias, 68; BULTMANN, aaO, 61.

4 Vgl. BULTMANN, aaO, 61f.

5 Ebd., BECKER, aaO, 94f.

6 Vgl. BULTMANN, aaO, 61f.

7 Vgl. SCHNACKENBURG, aaO, 278f.

durch in Joh 6,14 und 7,40 eindeutig als eschatologischer Prophet ausgewiesen wird[8].

Die in Joh 1,19 von den Priestern und Leviten aus Jerusalem an Johannes gerichtete Frage, wer er nun sei, beantwortet der Täufer zuerst also negativ, indem er Messias-, Elia- und Prophetentitel ablehnt und somit eine Deutung seiner Person als eschatolgogischer Heilsbringer von sich weist. V23 liefert dann die positive Antwort auf die gestellte Frage. Johannes zitiert Jes 40,3 und bezeichnet sich damit selbst als Wegbereiter des Herrn - im Kontext des Joh ist Kyrios eindeutig Jesus, in Jes 40,3 ist Gott damit gemeint.

Vergleichen wir die Zitation des Textes mit der in Mk 1,3 und Mt 3,3 par Lk 3,4-6, dann fällt auf, daß das Joh nicht nur anstelle von ἑτοιμάσατε das Verb εὐθύνατε verwendet, sondern den Jes-Text nur bis ὁδὸν κυρίου bietet. Literarisch ist demnach also die Aufnahme der Schriftstelle unabhängig von der synoptischen Tradition[9].

Ein weiteres Moment ist bei der Aufnahme des Jes-Zitates in V23 auffällig: Bei der Analyse von Mk 1,2f konnte gezeigt werden, daß der Kontext von Jes 40,3 einer Interpretation des Täufers Vorschub leistete, die seiner Taufe sündenvergebende und somit heilsmittlerische Kraft zusprach. Genau diese soteriologische Funktion des Johannes wird aber in Joh 1,24-34 abgelehnt:

1. V25 bringt die Taufe in enge Verbindung mit den messianischen Gestalten Messias, Elia und der Prophet. Es hat den Anschein, als ob die Taufe als messianische Handlung angesehen wurde[10]. Dieses Verständnis der Taufe wird jedoch in V26 für die johanneische Wassertaufe abgewiesen; von einer Taufe der Umkehr zur Vergebung der Sünden, wie sie aus Mk 1,4 bekannt ist, weiß das Joh in bezug auf den Täufer nicht zu berichten. Die Taufe hat vielmehr allein die Funktion, auf den nach Johannes Kommenden hinzuweisen (VV27.31.33f), "dies ist bewußte interpretatio christiana et christologica"[11].

---

8 Vgl. RICHTER, aaO, 79.

9 Vgl. SCHNACKENBURG, aaO, 279; RICHTER, aaO, 64; BECKER, aaO, 36-38.

10 Vgl. BULTMANN, aaO, 61; RICHTER, aaO, 67.

11 SCHNACKENBURG, aaO, 281; gleichfalls RICHTER, aaO, 67.

2. In V29 identifiziert der Täufer Jesus als das Lamm Gottes, welches die Sünde der Welt wegnimmt. Hier wird unmißverständlich zum Ausdruck gebracht, wem die soteriologische Funktion zukommt. Jesus ist derjenige, der die Sünden vergibt und Heil bringt, nicht Johannes der Täufer.

Die Funktion des Jes-Zitates im Blick auf den Täufer läßt sich demnach im Joh nur noch unter einem Aspekt beschreiben. Johannes soll als Vorläufer des Messias Jesus dargestellt werden. Diese Vorläuferrolle drückt sich speziell in dem ihm beigelegten Zeugnisauftrag aus (VV7.8.15.19.32.34)[12]. Schnackenburg vermutet, daß mit der Reduktion auf die Martyria des Johannes auch die Verkürzung des Zitats zusammenhänge. Εὐθύνατε sei möglicherweise Komprimierung von εὐθείας ποιεῖτε κτλ.., da der Nachsatz "macht gerade den Weg des Herrn" den Täufer zusätzlich als Bußprediger charakterisieren würde, ein Verständnis, an dem dem Joh nichts gelegen habe[13].

Wenn Joh nur das Interesse gehabt hat, den Täufer als Zeugen darzustellen, dann ist es einsichtig, warum eine mögliche eschatologisch-soteriologische Deutung der Person und der Taufe des Johannes abgelehnt wird. Nimmt man für die Zeit der Entstehung des Joh die Existenz von Täufergruppen an - davon zeugen sogar noch für das 2. Jhrd. n.Chr. die Pseudo-Clementinen -, so kann man hinter Joh 1 eine Auseinandersetzung der christlichen Gemeinde mit der als Konkurrenz empfundene Täufergemeinde vermuten[14]. Unter Berücksichtigung dieser Überlegung erscheint die Darstellung des Johannes in einem klaren Licht. Geht man in Joh 1 von einem apologetischen Interesse des Evangelisten aus[15], dann ließe sich aus der dort vorhandenen Polemik auf eine bestimmte gegnerische (= täuferische) Position rückschließen. Weil nämlich Jesus und nicht Johannes der erwartete Messias war, wehrte sich die christliche Gemeinde gegen eine eschatologisch-soteriologische Interpretation des Täufers und seiner Taufe durch dessen Anhänger. Somit griffe also Joh 1,19-34 auf Täufertradition zurück, die allerdings nur noch in polemischer Brechung erscheint. Positiv gewendet wäre Johannes also bei seinen Jüngern als eschatologische Heilsgestalt (Messias/Elia/ Prophet) verehrt worden, deren Taufe als "messianische" Handlung sün-

---

12 Vgl. RICHTER, aaO, 66; SCHNACKENBURG, aaO, 274.279.

13 Vgl. SCHNACKENBURG, aaO, 279.

14 Ebd. 228; RICHTER, aaO, 240.

15 Vgl. SCHNACKENBURG, aaO, 228.

denvergebende Wirkung besaß. Zwei Argumente stützten diese Vermutung: Da traditionell die Vorstellung einer eschatologisch-soteriologischen Funktion der Taufe gerade auch in Verbindung mit eschatologischen Heilsgestalten nicht bezeugt ist[16], wird die Rezeption dieser Sichtweise in Joh 1,25 auf der Basis von Täufertradition zu erklären sein. Wie wir bereits im Rahmen der Analyse von Mk 1,1-8 gesehen haben, wurde nämlich erstmalig in Täuferkreisen die Taufe eschatologisch-soteriologisch gedeutet und an eine Mittlergestalt gebunden. Damit kommen wir auch gleich zum zweiten Argument. Ein Vergleich der für Joh 1 als Grundlage vermuteten Täufertradition mit der aus Mk 1 erarbeiteten zeigt, daß beide inhaltlich in ihrer Sichtweise des Johannes übereinstimmen. Da keine literarische Abhängigkeit des Joh von den Synoptikern vorliegt[17], wird man am ehesten davon ausgehen können, daß sowohl Joh als auch die Synoptiker auf eine gemeinsame Täufertradition zurückgehen und in ähnlicher Weise - Joh schärfer als Mk - darauf reagieren. Daß es sich dabei nicht um eine starre, sondern um eine lebendige, in Täufergruppen weitergereichte und gewachsene Überlieferung handelte, vermag ein Blick auf Joh 1,1-8 zu zeigen.

Innerhalb des Logoshymnus stoßen wir nämlich auf zwei Einschübe (VV6-8.15)[18], die beide von Johannes dem Täufer handeln. In V7f bezeugt Johannes, daß Jesus und nicht er das Licht (τὸ φῶς) sei - bezeichnenderweise wird in V8 'Licht' ebenfalls mit bestimmtem Artikel verwandt. Möglicherweise ist damit eine Parallelität zu den anderen Messiasprädikationen bezweckt, denn die besondere Betonung in V8, daß der Täufer nicht das Licht sei, gibt zu der Vermutung Anlaß, seine Jünger hätten ihn mit dieser Bezeichnung belegt[19], eventuell sogar mit Rückgriff auf Mal 3,20, wo bildhaft von der Sonne der Gerechtigkeit und des Heils gesprochen wird[20]. Unvorstellbar sind diese Überlegungen nicht, zumal Johannes in der Täufertradition unter Hinzunahme von Mal 3,1.23f interpretiert wurde.

---

16 Vgl. RICHTER, aaO, 67.

17 Vgl. Anm. 9.

18 Vgl. BULTMANN, aaO, 29; SCHNACKENBURG, aaO, 226-228; BECKER, aaO, 67.

19 So BULTMANN, aaO, 29.

20 Vgl. SCHNACKENBURG, aaO, 229.

In V15 bezeugt Johannes die Vorrangstellung des präexistenten Christus, "der nach mir kommt, ist mir voraus, weil er vor mir war". Vielleicht soll hier mit Hilfe der Eintragung des Präexistenzgedankens die Behauptung der Täuferjünger abgelehnt werden, daß ihrem Meister aufgrund seiner zeitlichen Priorität eine gegenüber Jesus ranghöhere Stellung zukomme[21]. Die Vorstellung nämlich, daß das zeitlich Frühere mehr Wert und Bestand habe, ist, wie OdSal 28,17f zeigt, geläufig.

Demnach treffen wir eventuell auch in V15 auf eine Polemik der christlichen Gemeinde gegen die Auffassung der Johannesjünger[22].

Die dargelegten Beobachtungen lassen zwar nicht eindeutig den Schluß zu, daß wir im Logoshymnus auf eine Auseinandersetzung mit der Meinung der Täuferanhänger treffen, zumindest aber widersprechen sie nicht der auch für die Synoptiker belegten Täufertradition. Da auch die Bezeichnung ὁ προφήτης in Joh 1,21 als einer von Elia unabhängigen eschatologischen Heilsfigur keine Parallele in der "synoptischen" Täufertradition hat, begegnen wir im Joh eventuell einer Überlieferung, die sich speziell in denjenigen Täufergruppen ausgebildet hat, gegen die sich das Joh zur Wehr setzt. Als "Grundstock" finden wir hier wie auch in der in Mk 1,1-8 zugrundeliegenden Täufertradition die Interpretation des Johannes als eschatologische Heilsgestalt, deren Taufe soteriologische Qualität besaß.

6.2. Mal 3,1 in Kontext von Mt 11,7-13 par Lk 7,24-28

Die erneute Zitation von Mal 3,1, diesmal im Q-Stück Mt 11,7-13 par Lk 7,24-28 findet sich im Rahmen des Zeugnisses Jesu über den Täufer. Diesem Zeugnis voran geht in den Versen Mt 11,2-6 par die Anfrage des Täufers aus dem Gefängnis, ob Jesus der von ihm angekündigte ἐρ - χόμενος sei. Den Abschnitt wird man insgesamt als christliche Bildung anzusehen haben, da eine Umdeutung des Erchomenos-Titels vom Menschensohn-Richter aus der Umkehrpredigt auf den Heilsbringer Jesus

21 Vgl. RICHTER, aaO, 241; SCHNACKENBURG, aaO, 249.

22 Vgl. SCHNACKENBURG, aaO, 249.

hin (vgl. Mt 11,5f par) für Johannes den Täufer kaum anzunehmen sein wird[23].

Ebenfalls christliche Bildung dürfte Mt 11,16-29 sein, das Gleichnis über 'dieses Geschlecht' und seine Deutung, welches Jesu Zeugnis über Johannes abschließt. Nach Schönle geben die Deuteworte in V18f keine alte Tradition wider. Allenfalls greife der Vorwurf, Jesus sei ein Fresser, Weinsäufer und Freund der Zöllner und Sünder (V19) auf historische Anschuldigungen zurück, denen dann die asketische Lebensweise des Täufers (V18) kontrastierend gegenübergestellt wurde[24].

Für die folgenden Überlegungen wollen wir uns demnach auf jene Textpassage beschränken (Mt 11,7-13 par), innerhalb deren wir dem Mal-Zitat begegnen. Dabei wird auf eine Rekonstruktion des Q-Textes

---

23 Vgl. SABUGAL, Embajada, 408; SCHÖNLE, Johannes, 63f. Die Zitatenkombination aus Jes 29,18b.19; 35,5; 60,8; 61,1a in Mt 11,5f par will kenntlich machen, daß mit Jesu Verkündigung und Taten die Heilszeit angebrochen und somit Jesus der erchomenos im Sinne eines Heilsbringers ist; vgl. KÜMMEL, Antwort, 156. Im Gegensatz dazu läuft die Aussage der Umkehrpredigt in die entgegengesetzte Richtung: nicht das Heil wird erwartet, sondern das Gericht, nicht eine Heils-, sondern eine Richtergestalt kündet Johannes an. Die Unbedingtheit und Radikalität der johanneischen Gerichtsansage läßt eine Sinnesänderung beim Täufer kaum für möglich halten, vgl. SCHÖNLE, aaO, 60.
Die an Jesus in Mt 11,3 par gerichtete Frage der Johannesjünger wird erst dann plausibel, wenn man eine christliche Bildung annimmt. Der Täufer als Christuszeuge hatte dabei vor allem eine Funktion für die Mission der Urgemeinde. Da die christliche Gemeinde in einem konkurrierenden Verhältnis zur Täufergemeinde stand, machte sie sich die Autorität des Täufers zunutze und wandelte ihn zum Vorläufer und Künder des Messias Jesus ab. Diese Tendenz schlägt sich nicht nur im vorliegenden Text nieder, sondern konnte bereits für Mk 1,1-8 und Mt 3,7-12 par deutlich gemacht werden. So zeigte die Q-Fassung der Umkehrpredigt, daß die Identifikation des dort angekündigten erchomenos mit Jesus christlicher Redaktion zuzuschreiben war. Hatte die Umkehrpredigt in Q vorverweisende Funktion, indem sie Jesus als den Kommenden ankündigte, so könnte die Täuferanfrage in Mt 11,2-6 par im Sinne einer Pointierung zu verstehen sein: Umkehrpredigt und Täuferanfrage "rahmen" in Q den Bericht über die Versuchung Jesu, die Bergpredigt und die Erzählung vom Hauptmann von Kafarnaum. Die Frage der Johannesjünger schlägt den Bogen zurück zur Täuferpredigt und läßt das bisher Berichtete in der Antwort Jesu kumulieren, deren eigentlicher Höhepunkt, der Makarismus in V6, die Situation der Anfrage sprengt und auf eine messianische Wirkung zielt, vgl. SCHÜRMANN, Lukasevangelium, 413.

24 Vgl. SCHÖNLE, aaO, 79.

verzichtet, da dieser weitgehend identisch ist mit Mt 11,7-13[25]; V14f scheidet insgesamt als mt Redaktion aus[26].

Dem Mal-Zitat vorangestellt sind drei Fragen (VV7-9 - Verszählung nach Mt), die aufgrund ihres parallelen Aufbaus als eine relativ geschlossene formale Einheit angesehen werden können[27].

Die in V7b-8 von Jesus in bezug auf den Täufer gestellten zwei Fragen erweisen sich ihrer Form nach als rhetorische, die eine verneinende Antwort implizieren[28]; mittels der gewählten Frageform werden somit zwei Deutungen des Täufers abgelehnt: Johannes ist weder ein schwankendes Rohr, noch einer, der weiche Kleider trägt. Lassen sich die hier zurückgewiesenen Deutungen konkretisieren?

Unwahrscheinlich ist die von Daniel vertretene Interpretation, nach der die Wendung κάλαμος ὑπὸ ἀνέμου σαλευόμενος auf Zeloten, ἄνθρωπος ἐν μαλακοῖς ἠφιεσμένος auf die Essener anspiele[29]. So versucht Daniel für die Zelotenthese eine sprachliche Verwandtschaft der aramäischen Worte für "Rohr" und für "Zelot" nachzuweisen, die beide

---

25 Ebd. 41f. Vgl. dazu die Aufzählung der lk Stileigentümlichkeiten für Lk 7,25 bei SCHULZ, Q, 229.
In Mt 11,11 stellt ἀμήν gegenüber dem lk Text eine Erweiterung dar; einfaches λέγω ὑμῖν ist demnach ursprünglicher, so SCHÖNLE, aaO, 43; SCHULZ, aaO, 230. Gleiches gilt für die Genetivattribute τοῦ βαπτίστου und τῶν οὐρανῶν ; beides sind mt Stileigentümlichkeiten, Lk bietet den ursprünglicheren Text, vgl. SCHULZ, aaO; SCHÖNLE, aaO; POLAG, Fragmenta, 40. Die Rekonstruktion von Mt 11,12-13 ist schwieriger, da die direkte Parallele bei Lk 7 fehlt. Hierfür muß Lk 16,16 hinzugezogen werden. Die Abfolge der VV12f bei Mt ist sekundär, sie müssen, analog dem Lk-Text, umgedreht werden, vgl. TRILLING, Täufertradition, 277; SCHULZ, aaO, 261; SCHMID, Evangelium nach Matthäus, 193; SCHÖNLE, aaO, 43. Lk 16,16a ist gegenüber Mt 11,13 ursprünglicher; vgl. SCHULZ, aaO, 261; SCHÖNLE, ebd.; LÜHRMANN, Redaktion, 28; HOFFMANN, Studien, 37. In Lk 16,16b par Mt 11,12 ist der mt Formulierung βιάζεται καὶ βιασταὶ ἁρπάζουσιν αὐτήν der Vorzug zu geben, da εὐαγγελίζεται bei Lk in Verbindung mit βασιλέα τοῦ θεοῦ ein typisch lk Formulierung ist und durch die Setzung von εὐαγγελίζεται das mehrdeutige βιάζεται geglättet wird, vgl. SCHULZ, aaO, 262; CONZELMANN, Mitte, 33; SCHÖNLE, aaO, 184; MERKLEIN, Gottesherrschaft, 81f.

26 Vgl. SCHÖNLE, aaO, 53.

27 Vgl. DIBELIUS, Überlieferung, 11; SCHÜRMANN, aaO, 415; SCHÖNLE, aaO, 64.

28 Vgl. ZELLER, Kommentar, 42; SCHÜRMANN, aaO, 416.

29 Vgl. DANIEL, Esséniens, 261-277.

auf einem zugrundeliegenden aramäischen Wort für "eifern" basierten[30], doch muß er bereits für die Wendung ὑπὸ ἀνέμου σαλευόμενος auf eine Hilfskonstruktion zurückgreifen, indem er als Deutung annimmt, die Wendung besage, "les Zélots étaient attaqués par les Romains et par les soldats des princes successeurs d'Hérode le Grand ..."[31]. Der Angriff der Feinde werde demnach durch den Ausdruck 'vom Winde geschüttelt' euphemistisch umschrieben. Wesentlich entscheidender für die Ablehnung der These Daniels ist jedoch die auch von ihm selbst bestätigte Beobachtung, daß der eigentliche Aufenthaltsort der Zeloten die Wüste war[32] und somit die von Jesus gestellte Frage nicht mehr rhetorisch verstanden werden konnte.

Ebenfalls unplausibel ist die Auffassung Kriegers, das Bild in V7b charakterisiere den Zustand, in dem sich Johannes während seiner Anfrage an Jesus befindet, V8 hingegen berichte, daß Johannes einmal ein Mensch in weichen Kleidern am Hof des Herodes gewesen sei[33]. Für diese Interpretation von V8 lassen sich in der Täufertradition keinerlei Anhaltspunkte finden. Vielmehr wird dort ganz deutlich, daß Johannes in Opposition zum Königshof gestanden hat (vgl. Mk 6). Für V7 gilt, daß weder die spezfische Frageform berücksichtigt ist noch Anhaltspunkte für eine besondere "psychische" Verfassung des Johannes in der übrigen Täufertradition ausfindig zu machen sind.

Auch Schönles Deutung der beiden Bilder, "man habe doch in der Wüste weder etwas Alltägliches wie ein schwankendes Rohr noch etwas dort gerade nicht Anzutreffendes wie etwa einen Mann in weichen Kleidern sehen wollen"[34], ist unbefriedigend.

Beachtenswert hingegen ist Theißens Versuch einer "emblematischen Deutung"[35] des Bildes vom schwankenden Rohr. Dabei gelingt es ihm,

---

30 Ebd. 263f.

31 Ebd. 265.

32 Ebd. 263.

33 Vgl. KRIEGER, Mensch, 228f.

34 SCHÖNLE, aaO, 67.

35 THEISSEN, Rohr, 45.

die Alternative "wörtliche Deutung oder metaphorische Deutung"[36] zu überwinden. Ausgangspunkt seines Ansatzes sind Funde von Münzen, die Herodes Antipas aus Anlaß der Gründung seiner Hauptstadt Tiberias hatte prägen lassen.

Anstelle des Herrscherportraits zeigen die Münzen - bedingt durch das alttestamentliche Bildverbot - als Emblem ein Schilfrohr[37]. Folglich böte sich aufgrund dieser Münzen eine Assoziation Schilfrohr - Herodes Antipas an. Dies sei um so leichter gewesen, als Herodes sich historisch auszeichnete durch geschickte Anpassung an die jeweils herrschenden Verhältnisse. Schnell konnte sein Verhalten als opportunistisch gedeutet werden. Angewandt auf die rhetorische Frage in V7b stelle das schwankende Rohr eine Anspielung auf Herodes Antipas dar[38]. Läßt man diese Anspielung gelten, dann kommen sogar, so Theißen, sowohl die wörtliche als auch die metaphorische im Rahmen der emblematischen Deutung zum Zuge: "Das Münzenemblem will Schilf im wörtlichen und konkreten Sinn darstellen, gewinnt aber als Emblem des Antipas eine vieldeutige Beziehung zu dem herodäischen Fürsten, bei der alle möglichen Assoziationen aus Fabel- und Geschichtstradition mitschwingen konnten. Wer wollte, konnte in Herodes Antipas, dem Adressaten der prophetischen Gerichtspredigt des Täufers, ein 'schwankendes Rohr' sehen, das durch von Gott gesandte Schicksalsschläge erschüttert werden würde. Oder er konnte im Licht der verbreitenden Fabeltradition in ihm einen klug an alle möglichen Umstände sich anpassenden Politiker sehen, der im Kontrast zum kompromißlos auftretenden Täufer stand"[39].

---

36 Ebd. Eine wörtliche Deutung des schwankenden Rohrs würde besagen, daß wohl keiner in die Jordanwüste hinausgegangen wäre, um dort etwas völlig Alltägliches wie hohe schwankende Schilfrohre zu sehen. Für eine metaphorische Deutung bieten sich zwei Aspekte an: 1. In der alttestamentlich-frühjüdischen Tradition ist das schwankende Rohr Bild für das Gerichtshandeln Gottes, 1Reg 14,15; 3Makk 2,22; Jes. 42,3.
2. In der äsopischen Fabel vom Baum und Schilf wird das Schilfrohr, weil es leichter biegbar ist, als anpäßlerisch interpretiert, vgl. THEISSEN, aaO, 43f.

37 Die Wahl des Pflanzenmotivs 'Schilfrohr' bot sich deshalb an, weil es sich dabei um ein typisches Gewächs Palästinas handelte. Schilfrohr wuchs am Jordan, aber ebenfalls an den Ufern des Sees Genesareth, wo Herodes Tiberias gründete, vgl. THEISSEN, aaO, 49.

38 Ebd. 53.

39 Ebd. 53f.

Diese Interpretation ist nicht nur deswegen überzeugend, weil Theißen sein Ergebnis numismatisch, literarisch und historisch zu fundieren versteht. Vielmehr steht seine Deutung des schwankenden Rohrs auch im Einklang mit der Deutung der in V8 formulierten Frage. Auch hierin ist vermutlich eine Anspielung auf Herodes Antipas bzw. seinen Hofstaat zu sehen[40].

Stützen läßt sich diese Überlegung dadurch, daß für beide rhetorischen Fragen Anknüpfungspunkte in der historischen Situation des Täufers existieren: Nach Mk 6,17-29 wurde Johannes der Täufer aufgrund seiner Opposition gegen das Könighaus von Herodes getötet; die in Mk 1,6 beschriebene Kleidung des Johannes sowie seine Nahrungsgewohnheiten stehen in merklichem Kontrast zu τὰ μαλακά in V8. Das Volk ging also nicht in die Wüste, um Herodes Antipas oder einen seiner Höflinge zu sehen, sondern sie zogen hinaus zu seinem Gegenspieler Johannes[41]. An dieses Verständnis schließt sich dann auch die dritte in V9 gestellte Frage gut an: Ob das Volk in die Wüste gezogen sei, um einen Propheten zu sehen. Da traditionell nämlich die Propheten als Opponenten der Könige galten[42], ist die positive Antwort in V9 nicht verwunderlich. Ja der, zu dem das Volk hinauszog, ist ein Prophet, doch wird Johannes eine im Verhältnis zu anderen Propheten höhere Stellung (περισσότερον προφήτου) zugewiesen. Dieses "mehr" ist sicher nicht dahingehend zu interpretieren, daß es auf die Betonung eines echten Propheten im Gegensatz zu einem falschen abzielt[43]. Περισσότερος verweist auf den folgenden V10, der das Zitat aus Mal 3,1 bringt. Im Kontext von Mt 11,7-10 par ist also gemeint: Johannes ist deswegen "mehr als ein Prophet", weil er die besondere Funktion ausübt, Vorläufer Jesu zu sein; daß mit κύριος Jesus gemeint ist, darüber läßt der Zusammen-

---

40 Es wird sich nicht eindeutig klären lassen, ob in V8 auf Herodes selbst angespielt wird oder auf seine Höflinge. Die Singularform ἄνθρωπος könnte auf Herodes weisen, οἱ τὰ μαλακὰ φοροῦντες ist jedoch Plural und meint vermutlich die Höflinge, vgl. dazu die Diskussion bei THEISSEN, aaO, 51.
Der Plural οἶκοι wird oft für einen Königspalast verwandt, da dieser aus mehreren Gebäuden bestand; der Plural βασιλοί weist vermutlich auf Herodes und seine Söhne, die auch als Könige galten, vgl. THEISSEN, aaO.

41 So auch THEISSEN, aaO, 52.

42 Vgl. dazu Kapitel 5.

43 Vgl. SCHÜRMANN, aaO, 416 A 57.

hang bei Mt und Lk keinen Zweifel. Wir hatten bereits in der Analyse von Mk 1,1-8 gesehen, daß die Interpretation des Täufers durch Mal 3,1 von den christlichen Autoren übernommen werden konnte, weil als messianischer Titel eindeutig auf Jesus bezogen wurde. In Täuferkreisen freilich war das Zitat in seinem alttestamentlichen Sinn verstanden worden, kennzeichnete Johannes also als Vorläufer Gottes, als den wiedergekommenen Elia, der den Weg des Herrn bereitet. Mit dieser Sichtweise des Täufers korrespondiert auch die zweite Aussage, auf die sich περισσότερος bezieht: οὐκ ἐγήγερται ἐν γεννητοῖς γυναικῶν μείζων Ἰωάννης (V11a)[44]. Zeller vermutet hinter diesem Vers mit Verweis auf Lk 1,15 eine "Parole" der Johannesjünger, die den Täufer als den Größten propagieren wollten[45].

Zellers Vermutung könnte durch unsere Überlegung zu Joh 1,15 gestützt werden. Wenn in der Eintragung des Präexistenzgedankens in den Logoshymnus eine Reaktion auf die Behauptung der Johannesjünger gesehen werden kann, daß ihrem Meister aufgrund der zeitlichen Priorität gegenüber Jesus eine ranghöhere Stellung gebührt, dann hätten wir es in V11a mit einer intentional analogen Aussage zu tun.

In einer weiteren Hinsicht könnte der Vergleich mit Joh 1 hilfreich sein: Hatten wir dort angenommen, daß sich hinter der Ablehnung des Täufers, er sei nicht der Prophet, das Bekenntnis seiner Anhänger zu ihm als dem endzeitlichen Propheten verbirgt, so könnte das περισσότερον und dessen Aufnahme durch Mal 3,1 - wenn diese Kombination auf die Täuferjünger zurückgehen sollte - eine Erläuterung zu Joh 1 darstellen. Johannes ist der Prophet, nicht irgendein Prophet, weil er der letzte und entscheidende Vorläufer Gottes ist.

Sicherlich ist eine solche Kombination von erschlossener Täufertradition aus unterschiedlichen Überlieferungsschichten methodisch nicht unproblematisch, doch wird deutlich, daß die täuferischen "Bruchstücke" in Joh 1 und Mt 11/Lk 7 sich nicht widersprechen, vielmehr intentional übereinstimmen.

---

44 Eine Verbindung von περισσότερος und V11a vermutet auch SCHÜRMANN, aaO, 418 A 81.

45 Vgl. ZELLER, aaO, 42ff. Ähnlich urteilen LOHMEYER, Johannes, 19 A 1; BULTMANN, Geschichte, 177f; DIBELIUS, Johannes, 14. SCHÜRMANN, aaO, 419 hingegen nimmt für V11a christliche Bildung mit dem Zweck an, "missionarisch-werbend" zu argumentieren.

In Mt 11/Lk 7 steht die Deutung des Täufers im Kontext der besprochenen Fragen Jesu. Wenn unsere Interpretation der ersten - rhetorischen - Fragen stimmt, daß nämlich in Johannes weder ein Herodianer noch ein Höfling gesehen werden kann, dann sprechen historische Anhaltspunkte dafür, daß auch hierin Täufertradition vermutet werden kann. Der Konflikt des Johannes mit Herodes ist nicht nur durch Mk 6, sondern auch durch Flavius Josephus belegt. Dafür, daß auch die dritte Frage und ihre Beantwortung auf Täufertradition beruht, sprechen Lk 1,15, Joh 1,15 sowie die Kombination mit dem in Täuferkreisen gebräuchlichen Zitat Mal 3,1. Sollte die Zitation von Mal 3,1 ihren usprünglichen Ort im Rahmen der drei Aussagen über Johannes (kein Herodianer, kein Höfling, mehr als ein Prophet) haben, so ergäbe sich zwar eine deutlichere Akzentuierung, jedoch keine von unserer bisherigen Interpretation unterschiedliche Sichtweise. Die Funktion des Täufers als Wegbereiter Gottes wäre dann stärker politisch konturiert, sein Konflikt mit Herodes nicht nur in seiner Opposition gegen dessen illegitime Ehe gesehen.

Dies alles läßt sich freilich nur unter Vorbehalt sagen, da die Verse stark christlich redigiert sind und sich so kein festes Täufertraditionsstück rekonstruieren ließ[46]. Für unsere Fragestellung wichtig ist aber vor allem, daß auch eine wie oben erwogene Aussage über Johannes nicht den bisherigen Ergebnissen in bezug auf die Täuferüberlieferung widerspricht[47].

---

46 V11b ist wohl "Gemeindepolemik gegen Ansprüche der Täuferjünger", LOHMEYER, aaO, 19 A 1. Der Stürmerspruch in V12f ist insgesamt Bildung der christlichen Gemeinde, vgl. SCHÖNLE, aaO, 69-74, sowie die dort angeführte Sekundärliteratur.

47 Geht man, wie THEISSEN, aaO, 54f, davon aus, für Mt 11,7ff Jesustradition anzunehmen, dann bedeutet dies nicht unbedingt ein Widerspruch zu vermuteter Täufertradition. So könnte doch Jesus, als Schüler des Johannes, gerade Täufertradition aufgenommen haben.

Zusammenfassung

Wenn wir die Ergebnisse der vorangegangenen Untersuchungen im Hinblick auf die Frage nach einer theologiegeschichtlichen Einordnung des Täufers bedenken, dann lassen sich in einer zusammenfassenden Schau nicht nur die Wurzeln täuferischen Denkens aufzeigen, sondern gerade auch vor diesem Hintergrund die markanten Eigenarten der Täufergestalt aufweisen.

Johannes ist radikaler, bedingungsloser Umkehrprediger. Die von ihm geforderte Umkehr ist nicht an das konditionale Verhältnis 'wenn Umkehr, dann Rettung' gebunden; vielmehr wird sie erhoben, ohne daß daraus eine konkrete Heilszusage erwächst. Der Grund für den Umkehrruf ist die Apodiktik des unmittelbar bevorstehenden Gerichts. Da die Metanoia die Anerkenntnis der Rechtmäßigkeit des göttlichen Gerichts einschließt, ist die positive Auswirkung vollzogener Umkehr nicht der Heilsempfang, sondern das Verlassen des Unheilsstatus und somit letztlich die Möglichkeit, dem Strafgericht Gottes zu entgehen.

Johannes konfrontiert die Adressaten seiner Predigt, das Volk Israel, mit einem Umkehrverständnis, welches von ihnen nicht ohne weiteres geteilt werden konnte, so daß es sich bei der Auseinandersetzung, die Johannes mit seinen Adressaten führt, um grundsätzliche Positionen dreht: Während Israel meint, weiterhin in der Kontinuität der durch den Bundesschluß Gottes mit Abraham einsetzenden heilvollen Vergangenheit zu stehen, erschüttert Johannes Israels Heilsoption in ihren Grundfesten, indem die bisherige Verknüpfung von Heil und Geschichte durchbrochen wird. Grund für diesen Bruch ist die Sündhaftigkeit des Gottesvolkes, die zur Folge hat, daß Gesamtisrael dem Gericht konfrontiert ist. Weil Gott aber weiterhin seinem im Bund gegebenen Versprechen treu bleibt, hat Israel noch eine einzige Chance: umzukehren und sich taufen zu lassen in der Hoffnung auf Gottes errettendes Handeln.

Da sich innerhalb der Täuferpredigt die formale Struktur deuteronomistischer Umkehrpredigten nachweisen ließ, sich zudem die (Heils)- und Unheilsansage auf Gesamtisrael bezog und die Existenz Israels als die permanenten Ungehorsams begriffen wurde, aus der die Gerichtsverfallenheit des ganzen Volkes resultierte, konnte eine Nähe der Johannespredigt zur dritten Überlieferungsstufe des dtrGB festgestellt werden. Doch teilt Johannes im Gegensatz zum dtrGB nicht die Auffassung von einer auf Erlösung zielenden Heilsgeschichte. Vielmehr ist sein Denken vom radikalen Bruch mit der heilsgeschichtlichen Vergangenheit geprägt. Hier läßt sich unverkennbar der Einfluß des apkGB nachweisen. Grundlage des apkGB ist eine veränderte Sicht der Geschichte. Geschichte bewegt sich nicht mehr in einem wellenförmigen auf und ab, indem sich die Abfolge von Sünde-Gericht-Umkehr-Heil wiederholt; sie ist in ein rasendes Gefälle geraten, deren Ende nur noch von Gott herbeigeführt und von ihm in eine neue, bessere Zukunft überführt werden kann. Entstanden ist das apkGB als Reaktion auf zeitgeschichtliche Entwicklungen, es dient der theologischen Bewältigung politischer Extremsituationen. Vom dtrGB übernahm das apkGB die formale Struktur der Umkehrpredigten. Die konditionale Verknüpfung von Umkehr und Heil wurde jedoch nicht rezipiert. In apokalyptischer Sicht bezeichnet Umkehr vielmehr eine Haltung des Menschen, die seiner sündigen Existenz angemessen ist und sich z.B. in der Anerkenntnis der eigenen Sündhaftigkeit äußern kann. Die Hoffnung des Apokalyptikers richtet sich ganz auf die göttliche Barmherzigkeit. Sie allein kann vor dem Gericht retten.

Johannes ist nicht der ein oder anderen Geschichtskonzeption einseitig zuzuweisen. Von der formalen Struktur seiner Predigt her orientiert er sich stärker am dtrGB, von der inhaltlichen Ausrichtung her ist allerdings eine größere Nähe zum apkGB festzustellen. Gegenüber diesen theologiegeschichtlichen Entwürfen weisen Johannes und seine Verkündigung noch zusätzliche Merkmale auf: Ein besonderes Spezifikum ist die Wassertaufe, die aufgrund ihrer Nähe zur Feuertaufe in einer Beziehung zum eschatologischen Gericht steht. Dabei ist die Taufe nicht nur - im Sinne der Apokalyptik - eine Spezifizierung der Umkehrhaltung des Menschen, sondern in der Taufe wird das zukünftige Gericht bereits vergegenwärtigt. Johannes kommt insofern eine Rolle als Heilsmittler, da die Taufe eine soteriologische Funktion in der Weise hat, als sie die noch einzige verbleibende Möglichkeit darstellt, der endgültigen Vernichtung zu entgehen. Eine besondere Betonung der heilsmittlerischen Bedeutung des Täufers zeigte sich in Mk 1,1-8; dort wurde der Wassertaufe sogar dezidiert sündenvergebende Wirkung zugesprochen. Daneben verstärkt die Mk-Perikope eine Sichtweise, die den Täufer als eschatologischen Boten versteht. In der Umkehrpredigt nämlich bereitet Johannes die Ankunft des erchomenos dadurch vor, daß er dessen Kommen sowie das Gericht ankündigt, die Menschen zur Umkehr ruft und tauft. Diese Funktionsbeschreibung rückt den Täufer in die Nähe der Vorstellung vom eschatologischen Propheten. Die Zitatenkombination aus Mal 3,1 und Jes 40,3 in Mk 1,2 verstärkt eine derartige Sichtweise und leistet einer Interpretation des Täufers als eschatologisch-soteriologischer Gestalt Vorschub, indem mit Hilfe der Zitate Johannes als Wegbereiter Gottes und Mittler der Sündenvergebung dargestellt wird, er demnach eine Funktion erfüllt, die traditionell dem Elia-redivivus zugeschrieben wird.

Die besondere Bedeutung der soteriologischen Funktion der Taufe sowie die heilsmittlerische Rolle des Täufers sind Resultat der Rezeption des Täufers und seiner Verkündigung im Kreis seiner Jünger. Was in der Umkehrpredigt bereits intentional vorhanden war, konnte von den Täuferanhängern aufgegriffen und ausgeführt werden: Mit der Umkehrtaufe wurde eine konkrete Heilszusage, die Sündenvergebung, verbunden; aus dem Vorläufer des erchomenos wurde der eschatologische Prophet.

Die Notwendigkeit zu einer weitergehenden Reflexion der Person und Botschaft des Johannes ergab sich aus zwei Gründen: aus dem Ausbleiben des als unmittelbar bevorstehend angekündigten Gerichts einerseits sowie aus dem gewaltvollen Tod des Täufers andererseits. Mit Hilfe der frühjüdischen Märtyrertheologie versuchten die Johannesjünger eine theologische Deutung des Todes. Verkündigung und Taufe des Johannes verloren durch seinen Tod nicht an Bedeutung, sondern wurden dadurch, daß Johannes den Märtyrertod gestorben ist, als von Gott legitimiert betrachtet. Indem die Jünger jetzt das Anliegen des Täufers fortführen, setzten sie nicht nur das Wirken ihres Meisters ins rechte Licht, sondern die Botschaft des Täufers behält ihre Gültigkeit auch über den Tod hinaus.

Aufgrund der erzielten Ergebnisse wäre es interessant, das Gegenüber von Johannes und Jesus neu in den Blick zu nehmen. Zweifellos gibt es eine Fülle von Berührungspunkten zwischen Johannes und Jesus. Vermutlich war Jesus Schüler des Johannes, er ließ sich vom Täufer im Jordan taufen, Mk 1,9-11. Lk 7,26.28 par gibt eine deutliche Wertschätzung des Täufers durch Jesus wieder. Möglicherweise stimmt sogar der Bericht in Joh 1,35ff, daß die Jesusjünger zum Teil aus Kreisen ehemaliger Täuferanhänger stammten. Charakteristisch sowohl für Johannes als auch Jesus ist das Denken von der Zukunft her. Doch gerade im Zusammenhang mit dieser Gemeinsamkeit läßt sich deutlich auch der gegenseitige Unterschied aufzeigen. Während Johannes nämlich ganz vom Gedanken des Kommenden Gerichts bestimmt ist, ist Jesu Verkündigung geprägt von der Erwartung der in Kürze hereinbrechenden Gottesherrschaft. Demzufolge steht für Jesus auch nicht die grundsätzliche Gerichtsverfallenheit aller im Vordergrund, sondern die bedingungslose Vergebung Gottes.

Eine weitergehende Analyse der Verbindungslinien sowie der Differenzen, die zwischen Johannes und Jesus bestehen, kann und soll diese Arbeit nicht leisten; sie bietet lediglich die Grundlage dafür.

Literaturverzeichnis

Die Literatur wird in den Anmerkungen gekürzt zitiert. Bei Monographien und Aufsätzen erscheint hinter dem Verfassernamen das erste Nomen des Titels, für Lexikonartikel wird die Reihenabkürzung angegeben. Die Abkürzungen richten sich nach dem Verzeichnis von Schwertner, TRE-Abkürzungsverzeichnis.

BACHMANN, M., Johannes der Täufer bei Lukas: Nachzügler oder Vorläufer, in: ders./Haubeck, W. (Hg). Wort in der Zeit, FS K.H. Rengstorf, Leiden 1980, 123-155.

BADIA, L.F., The Qumran Baptism and John the Baptist's Baptism, Lanham 1980.

BARTH, G., Die Taufe in frühchristlicher Zeit (Biblisch-theologische Studien 4) Neukirchen-Vluyn 1981.

BAUER, W., Griechisch-Deutsches Wörterbuch zu den Schriften des Neuen Testaments und der übrigen urchristlichen Literatur, Berlin, 5. Auflage, 1958, Neudruck 1971.

BECKER, J., Das Evangelium nach Johannes (ÖTK IV/1) Gütersloh/Würzburg, 2. Auflage, 1985.

-- Johannes der Täufer und Jesus von Nazareth (BSt 63) Neukirchen-Vluyn 1972.

-- Die Testamente der zwölf Patriarchen (JSHRZ III/1) Gütersloh 1974.

BEHM/J.,/ WÜRTHWEIN, G., νοέω κτλ, ThWNT 4, 1966, 947-1016.

BÉNÉTREAU, S., Baptêmes et absolutions dans le Judaisme. L'originalité de Jean-Baptiste, FoiVie 79, 1981, 96-108.

BERGER, K., Abraham, TRE 1, 372-382.

-- Die Auferstehung des Propheten und die Erhöhung des Menschensohnes (StUNT 13) Göttingen 1976.

-- Exegese des Neuen Testaments (UTB 658) Heidelberg 1977.

-- Formgeschichte des Neuen Testaments, Heidelberg 1984.

-- Hellenistische Gattungen im Neuen Testament, ANRW II (25,2) 1984, 1031-1885.

-- Das Buch der Jubiläen (JSHRZ II/3) Gütersloh 1981.

BETZ, O., Die Proselytentaufe der Qumransekte und die Taufe im Neuen Testament, RdQ 1, 1958/59, 213-234.

BEYER, K., Die aramäischen Texte vom Toten Meer. Samt den Inschriften aus Palästina, dem Testament Levis aus der Kairorer Genisa, der Fastenrolle und den alten talmudischen Zitaten, Göttingen 1984.

BILLERBECK, P./ (STRACK, H.L.), Kommentar zum Neuen Testament aus Talmud und Midrasch I-IV, München 1922-28.

BLACK, M., Die Muttersprache Jesu. Das Aramäische der Evangelien und der Apostelgeschichte (BWANT 115) Stuttgart/Berlin/Köln/Mainz 1982.

BLASS, F./ DEBRUNNER, A./ REHKOPF, F., Grammatik des neutestamentlichen Griechisch, Göttingen, 15. Auflage, 1979.

BÖCHER, O., Aß Johannes der Täufer kein Brot? (Lk 7,33), NTS 18, 1971/72, 90-92.

-- Wasser und Geist, in: ders./Haacker, K., Verborum Veritatis, FS G. Stählin, Wuppertal 1970, 197-209.

BOISMARD, M.-E., Les traditions johanniques concernant le Baptiste, RB 70, 1963, 5-42.

BRANDENBURGER, E., Himmelfahrt des Moses (JSHRZ V/2) Gütersloh 1976, 57-84.

BRANDT, W., Die jüdischen Baptismen oder das religiöse Waschen und Baden im Judentum (BZAW 18) Gießen 1910.

BRAUMANN, G., Das Mittel der Zeit. Erwägung zur Theologie des Lukasevangeliums, ZNW 54, 1963, 117-145.

BRAUN, H., Qumran und das Neue Testament I-II, Tübingen 1966.

-- "Umkehr" in spätjüdisch-häretischer und in frühchristlicher Sicht, in: ders., Gesammelte Schriften zum Neuen Testament und seiner Umwelt, Tübingen 1962, 70-85.

BRINGMANN, K., Hellenistische Reform und Religionsverfolgung in Judäa. Eine Untersuchung zur jüdisch-hellenistischen Geschichte (175-163 v.Chr.) (AAWG.PH.3. Ser. 132) Göttingen 1983.

BROCK, S.P., Testamentum Iobi (PVTG 2) Leiden 1967.

BROWNLEE, W.H., John the Baptist in the New Light of Ancient Scrolls, in: Stendahl, K., The Scrolls and the New Testament, New York 1957, 33-53.

BÜCHSEL, F., ἵλεως, ἱλάσκομαι, ThWNT 3, 1967, 300-318.

BULTMANN, R., ἀφίημι κτλ., ThWNT 1, 1933, 506-509.

-- Das Evangelium nach Johannes (KEK) Göttingen, 19. Auflage, 1968.

-- Die Geschichte der synoptischen Tradition (FRLANT 29) Göttingen, 8. Auflage, 1970.

CLEMEN, C., Religionsgeschichtliche Erklärung des Neuen Testaments, Gießen, 2. Auflage, 1924.

COHN, L.,/ HEINEMANN, J. u.a., Philo von Alexandria. Die Werke in deutscher Übersetzung I-IV, Berlin, 2. Auflage, 1962.

COHN, L.,/ WENDLAND, P., Philonis Alexandrini Opera Omnia quae supersunt, Berlin 1896-1915, Neudruck 1962.

COLLINS, J.J., The Genre Apocalypse in Hellentistic Judaism, in: Hellholm, D. (Hg.), Apocalypticism in the Mediterranean World and the Near East. Tübingen 1983, 531-548.

CONZELMANN, H., Die Mitte der Zeit. Studien zur Theologie des Lukas (BHTh 17) Tübingen, 6. Auflage, 1977.

DANIEL, C., Le Esséniens et "ceux qui sont dans la maison des rois" (Mt 11,7-8 et Lc 7,24-25), RdQ 6, 1967, 255-301.

DANIELOU, J., Qumran und der Ursprung des Christentums, Mainz 1980.

DEXINGER, F., Henochs Zehnwochenapokalypse und offene Probleme der Apokalyptikforschung, Leiden 1977.

DIBELIUS, M., Die urchristliche Überlieferung von Johannes dem Täufer (FRLANT 15) Göttingen 1911.

DIETZFELBINGER, Chr., Pseudo-Philo: Antiquitates Biblicae (Liber Antiquitatum Biblicarum) (JSHRZ II/2) Gütersloh 1975.

von DOBBELER, A., Glaube als Teilhabe. Historische und semantische Grundlagen der paulinischen Theologie und Ekklesiologie des Glaubens, Diss.masch. Heidelberg 1984.

DOHMEN, Chr., Zur Gründung der Gemeinde von Qumran (1QS 8-9), RdQ 41, 1982, 81-96.

EISLER, R., ΙΗΣΟΥΣ ΒΑΣΙΛΕΥΣ ΟΥ ΒΑΣΙΛΕΥΣΑΣ. Die messianische Unabhängigkeitsbewegung vom Auftreten Johannes des Täufers bis zum Untergang Jakobs des Gerechten I-II, Heidelberg 1929/30.

ERNST, J., Das Evangelium nach Markus (RNT) Regensburg 1981.

-- Das Evangelium nach Lukas (RNT) Regensburg 1977.

FABRY, H.J., Umkehr und Metanioa als monastisches Ideal in der 'Mönchsgemeinde' von Qumran, BenM 53, 1977, 163-180.

-- Die Wurzel שוב in der Qumranliteratur, in: Delcor, M. (Hg.), Qumran. Sa piété et son milieu (BEThL 46) Paris/Gembloux/Leuven 1978, 285-293.

FAIERSTEIN, M.M., Why do the scribes say that Elijah must come first?, JBL 100, 1981, 75-86.

FOERSTER; W., ἔχιδνα, ThWNT 2, 1954, 815.

FRANKENBERG, W., Die syrischen Clementinen (TU 48,3) Leipzig 1937.

FUCHS, A., Intention und Adressaten der Busspredigt des Täufers bei Mt 3,7-10, in: ders. (Hg.), Jesus in der Verkündigung der Kirche (SNTU 1) Linz 1976, 62-75.

von GEBHADT, O., Die Psalmen Salomos (TU 13) Leipzig 1895.

GESENIUS, W., Hebräisches und aramäisches Handwörterbuch über das Alte Testament, Berlin/Göttingen/Heidelberg, 17. Auflage, 1962.

GNILKA, J., Das Evangelium des Markus (EKK II/1) Zürich/Einsiedeln/Köln/Neukirchen-Vluyn 1978.

-- Die essenischen Tauchbäder und die Johannestaufe, RdQ 3, 1961/62, 185-207.

-- Das Martyrium Johannes des Täufers (Mk 6,17-29), in: Hoffmann, P. (Hg.), Orientierungen an Jesus. Zur Theologie der Synoptiker. FS J. Schmid, Freiburg 1973, 78-92.

GOGUEL, M., Au seuil de l'Evangile, Jean-Baptiste, Paris 1928.

GRUNDMANN, W., Das Evangelium nach Lukas (ThHK 3) Berlin, 7. Auflage, 1974.

-- Das Evangelium nach Matthäus (ThHK 1) Berlin , 3. Auflage, 1972.

GUNNEWEG, A.H.J., Das Buch Baruch (JSHRZ IV/2) Gütersloh 1975.

-- Geschichte Israels bis Bar Kochba (ThW 2) Stuttgart/Berlin/Köln/Mainz 1972.

HAENCHEN, E., Der Weg Jesu. Eine Erklärung des Markus-Evangeliums und der kanonischen Parallelen, Berlin 1966.

HAHN, F., Christologische Hoheitstitel. Ihre Geschichte im frühen Christentum (FRLANT 83) Göttingen, 3. Auflage, 1966.

HARNISCH, W., Verhängnis und Verheißung der Geschichte. Untersuchungen zum Zeit- und Geschichtsverständnis im 4. Buch Esra und in der syrischen Baruchapokalypse (FRLANT 97) Göttingen 1969.

-- Der Prophet als Widerpart und Zeuge der Offenbarung. Erwägungen zur Interdependenz von Form und Sache im IV Buch Esra, in: Hellholm, D. (Hg.), Apocalypticism in the Mediterranean World and the Near East, Tübingen 1983, 461-493.

HAUCK, F., καρπός κτλ., ThWNT 3, 1967, 617-619.

HEILIGENTHAL, R., Werke als Zeichen. Untersuchung zur Bedeutung der menschlichen Taten im Frühjudentum, Neuen Testament und Frühchristentum (WUNT 2. Reihe 9) Tübingen 1983.

HELLHOLM, D. (Hg.), Apocalypticism in the Mediterranean World and the Near East. Proceedings of the International Colloquium on Apocalypticism, Uppsala, August 12-17, 1979, Tübingen 1983.

HENGEL, M., Judentum und Hellenismus. Studien zu ihrer Begegnung unter besonderer Berücksichtigung Palästinas bis zur Mitte des 2. Jh.v.Chr. (WUNT 10) Tübingen, 2. Auflage, 1973.

-- Probleme des Markusevangeliums, in: Stuhlmacher, P., (Hg.), Das Evangelium und die Evangelien, Tübingen 1983, 221-265.

HETCH, E.,/ REDPATH, H.A., A Concordance to the Septuagint I-II, Graz 1954.

HOEHNER, H.W., Herod Antipas (SNTS Monograph Series 17) Cambridge 1972.

HOFFMANN, P., Studien zur Theologie der Logienquelle (NTA NF 8) Münster 1972.

HOLLENBACH, P., Social Aspects of John the Baptist's Preaching Mission in the Context of Palestinian Judaism, ANRW II (19,1), 1979, 850-875.

HOLM-NIELSEN, S., Die Psalmen Salomos (JSHRZ IV/2) Gütersloh 1977.

HOLTZ, T., Die Standespredigt Johannes des Täufers, in: Ruf und Antwort, FS E. Fuchs, Leipzig 1964, 461-474.

HUGHES, J.H., John the Baptist: The forerunner of God himself, NT 14, 1972, 191-218.

JAMES, M.Rh., The Testament of Abraham, in: Robinson, J.A.T. (Hg.), Text and Studies, Cambridge 1892.

JANOWSKI, B., Sühne als Heilsgeschehen. Studien zur Sühnetheologie der Priesterschrift und zur Wurzel KPR im Alten Orient und im Alten Testament (WMANT 55), Neukirchen-Vluyn 1982.

JANSSEN, E., Das Testament Abrahams (JSHRZ III/2) Gütersloh 1975.

JEREMIAS, J., Ἠλ(ε)ίας, ThWNT 2, 1954, 930-943.

-- λίθος κτλ., ThWNT 4, 1966, 272-283.

-- Proselytentaufe und NT, ThZ 5, 1949, 418-428.

-- Der Ursprung der Johannestaufe, ZNW 28, 1929, 312-320.

DE JONGE, M., The Testaments of the Twelve Patriarchs. A Study of their Text, Composition and Origin, Assen 1953.

-- Testamenta XII Patriarchum (PVTG 1) Leiden 1964.

KAULEN, Fr., Flavius Josephus. Jüdische Altertümer, Köln, 3. Auflage, 1892.

KAUTZSCH, E., Die Apokryphen und Pseudepigraphen des Alten Testaments I-II, Hildesheim 1962.

KLIJN, A.F.J., Die syrische Baruch-Apokalypse (JSHRZ V/2) Gütersloh 1976.

KLOSTERMANN, E., Das Matthäus-Evangelium, Tübingen, 2. Auflage, 1927.

KRAELING, C.H., John the Baptist, New-York/London 1951.

KRIEGER, N., "Ein Mensch in weichen Kleidern", NT 1, 1956, 228-230.

KÜHNER, R./ GERTH, B., Ausführliche Grammatik der griechischen Sprache II/1-2, Darmstadt 1966.

KÜMMEL, W.G., Jesu Antwort an Johannes den Täufer. Ein Beispiel zum Methodenproblem in der Jesusforschung (SbWGF 11,4) Wiesbaden 1974, 129-159.

-- "Das Gesetz und die Propheten gehen bis Johannes" - Lk 16,16 im Zusammenhang der heilsgeschichtlichen Theologie der Lukasschriften, in: Braumann, G. (Hg.), Das Lukas-Evangelium. Die redaktions- und kompositionsgeschichtliche Forschung (WDF 280) Darmstadt 1974, 398-415.

KUHN, K.G., Konkordanz zu den Qumrantexten, Göttingen 1960.

LACHS, S.T., John the Baptist und His Audience, Gratz College Annual of Jewish Studies 4, 1975, 28-32.

LANG, B., כפר , ThWAT 4, 1984, 303-318.

LANG, F., Erwägungen zur eschatologischen Verkündigung Johannes des Täufers, in: Strecker, G. (Hg.), Jesus Christus in Geschichte und Historie. FS H. Conzelmann, Tübingen 1975, 459-473.

-- πῦρ , ThWNT 6, 1965, 927-948.

LAUFFEN, R., Die Doppelüberlieferungen der Logienquelle und des Markusevangeliums (BBB 54), Königstein/Bonn 1980.

LEIPOLDT, J.,/ GRUNDMANN, W., Die Umwelt des Urchristentums I, Berlin 1967.

LEIPOLDT, J., Die urchristliche Taufe im Lichte der Religionsgeschichte, Leipzig 1928.

LEROY, H., ἀφίημι , ἄφεσις , EWNT 1, 1980, 436-441.

LINNEMANN, E., Jesus und der Täufer, in: Ebeling, G./Jüngel, E./Schunack, G. (Hg.), FS E. Fuchs, Tübingen 1973, 219-236.

LOHFINK, G., Der Ursprung der christlichen Taufe, ThQ 156, 1976, 35-54.

LOHMEYER, E., Von Baum und Frucht. Eine exegetische Studie zu Matth 3,10, in: ders., Urchristliche Mystik. Neutestamentliche Studien, Darmstadt, 2. Auflage, 1958, 31-56.

-- Das Evangelium nach Markus (KEK I/2) Göttingen, 16. Auflage, 1963.

--/ SCHMAUCH, W., Das Evangelium nach Matthäus (KEK Sonderband), Göttingen, 3. Auflage, 1962.

LOHMEYER, E., Das Urchristentum I: Johannes der Täufer, Göttingen 1932.

LOHSE, E. (Hg.), Die Texte aus Qumran. Hebräisch und Deutsch, Darmstadt 1971.

LÜHRMANN, D., Die Redaktion der Logienqulle (WMANT 33), Neukirchen-Vluyn 1969.

MAIER, J./ SCHUBERT, K., Die Qumran-Essener, München 1973.

MAIER, J., Die Texte vom Toten Meer I-II, München/Basel 1960.

MARXSEN, W., Der Evangelist Markus. Studien zur Redaktionsgeschichte des Evangeliums (FRLANT 67 NF 49) Göttingen 1956, 2. Auflage, 1959.

MAYER, R., Die biblische Vorstellung vom Weltbrand (BOS 4), Bonn 1956.

MEIER, J.P., John the Baptist in Matthew's Gospel, JBL 99, 1980, 383-405.

MERKLEIN, H., Jesu Botschaft von der Gottesherrschaft. Eine Skizze (SBS 111) Stuttgart 1983.

-- Die Gottesherrschaft als Handlungsprinzip. Untersuchung zur Ethik Jesu (FzB 34) Würzburg, 3. Auflage, 1984.

-- μετάνοια κτλ., EWNT 2, 1981, 1022-1031.

-- Die Umkehrpredigt bei Johannes dem Täufer und Jesus von Nazareth, BZ 25, 1981, 29-46.

MICHAELIS, W., Zum jüdischen Hintergrund der Johannestaufe, Jud 7, 1951, 81-120.

MICHEL, O., μεταμέλομαι ., ThWNT 4, 1966, 630-633.

-- Zeuge und Zeugnis. Zur neutestamentlichen Traditionsgeschichte, in: Baltensweiler, H./Reicke, B. (Hg.), Neues Testament und Geschichte. FS O. Cullmann, Zürich/Tübingen 1972, 15-31.

MILIK, J.J., The Books of Enoch. Aramaic fragments of Qumran Cave 4, Oxford 1976.

MOESINGER, G., Evangelii concordantis exposito, 1876.

MOULTON, W.F./ GEDEN, A.S., A Concordance to the Greek New Testament, Edinburgh, 4. Auflage, 1963, Neudruck 1974.

MÜLLER, K., Apokalyptik-Apokalypsen III. Die jüdische Apokalyptik. Anfänge und Merkmale, TRE 3, 1978, 202-251.

NESTLE, E./ ALAND, K., Novum Testamentum Graece, Stuttgart, 26. Auflage, 1979.

NESTLE, E., Otterngezüchte, ZNW 14, 1913, 267f.

NIESE, B. (Hg)., Flavius Josephus Opera, I-VII, Berlin 1955.

NÜTZEL, J.M., Zum Schicksal der eschatologischen Propheten, BZ NF 20, 1976, 59-94.

OEPKE, A., βάπτω κτλ., ThWNT 1, 1933 Neudruck 1966, 527-544.

-- ἐγεῖρω κτλ., ThWNT 2, 1935, 332-336.

PESCH, R., Das Markusevangelium (HThK II/1) Freiburg/Basel/ Wien, 3. Auflage, 1980.

PESCH, R., Zur Entstehung des Glaubens an die Auferstehung Jesu, ThQ 153, 1973, 201-228.

PHILONENKO-SAYAR, B.,/ PHILONENKO, M., Die Apokalypse Abrahams (JSHRZ V/5), Gütersloh 1982.

POLAG, A., Fragmenta Q. Textheft zur Logienquelle, Neukirchen-Vluyn 1979.

von RAD, G., Theologie des Alten Testaments I-II, München , 5. Auflage, 1968.

RAHLFS, A., Septuaginta, Stuttgart, 8. Auflage, 1965.

REITZENSTEIN, R., Die Vorgeschichte der christlichen Taufe, Leipzig 1929 (= Darmstadt 1967).

RENGSTORF, K.H., A complete concordance to Flavius Josephus 3, Leiden 1973.

RICHTER, G., "Bist du Elias?" (Jo 1,21), BZ 6, 1962, 79-92; 238-256; 7, 1963, 63-80.

RIESSLER, P., Altjüdisches Schrifttum außerhalb der Bibel, Augsburg 1928.

ROBINSON, J.A.T., Elijah, Johan und Jesus, NTS 4, 1957/58, 237-262.

RUDOLPH, K., Apokalyptik in der Diskussion, in: Hellholm, D. (Hg.), Apocalypticism in the Mediterranean World and the Near East, Tübingen 1983, 771-789.

-- Die Mandäer. I Das Mandäerproblem, II Der Kult (FRLANT 74.75) Göttingen 1960/61.

SABUGAL, S., La embajada de Juan Bautista (Mt 11,2-6 = Lc 7,18-23), Historia - Exegésis teológica - Hermenéutica, Madrid 1980.

SAHLIN, H., Die Früchte der Umkehr. Die ethische Verkündigung Johannes des Täufers nach Lc 3,10-14, StTh 1, 1947, 54-68.

-- Studien zum dritten Kapitel des Lukasevangeliums, Uppsala/Leipzig 1949.

SANDERS, E.P., The Genre of Palestinian Apocalypse, in: Hellholm, D. (Hg.), Apocalypticism in the Mediterranean World and the Near East, Tübingen 1983, 447-459.

SAULNIER, Chr., Herode Antipas et Jean le Baptiste, RB 91, 1984, 362-376.

SCHENK, W., Gefangenschaft und Tod des Täufers. Erwägungen zur Chronologie und ihren Konsequenzen, NTS 29, 1983, 453-484.

-- Synopse zur Redenquelle der Evangelisten. Q-Synopse und Rekonstruktion in deutscher Übersetzung mit kurzen Erläuterungen, Düsseldorf 1981.

SCHLATTER, A., Johannes der Täufer, hg. von W. Michaelis (Berner theol. Diss. 1880), Basel 1956.

SCHMID, J., Das Evangelium nach Matthäus (RNT 1) Regensburg, 5. Auflage, 1965.

SCHMITHALS, W., Das Evangelium nach Markus (ÖTK II/1) Gütersloh/Würzburg 1979.

SCHNACKENBURG, R., Das Johannesevangelium I (HThK IV/1), Freiburg/Basel/Wien, 2. Auflage, 1967.

-- Umkehr-Predigt im Neuen Testament, in: ders., Christliche Existenz nach dem Neuen Testament. Abhandlungen und Vorträge I, München 1967, 35-60.

SCHÖNLE, V., Johannes, Jesus und die Juden. Die theologische Position des Matthäus und des Verfassers der Redenquelle im Lichte von Mt 11 (BET 17), Frankfurt/Bern 1982.

SCHREINER, J., Das 4. Buch Esra (JSHRZ V/4) Gütersloh 1981.

SCHÜRMANN, H., Das Lukasevangelium I (HThK III/1) Freiburg/Basel/Wien, 2. Auflage, 1982.

SCHÜTZ, R., Johannes der Täufer (AThANT 50) Zürich/Stuttgart 1967.

SCHULZ, S., Q. Die Spruchquelle der Evangelisten, Zürich 1972.

SCHWARZ, G., τὸ δὲ ἄχυρον κατακαύσει , ZNW 72, 1981, 264-271.

SCHWERTNER, S., Abkürzungsverzeichnis der TRE, Berlin/New York 1976.

SCOBIE, CH.H.H., John the Baptist, London 1964.

STENDHAL, K., The Scrolls and the New Testament, New York 1957.

STÄHLIN, G., ὀργή, ThWNT 5, 1954, 419-448.

STAMM, J.J., סלח , THAT 2, 1976, 150-160.

STECK, O.H., Israel und das gewaltsame Geschick der Propheten. Untersuchungen zur Überlieferung des deuteronomistischen Geschichtsbildes im Alten Testament, Spätjudentum und Urchristentum (WMANT 23).Neunkirchen-Vluyn 1967.

STEGEMANN, H., Die Bedeutung der Qumranfunde für die Erforschung der Apokalyptik, in: Hellholm, D. (Hg.), Apocalypticism in the Mediterranean World and the Near East, Tübingen 1983, 495-530.

STEINMANN, J., Johannes der Täufer, Hamburg 1960.

STOEBE, H.J., נחם , THAT 2, 1976, 59-66.

STOLZ, F., נשא , THAT 2, 1976, 106-177.

STUHLMACHER, P., Das paulinische Evangelium I. Vorgeschichte (FRLANT 95) Göttingen 1968.

SURKAU, H.-W., Martyrien in jüdischer und frühchristlicher Sicht (FRLANT 54) Göttingen 1938.

THEISSEN, G., Das "schwankende Rohr" in Mt 11,7 und die Gründungsmünzen in Tiberias, ZDPV 101, 1985, 43-55.

THOMAS, J., Le Mouvement Baptiste en Palestine et Syrie, 1935.

THYEN, H., ΒΑΠΤΙΣΜΑ ΜΕΤΑΝΟΙΑΣ ΕΙΣ ΑΦΕΣΙΝ ΑΜΑΡΤΙΩΝ , in: Dinkler, E. (Hg.), Zeit und Geschichte. Dankesgabe an R. Bultmann zum 80. Geburtstag, Tübingen 1964, 97-125.

-- Studien zur Sündenvergebung im Neuen Testament und seinen alttestamentlichen Voraussetzungen (FRLANT 96) Göttingen 1970.

TISCHENDORF, C., Apocalypses Apocryphae, Leipzig 1866.

TÖDT, H.E., Der Menschensohn in der synoptischen Überlieferung, Gütersloh, 2. Auflage, 1963.

TRILLING, W., Die Täufertradition bei Matthäus, BZ NF 3, 1959, 271-289.

UHLIG, S., Das Äthiopische Henochbuch (JSHRZ V/6) Gütersloh 1984.

VIELHAUER, Ph., "Apokalypsen und Verwandtes", in: Hennecke, E./Schneemelcher, W. (Hg.), Neutestamentliche Apokryhen in deutscher Übersetzung II, Tübingen, 3. Auflage, 1964, 405-427.

-- Johannes der Täufer, RGG 3, 3. Auflage, 1959, 804-808.

-- Das Benedictus des Zacharias (Lk 1,68-79), in: ders., Aufsätze zum Neuen Testament, München 1965, 28-46.

-- Tracht und Speise Johannes des Täufers, in: ders., Aufsätze zum Neuen Testament, München 1965, 47-54.

VOLZ, P., Die Eschatologie der jüdischen Gemeinde im neutestamentlichen Zeitalter, Hildesheim 1966.

WAHL, Chr.A., Clavis Librorum Vetis Testamenti Apocryphorum Philologica, Graz 1972.

WERNER, A., Die Apokalypse des Petrus. Die dritte Schrift aus Nag-Hammadi-Codex VII, ThLZ 99, 1974, 575-584.

WILCKENS, U., Auferstehung. Das biblische Auferstehungszeugnis historisch untersucht und erklärt, Stuttgart/Berlin, 2. Auflage, 1977.

-- Der Brief an die Römer (EKK VI/1) Zürich/Einsiedeln/Köln/Neukirchen-Vluyn 1978.

WINDISCH, H., Kleine Beiträge zur evangelischen Überlieferung. 1. Zum Gastmahl des Antipas, ZNW 18, 1917/18, 73-81.

-- Die Notiz über Tracht und Speise des Täufers Johannes und ihre Entsprechung in der Jesusüberlieferung, ZNW 32, 1933, 65-87.

WINK, W., John the Baptist in the Gospel Tradition, Cambridge 1968.

WOLF, P., Gericht und Reich Gottes bei Johannes und Jesus, in: Fiedler, P./Zeller, D. (Hg.), Gegenwart und kommendes Reich. Schülergabe für A. Vögtle, Stuttgart 1975, 43-49.

WOLFF, Chr., Zur Bedeutung Johannes des Täufers im Markusevangelium, ThLZ 102, 1977, 857-865.

WOLFF, H.W., Das Kerygma des deuteronomistischen Geschichtswerks, in: ders., Gesammelte Studien zum Alten Testament (ThB 22) München, 2. Auflage, 1973, 308-324.

-- Das Thema "Umkehr" in der alttestamentlichen Prophetie, in: ders., Gesammelte Studien zum Alten Testament (ThB 22) München, 2. Auflage, 1973, 130-150.

WÜRTHWEIN, E., νοέω κτλ., ThWNT 4, 1966, 976-985.

WREGE, H.-Th., καρπός, EWNT 2, 1981, 619-623.

ZELLER, D., Kommentar zur Logienquelle (Stuttgarter Kleiner Kommentar NT 21), Stuttgart 1984.

-- Redaktionsprozesse und wechselnder "Sitz im Leben" beim Q-Material, in: Delobel, J. (Jg.), Logia. Les parôles de Jésus. FS J. Coppens (BEThL LIX) Leuven 1982, 395-409.

Stellenregister

ALTES TESTAMENT

NEUES TESTAMENT

Rouo Amro
58,-